Anne Wilson

Petits festins

en semaine

KÖNEMANN

Titre original : *Anne Wilson's Complete Workday Dinner Cookbook*

Nota bene :
Quelques recettes présentées dans cet ouvrage ont déjà fait l'objet d'une publication aux éditions Könemann.

Könemann Verlagsgesellschaft mbH
Bonner Str. 126, D-50968 Cologne

Traduction de l'anglais : Sophie Guyon ;
Marie-Christine Louis-Liversidge ; Anouk Journo
Mise en pages : Cosima de Boissoudy, Paris
Fabrication : Ursula Schümer
Impression et reliure : Sing Cheong Printing Co., Ltd., Hong Kong
Imprimé en Chine

ISBN : 3-8290-6467-5

10 9 8 7 6 5 4 3 2 1

SOMMAIRE

LES PÂTES

Ce chapitre révèle comment réussir de délicieux repas de pâtes, depuis la fabrication de pâtes fraîches, la cuisson des pâtes et les multiples manières de les accommoder. Vous y trouverez des recettes de plats simples, de sauces traditionnelles et des nouvelles idées audacieuses.

DES PÂTES PARFAITES

LA PÂTE DE BASE

Pour faire suffisamment de pâte pour six personnes en entrée, ou quatre en plat principal, il vous faut 300 g de farine, 3 gros œufs (60 g), 30 ml d'huile d'olive (facultatif) et une pincée de sel.
Pour mélanger la pâte à la main, faire un tas avec la farine sur une surface de travail ou dans un grand saladier en céramique et creuser un puits au centre. Casser les œufs dans le puits et ajouter l'huile (le cas échéant), ainsi qu'une généreuse pincée de sel. À l'aide d'une fourchette, battre les œufs et l'huile, en incorporant un peu de farine.
Mélanger progressivement la farine et les œufs en travaillant du centre vers l'extérieur. Utiliser la main libre pour maintenir le tas de farine en place et empêcher les œufs de couler à l'extérieur.
Pétrir délicatement la pâte sur une surface légèrement farinée, la retourner de temps en temps et appuyer dessus. La pâte doit être élastique et souple mais sèche au toucher. Si elle colle, ajouter un peu de farine en pétrissant.
Il faut la pétrir 6 minutes environ pour qu'elle ait une texture lisse et élastique et qu'elle brille légèrement. Si vous utilisez de la semoule de blé dur, il faudra pétrir la pâte un peu plus longtemps, 8 minutes au moins. Mettre la pâte dans un sac en plastique sans le fermer ou la couvrir d'un torchon ou d'un bol retourné. La laisser reposer 30 minutes. La pâte peut également être faite au robot.

ÉTALER ET DÉCOUPER LA PÂTE À LA MAIN

Diviser la pâte en trois ou quatre portions et les couvrir. Fariner légèrement un grand plan de travail. Aplatir une portion de pâte sur la surface et, avec un long rouleau à pâtisserie fariné, l'étaler en partant du centre vers l'extérieur.
Continuer à étaler la pâte, toujours avec un mouvement d'avant en arrière.
Tourner souvent la pâte. Fariner le plan de travail pour éviter que la pâte ne colle.
Une fois que vous avez obtenu un cercle bien formé, plier la pâte en deux et l'étaler à nouveau. Procéder de la sorte sept ou huit fois pour obtenir un cercle de pâte d'environ 5 mm d'épaisseur.
Étaler rapidement le cercle de pâte en une feuille de 2,5 mm d'épaisseur. Réparer les déchirures avec des morceaux de pâte pris sur les bords et utiliser un peu d'eau pour les faire adhérer.
Dès que la feuille est prête, la mettre sur un torchon sec. Si la pâte doit être farcie, la laisser couverte, si elle doit être coupée en rubans ou selon certaines formes, la laisser découverte pendant que vous étalez les autres portions, de manière à assécher légèrement la surface.
Pour les feuilles de lasagne, couper la pâte

aux dimensions requises. La meilleure méthode pour découper des pâtes longues, des fettucine par exemple, est de rouler chaque feuille de pâte sur elle-même puis de la découper en largeurs égales avec un couteau pointu. Pour les tagliatelle, couper tous les 8 mm, pour les fettucine, tous les 5 mm et pour les pappardelle tous les 3 cm. Jeter les chutes. Dérouler les rubans et les laisser sécher en une seule couche sur un torchon 10 minutes maximum. Vous pouvez pendre de longs rubans de pâte sur le manche d'un balai ou d'une cuillère en bois posé entre deux chaises.

Vous pouvez découper la feuille de pâte en rubans avec un long couteau pointu ou une roulette à pâtisserie. Aidez-vous d'une règle pour couper droit si vous le souhaitez. Une roulette zigzag donnera de jolis bords aux pâtes comme les farfalle. Ne pas faire sécher les pâtes dans un endroit froid ou dans un courant d'air, elles pourraient devenir cassantes. Il est préférable de les laisser sécher lentement.

RAVIOLI

Pour quatre à six personnes, il vous faudra une quantité de pâte de base, environ 1 tasse ½ de farce et un œuf battu pour souder les bords. Il existe deux méthodes pour former les ravioli à la main : en découpant la pâte et en repliant chaque morceau par-dessus la farce, ou en recouvrant une feuille de pâte garnie de farce d'une autre feuille, puis en découpant les formes. La première méthode est très simple et permettra de mieux sceller les bords, car seuls trois des bords sont découpés et soudés à la main. La deuxième est plus rapide mais avec quatre bords libres, les ravioli risquent davantage de s'ouvrir pendant la cuisson.

LA MÉTHODE DES DEUX FEUILLES

Fariner un plan de travail. Diviser la pâte en quatre. Étaler deux portions en feuilles très fines (d'environ 2,5 mm d'épaisseur, moins si possible) sur le plan de travail, à l'aide d'une machine à pâtes à manivelle ou d'un rouleau à pâtisserie. Faire une abaisse légèrement plus grande que l'autre et la couvrir d'un torchon.

Étaler la plus petite des deux feuilles sur le plan de travail. Pour donner l'échelle, tracer sommairement dans un coin deux ou trois carrés de ravioli. Verser de la farce au centre de chaque carré et aplatir avec le dos de la cuillère. Cela vous aidera à définir la quantité de farce par carré et l'espacement entre chaque ravioli. La farce doit couvrir les deux tiers environ de la surface de chaque carré. Répartir ensuite des cuillerées de farce sur la feuille. Aplatir avec le dos de la cuillère.

Badigeonner d'œuf battu entre les tas de farce, le long des lignes de coupe. Prendre la feuille la plus grande et, en partant d'un bord, la placer sur la première, en faisant coïncider les bords et en appuyant de temps en temps pour qu'elle adhère à la première sans bouger. Ne pas l'étirer, la laisser se poser naturellement.

Passer les doigts le long des lignes de coupe pour coller les feuilles l'une à l'autre, ou le bord fin d'une règle, ce qui marquera les lignes et soudera les feuilles. Couper le long de ces lignes avec un couteau ou une roulette à pâtisserie. Placer les ravioli sur une plaque de cuisson farinée ou un grand plateau et les mettre au réfrigérateur pendant la préparation de la pâte et de la farce restantes. Ne pas empiler les ravioli pour éviter qu'ils ne collent les uns aux autres. Ils peuvent être réfrigérés, couverts, jusqu'à 3 heures, selon la teneur en eau de la farce. Le temps de cuisson varie en fonction de l'épaisseur de la pâte et du type de farce.

ÉTALER ET DÉCOUPER LA PÂTE AVEC UNE MACHINE À MANIVELLE

Fixer solidement la machine au bord du plan de travail. Diviser la pâte en trois ou quatre portions et donner à chacune la forme d'un boudin. Couvrir les portions inutilisées. Aplatir une portion en passant une à deux fois le rouleau à pâtisserie, puis la fariner légèrement. Placer les rouleaux de la machine à l'écartement maximal, faire passer la pâte dans la machine deux ou trois fois. La plier en trois, la tourner à 90 degrés et la faire passer à nouveau dans la machine. Si la pâte semble humide ou a tendance à coller, fariner légèrement les surfaces extérieures chaque fois qu'elle est étalée, jusqu'à ce qu'elle passe dans la machine facilement. Renouveler ces opérations huit à dix fois, ou jusqu'à ce que la pâte soit une feuille lisse et élastique d'un aspect velouté. Ne plus replier la pâte après cela.
Réduire l'écartement des rouleaux d'un cran et refaire passer la pâte. Recommencer, en réduisant à chaque fois le réglage d'un cran jusqu'à ce que les feuilles aient l'épaisseur voulue. Certaines machines abaisseront la pâte trop finement à leur dernier réglage et la déchireront. Pour éviter cela, arrêter à l'avant-dernier cran et abaisser la pâte plusieurs fois sur ce réglage. Elle ressortira à chaque fois un peu plus fine. Passer plusieurs fois la pâte dans la machine est une technique également utile lorsque certaines machines n'étalent pas la pâte assez finement à leur dernier réglage.
Une fois la feuille prête, la mettre sur un torchon sec. La laisser sécher 10 minutes à découvert si elle doit être découpée, mais la couvrir si elle doit être farcie.
Pour les feuilles de lasagne, couper la pâte à la dimension voulue. Pour faire des feuilles plus étroites, choisir les lames adaptées sur la machine et y faire passer chaque feuille de pâte. Les étaler sur un torchon jusqu'au moment de les cuire, en les couvrant seulement si elles sèchent trop. Les pâtes longues, comme les tagliatelle, peuvent être séchées en étant suspendues sur le manche propre d'un balai ou de grandes cuillères en bois posées entre deux chaises.

COMMENT CUIRE LES PÂTES

Il est important d'utiliser une grande marmite d'eau bouillante (au moins 1 litre pour 100 g de pâtes), de manière à ce que les pâtes puissent bouger librement en cuisant et en gonflant et pour éviter qu'elles ne se collent les unes aux autres lorsque l'amidon est libéré. Une trop grande quantité d'amidon empêchera les pâtes d'absorber l'eau correctement et gênera la cuisson.
Pour donner plus de saveur aux pâtes, ajouter, au moment de les plonger dans l'eau, une petite quantité de sel et, pour éviter qu'elles ne collent, un filet d'huile. Une fois les pâtes dans l'eau, remuer avec une grande cuillère en bois jusqu'à ce que l'ébullition reprenne.
La durée de cuisson est essentielle, une minute de plus ou de moins peut avoir des conséquences énormes.
Nous cherchons à cuire les pâtes *al dente*, ce qui veut dire qu'elles doivent être tendres tout en offrant une légère résistance. Il n'est pas agréable de manger des pâtes insuffisamment cuites ou des pâtes trop cuites et pâteuses, même si la sauce est excellente !
Les pâtes fraîches aux œufs se cuisent en deux minutes ou moins si elles sont très fines, et les pâtes sèches en 12 minutes environ. Mais cela peut varier et il est préférable de suivre les indications du paquet acheté dans le commerce.
Le mieux pour savoir si elles sont cuites est de les goûter un peu avant la fin de la cuisson. Elles doivent être fermes sans être dures au centre. Lorsque les pâtes sont cuites, retirer la marmite du feu et ajouter 250 ml d'eau froide, attendre 30 secondes et égoutter. Ne pas rincer sous l'eau froide, sauf mention contraire, ce qui en diminuerait les nutriments et la saveur.
Ne pas secouer la passoire trop fort, afin que les pâtes puissent continuer à se gorger d'humidité. De plus, lorsque vous ajoutez une sauce préparée à point à des pâtes trop égouttées, celle-ci deviendra trop épaisse parce que son liquide sera absorbé par les pâtes. Mais si les pâtes doivent attendre avant d'être servies, les rincer à l'eau froide pour arrêter la cuisson, les mettre dans un saladier avec un peu d'huile d'olive et couvrir.

CONGÉLATION

Les pâtes farcies se congèlent bien et doivent être cuites dès leur sortie du congélateur. Les congeler en une seule couche, ou au besoin, entre des feuilles de papier sulfurisé. Couvrir d'un torchon. Une fois congelées, les mettre dans un récipient hermétique.

PORTIONS

Entrée : environ 60 g de pâtes fraîches ou 90 g de pâtes sèches.
Plat principal : 125 g de pâtes fraîches ou 150 g de pâtes sèches.
NOTE : les pâtes sèches ne sont pas aussi nourrissantes que les pâtes fraîches car elles contiennent moins d'eau.

PÂTES

Il est préférable de marier les pâtes aux sauces qui leur conviennent le mieux. Les formes tubulaires vont parfaitement avec les sauces épaisses, tandis que les pâtes plates ou lisses se marient mieux avec des sauces fines et onctueuses. Les pâtes fraîches s'accompagnent bien de sauces riches à la crème ou au fromage, alors que les sèches apprécient les sauces tomate.

Cannelloni

Ravioli

Tortellini

Spaghettini frais et secs

Spaghetti frais et secs

Orechiette

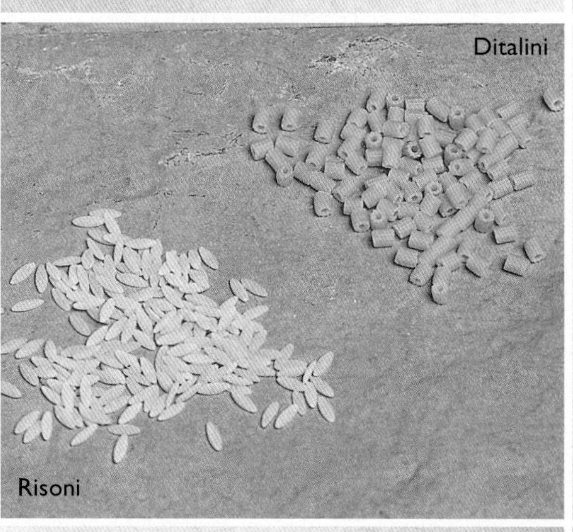

Ditalini

Risoni

Penne

Pappardelle

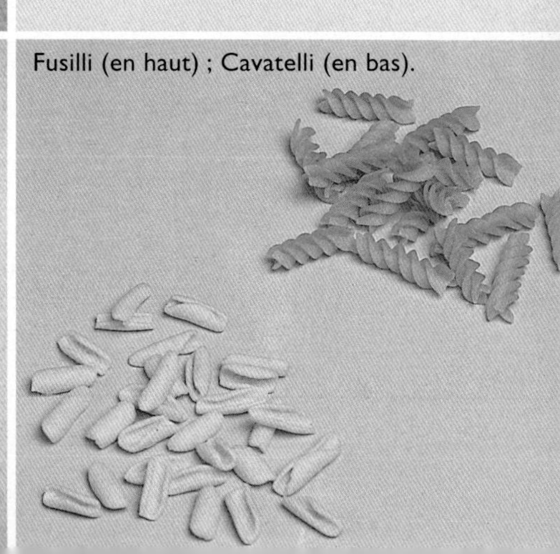

Fusilli (en haut) ; Cavatelli (en bas).

Gnocchi frais (en haut) ; gnocchi de pâtes (en bas)

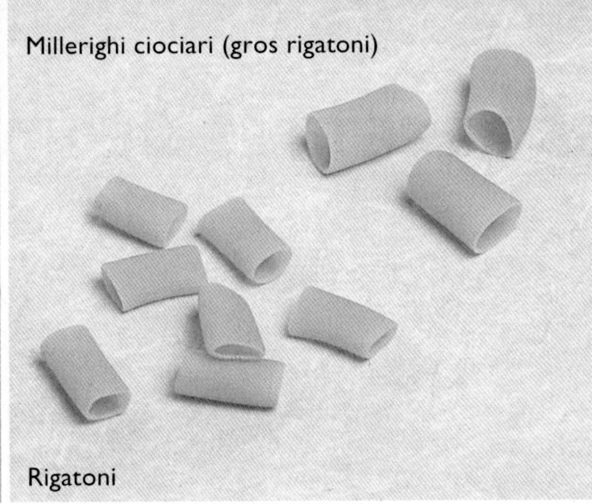

Millerighi ciociari (gros rigatoni)

Rigatoni

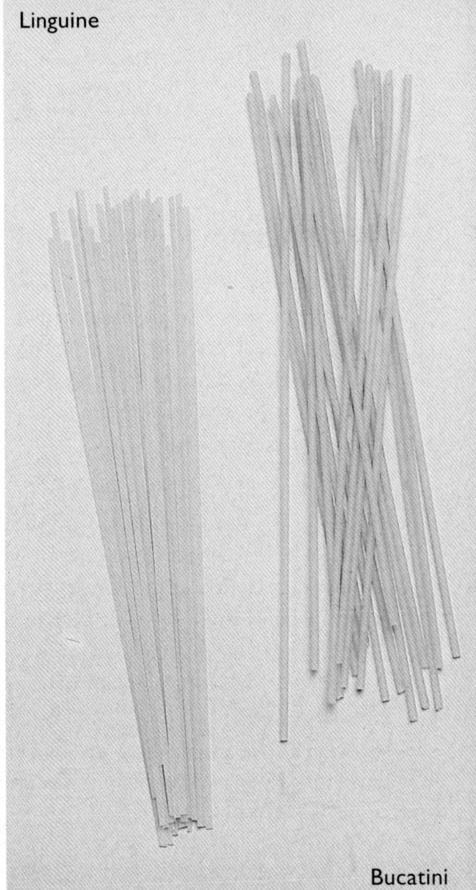

Linguine

Bucatini

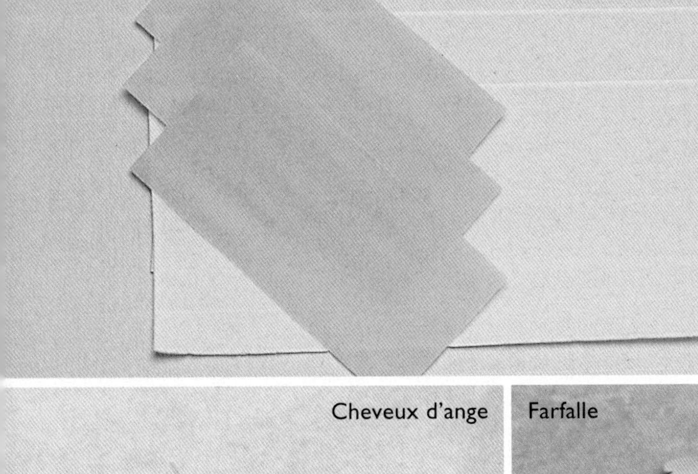

Lasagne fraîches et sèches

Cheveux d'ange

Farfalle

Petites et grandes conchiglie (en forme de coquillage)

Fettucine et tagliatelle fraîches et sèches

Macaroni courts et coquillettes

Bucatini pomodoro

2 cuil. à soupe d'huile d'olive • 1 oignon, finement haché • 2 gousses d'ail, finement hachées • 2 cuil. à soupe de persil plat finement haché • 2 boîtes de 400 g de tomates pelées et concassées, ou 1 kg de tomates bien mûres pelées et concassées • 1 cuil. à soupe de concentré de tomates • 1 cuil. à café de sucre en poudre • 500 g de bucatini • ¼ de tasse de basilic frais ciselé • parmesan râpé, pour servir

Pour 4 à 6 personnes

CHAUFFER l'huile dans une grande poêle à frire. Faire revenir l'oignon, l'ail et le persil sur feu doux pendant 3 minutes, ou jusqu'à ce que les oignons soient tendres.

AJOUTER les tomates en boîte ou fraîches, le concentré de tomates et le sucre. Couvrir partiellement et laisser mijoter 30 minutes ou jusqu'à épaississement de la sauce. Assaisonner de sel et de poivre noir fraîchement moulu.

CUIRE les pâtes *al dente* dans une grande marmite d'eau bouillante. Égoutter.

MÉLANGER la sauce dans les pâtes et garnir de basilic ciselé. Servir avec du parmesan râpé.

QUALITÉS NUTRITIVES PAR PORTION (6)

Protéines 12 g ; Lipides 8,5 g ; Glucides 65 g ; Fibres alimentaires 6,5 g ; Cholestérol 3 mg ; 1 635 kJ (390 cal)

Linguine au pistou

2 tasses pleines de basilic frais • 2 gousses d'ail • ¼ de tasse de pignons de pins grillés • ½ tasse de parmesan râpé • 175 ml d'huile d'olive • 500 g de linguine • parmesan râpé, pour servir

Pour 4 à 6 personnes

HACHER le basilic, l'ail et les pignons de pins dans un robot. Ajouter le parmesan et bien mélanger. Laisser le moteur tourner et ajouter l'huile en un filet continu, jusqu'à ce que le mélange soit homogène.

CUIRE les pâtes *al dente* dans une grande marmite d'eau bouillante. Égoutter.

MÉLANGER les pâtes avec une quantité suffisante de pistou pour bien les enrober. Saupoudrer de parmesan râpé et servir.

QUALITÉS NUTRITIVES PAR PORTION (6)

Protéines 13 g ; Lipides 17 g ; Glucides 60 g ; Fibres alimentaires 4,25 g ; Cholestérol 8 mg ; 1 862 kJ (445 cal)

NOTE : le pistou peut se conserver une semaine au réfrigérateur dans un récipient hermétiquement clos. Recouvrir la surface du pistou d'une couche d'huile. Il peut également être congelé en procédant de même, et se conserve ainsi 1 mois.

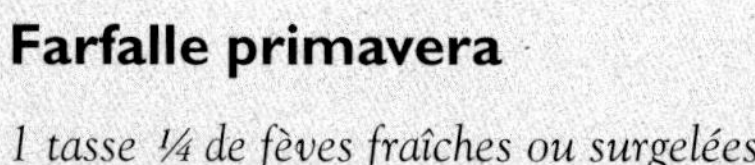

Farfalle primavera

1 tasse ¼ de fèves fraîches ou surgelées • 200 g de jeunes asperges, épluchées et coupées en tronçons de 5 cm • 1 tasse ½ de petits pois frais ou surgelés • 100 g de haricots verts équeutés et coupés en morceaux de 3 cm • 500 g de farfalle • 30 g de beurre • 3 oignons nouveaux, coupés en morceaux de 3 cm • ¼ de tasse de persil plat frais haché • 300 ml de crème fleurette • ½ tasse de parmesan râpé
Pour 4 à 6 personnes

BLANCHIR les fèves dans une casserole d'eau bouillante pendant 1 minute, puis ajouter les asperges, les petits pois et les haricots verts. Reporter à ébullition et blanchir les légumes 2 minutes, ou jusqu'à ce qu'ils soient tendres et d'un vert brillant. Rafraîchir rapidement sous l'eau froide et égoutter.
CUIRE les pâtes *al dente* dans une grande marmite d'eau bouillante. Égoutter.
FAIRE FONDRE le beurre dans une grande poêle à frire. Ajouter les oignons nouveaux et faire revenir 2 minutes. Incorporer les légumes blanchis et remuer pour les réchauffer. Ajouter le persil et la crème et faire cuire 2 à 3 minutes sans laisser bouillir. Assaisonner de sel et de poivre noir fraîchement moulu.
MÉLANGER les pâtes avec la sauce et le parmesan et servir.

QUALITÉS NUTRITIVES PAR PORTION (6)
Protéines 20 g ; Lipides 25 g ; Glucides 65 g ; Fibres alimentaires 8,5 g ; Cholestérol 78 mg ; 2 370 kJ (565 cal)

Spaghettini à l'ail et aux piments

125 ml d'huile d'olive extra vierge • 2 à 3 gousses d'ail, finement hachées • 1 à 2 piments rouges, épépinés et finement hachés • 500 g de spaghettini frais • ¼ de tasse de persil frais finement haché

Pour 4 à 6 personnes

CHAUFFER l'huile dans une grande poêle à frire. Ajouter l'ail et les piments et faire revenir sur feu très doux pendant 2 à 3 minutes, ou jusqu'à coloration de l'ail. Veiller à ne pas laisser brûler l'ail ou les piments, sinon la sauce aura un goût amer.
CUIRE les pâtes *al dente* dans une grande marmite d'eau bouillante. Égoutter.
MÉLANGER le persil et l'huile chaude à l'ail et aux piments avec les pâtes. Assaisonner de sel et de poivre noir fraîchement moulu. Servir immédiatement.

QUALITÉS NUTRITIVES PAR PORTION (6)
Protéines 9,5 g ; Lipides 21 g ; Glucides 60 g ; Fibres alimentaires 4,5 g ; Cholestérol 0 mg ; 1 935 kJ (465 cal)

Minestrone

250 g de haricots borlotti secs préalablement trempés une nuit dans l'eau • 2 cuil. à soupe d'huile d'olive • 2 oignons, hachés • 2 gousses d'ail, écrasées • 3 tranches de bacon, hachées • 4 tomates olivettes (roma), pelées et concassées • 3 cuil. à soupe de persil frais haché • 2,25 litres de bouillon de bœuf ou de légumes • 60 ml de vin rouge • 1 carotte, hachée • 1 rutabaga, coupé en dés • 2 pommes de terre, coupées en dés • 3 cuil. à soupe de concentré de tomates • 2 courgettes, émincées • ½ tasse de petits pois frais ou surgelés • ½ tasse de macaroni courts • pistou et parmesan râpé, pour garnir

Pour 6 à 8 personnes

ÉGOUTTER et rincer les haricots et les mettre dans une grande casserole. Couvrir d'eau froide. Porter à ébullition, remuer, baisser le feu et laisser mijoter 15 minutes. Égoutter.
CHAUFFER l'huile dans une grande casserole et faire revenir l'oignon, l'ail et le bacon, en remuant jusqu'à ce que l'oignon soit tendre et le bacon doré.
AJOUTER les haricots, les tomates, le persil, le bouillon et le vin. Couvrir et laisser mijoter 2 heures sur feu doux. Ajouter la carotte, le rutabaga, les pommes de terre et le concentré de tomates, couvrir et laisser mijoter 20 minutes. Ajouter les courgettes, les petits pois et les macaronis. Couvrir et laisser mijoter 10 à 15 minutes, ou jusqu'à ce que les légumes et les pâtes soient tendres. Assaisonner et servir avec un peu de pistou et de parmesan râpé.

QUALITÉS NUTRITIVES PAR PORTION (8)
Protéines 9 g ; Lipides 6 g ; Glucides 30 g ; Fibres alimentaires 4,5 g ; Cholestérol 7 mg ; 895 kJ (215 cal)

Ci-dessous, de gauche à droite : Farfalle primavera ; Spaghettini à l'ail et aux piments ; Minestrone.

Penne alla napolitana

2 cuil. à soupe d'huile d'olive • 1 oignon, finement haché • 2 à 3 gousses d'ail, finement hachées • 1 petite carotte, coupée en dés fins • 1 branche de céleri, coupée en dés fins • 2 boîtes de 400 g de tomates pelées et concassées, ou 1 kg de tomates bien mûres pelées et concassées • 1 cuil. à soupe de concentré de tomates • 1 cuil. à café de sucre en poudre • ¼ de tasse de basilic frais ciselé • 500 g de penne

Pour 4 à 6 personnes

CHAUFFER l'huile dans une grande poêle à frire, ajouter l'oignon et l'ail et faire revenir 2 minutes. Ajouter la carotte et le céleri et cuire encore 2 minutes.
AJOUTER les tomates fraîches ou en boîte, le concentré de tomates et le sucre en poudre. Laisser mijoter 20 minutes ou jusqu'à épaississement de la sauce en remuant 2 ou 3 fois pendant la cuisson. Incorporer le basilic, ajouter du sel et du poivre noir moulu.
CUIRE les pâtes *al dente* dans une grande marmite d'eau bouillante. Égoutter.
MÉLANGER les pâtes avec la sauce.

QUALITÉS NUTRITIVES PAR PORTION (6)
Protéines 10 g ; Lipides 7,5 g ; Glucides 65 g ; Fibres alimentaires 6,5 g ; Cholestérol 0 mg ; 1 585 kJ (380 cal)

NOTE : cette sauce convient aux pâtes plus épaisses, essayez les rigatoni ou les bucatini. Vous pouvez également y ajouter des olives noires émincées.

Rigatoni aux quatre fromages

500 g de rigatoni • 300 ml de crème fleurette • 1 tasse de parmesan râpé • 50 g de beurre coupé en dés • ⅓ de tasse de fontina râpée • ⅓ de tasse de gorgonzola râpé • ½ tasse de provolone râpé ***Pour 4 à 6 personnes***

CUIRE les pâtes *al dente* dans une grande marmite d'eau bouillante. Égoutter. Remettre les pâtes dans la marmite.
CHAUFFER la crème et ½ tasse de parmesan dans une petite casserole sur feu doux. Mélanger jusqu'à homogénéité et tenir au chaud.
AJOUTER aux pâtes le beurre, le reste du parmesan et les autres fromages et mélanger. Ajouter la sauce à la crème et bien mélanger pour enduire les pâtes. Assaisonner de sel et de poivre noir fraîchement moulu et servir immédiatement.

QUALITÉS NUTRITIVES PAR PORTION (6)
Protéines 25 g ; Lipides 40 g ; Glucides 60 g ; Fibres alimentaires 4 g ; Cholestérol 130 mg ; 2 990 kJ (715 cal)

Spaghettini à l'huile et au citron

125 ml d'huile d'olive • 1 oignon, finement haché • 1 tasse de persil plat finement haché • 1 cuil. à soupe de zeste de citron râpé • 125 ml de jus de citron • 500 g de spaghettini • 2 jaunes d'œufs • ½ tasse de parmesan râpé

Pour 4 personnes

CHAUFFER l'huile dans une grande poêle à frire. Ajouter l'oignon et le persil et faire revenir sur feu doux pendant 3 minutes, ou jusqu'à ce que l'oignon soit tendre. Ajouter le zeste et le jus de citron et cuire 1 à 2 minutes.

CUIRE les pâtes *al dente* dans une grande marmite d'eau bouillante. Égoutter.

RÉCHAUFFER doucement la sauce au citron, incorporer les jaunes d'œufs en fouettant puis mélanger immédiatement aux pâtes. Ajouter le parmesan et assaisonner de sel et de poivre noir fraîchement moulu. Mélanger à nouveau et servir aussitôt.

QUALITÉS NUTRITIVES PAR PORTION

Protéines 20 g ; Lipides 39 g ; Glucides 90 g ; Fibres alimentaires 7,5 g ; Cholestérol 105 mg ; 3 360 kJ (805 cal)

Gnocchi de pâtes au thon, aux câpres et au citron

425 g de thon en boîte égoutté • 70 ml d'huile d'olive • 2 cuil. à soupe de câpres hachées • ½ tasse de persil plat finement haché • 1 à 2 gousses d'ail, finement hachées • ½ petit piment rouge, finement haché (facultatif) • 1 cuil. à soupe de zeste de citron râpé • 60 ml de jus de citron • 500 g de petits gnocchi

Pour 4 à 6 personnes

METTRE le thon dans un saladier et l'émietter grossièrement à la fourchette. Ajouter l'huile, les câpres, le persil, l'ail, le piment (le cas échéant), le zeste et le jus de citron. Bien mélanger puis laisser reposer 30 minutes au moins.

CUIRE les pâtes *al dente* dans une grande marmite d'eau bouillante. Égoutter.

MÉLANGER la préparation au thon avec les pâtes. Assaisonner généreusement de sel et de poivre noir fraîchement moulu avant de servir.

QUALITÉS NUTRITIVES PAR PORTION (6)

Protéines 27 g ; Lipides 24 g ; Glucides 60 g ; Fibres alimentaires 5 g ; Cholestérol 30 mg ; 2 345 kJ (560 cal)

Spaghetti puttanesca

2 cuil. à soupe d'huile d'olive • 2 à 3 gousses d'ail, finement hachées • 1 petit piment rouge, finement haché • 2 boîtes de 400 g de tomates pelées et concassées • 1 cuil. à soupe de concentré de tomates • 500 g de spaghetti • 3 à 4 filets d'anchois, égouttés et finement hachés • 2 cuil. à soupe de câpres hachées • 10 olives Kalamata, dénoyautées et émincées • ¼ de tasse de persil plat frais haché

Pour 4 à 6 personnes

CHAUFFER l'huile dans une grande poêle à frire. Ajouter l'ail et le piment et faire revenir sur feu doux pendant 2 minutes. Ajouter les tomates et le concentré de tomates. Cuire, en remuant de temps en temps, pendant 20 minutes ou jusqu'à épaississement de la sauce.

CUIRE les pâtes *al dente* dans une grande marmite d'eau bouillante. Égoutter.

AJOUTER les anchois, les câpres et les olives dans la sauce, mélanger puis laisser mijoter 5 minutes. Incorporer le persil et assaisonner de poivre noir fraîchement moulu. Ajouter la sauce aux pâtes. Bien mélanger et servir immédiatement.

QUALITÉS NUTRITIVES PAR PORTION (6)

Protéines 10 g ; Lipides 8 g ; Glucides 65 g ; Fibres alimentaires 7 g ; Cholestérol 1,5 mg ; 1 580 kJ (380 cal)

NOTE : on ne sert généralement pas de parmesan avec cette sauce, les saveurs étant déjà très relevées.

Ci-dessous, de gauche à droite : Spaghettini à l'huile et au citron ; Gnocchi de pâtes au thon, câpres et citron ; Spaghettini puttanesca.

Tagliatelle bolognaises

60 ml d'huile d'olive • 1 gros oignon, finement haché • 2 gousses d'ail, écrasées • 1 branche de céleri, finement hachée • 1 grosse carotte, finement hachée • ¼ de tasse de persil frais haché • 500 g de viande de bœuf hachée • 250 g de viande de porc hachée • 50 g de pancetta tranchée et finement hachée • 2 boîtes de 400 g de tomates pelées et concassées • 50 g de concentré de tomates • 250 ml de bouillon de bœuf • 125 ml de vin rouge ou blanc • 500 g de tagliatelle • parmesan râpé, pour garnir

Pour 4 à 6 personnes

CHAUFFER l'huile dans une grande poêle à frire. Ajouter l'oignon et l'ail et faire revenir sur feu moyen à doux pendant 3 minutes environ. Ajouter le céleri, la carotte et le persil. Cuire en remuant pendant 3 minutes. Ajouter la viande de bœuf et de porc hachée. Dissocier les morceaux avec une cuillère en bois. Cuire 4 à 5 minutes de plus, en remuant, ou jusqu'à ce que la viande commence à dorer.

AJOUTER la pancetta, les tomates, le concentré de tomates, le bouillon et le vin. Assaisonner de sel et de poivre noir fraîchement moulu. Laisser mijoter 2 heures, partiellement couvert. Ajouter un peu d'eau si la sauce sèche trop.

CUIRE les pâtes *al dente* dans une grande marmite d'eau bouillante. Égoutter. Verser la sauce à la viande sur les pâtes et bien mélanger. Saupoudrer de parmesan avant de servir.

QUALITÉS NUTRITIVES PAR PORTION (6)

Protéines 50 g ; Lipides 25 g ; Glucides 65 g ; Fibres alimentaires 7,5 g ; Cholestérol 100 mg ; 2 885 kJ (690 cal)

Coquillettes au fromage

750 ml de lait • 1 oignon, haché • 1 feuille de laurier • 60 g de beurre • 2 tranches de bacon, hachées • ⅓ de tasse de farine ordinaire • 250 ml de crème fleurette • 1 pincée de noix muscade • 2 tasses de fromage râpé • 375 g de coquillettes • 1 tasse de chapelure fraîche • 30 g de beurre supplémentaire

Pour 4 à 6 personnes

PRÉCHAUFFER le four à 180 °C. Graisser un plat allant au four de 25 x 20 x 6 cm avec du beurre fondu.

METTRE le lait dans une casserole avec 1 cuillerée à soupe d'oignon et la feuille de laurier. Chauffer jusqu'au premier bouillon, retirer du feu et laisser infuser 15 minutes. Passer.

FAIRE FONDRE le beurre dans une grande poêle, ajouter le reste d'oignon et le bacon et faire revenir sur feu moyen pendant 3 minutes. Ajouter la farine et cuire 1 minute de plus. Retirer du feu et incorporer progressivement le lait dans le mélange oignon-bacon. Remuer jusqu'à ce que la consistance soit homogène. Remettre sur le feu et cuire, en remuant sans discontinuer, jusqu'à ébullition et épaississement. Ajouter la crème, la noix muscade et les deux tiers du fromage. Saler et poivrer. Couvrir d'un film plastique.

CUIRE les pâtes *al dente* dans une grande marmite d'eau bouillante. Égoutter.

MÉLANGER les pâtes et la sauce dans le plat beurré. Saupoudrer le dessus d'un mélange de chapelure et du fromage restant. Mettre des parcelles de beurre et cuire 30 minutes, ou jusqu'à ce que le dessus soit doré et croustillant. Servir chaud.

QUALITÉS NUTRITIVES PAR PORTION (6)

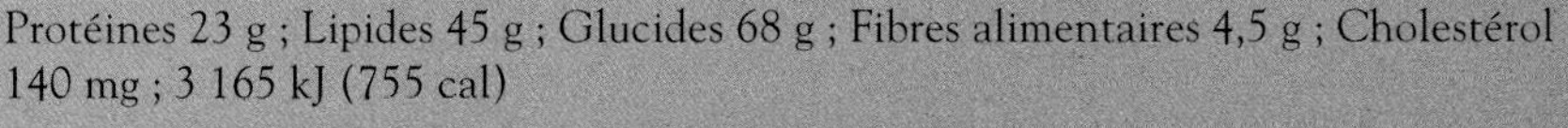

Protéines 23 g ; Lipides 45 g ; Glucides 68 g ; Fibres alimentaires 4,5 g ; Cholestérol 140 mg ; 3 165 kJ (755 cal)

Spaghetti carbonara

500 g de spaghetti frais • 3 œufs, légèrement battus • 125 ml de crème fleurette • 1 tasse de parmesan râpé • 2 cuil. à soupe d'huile d'olive • 2 gousses d'ail, finement hachées • 6 tranches de bacon, hachées

Pour 4 personnes

CUIRE les pâtes *al dente* dans une grande marmite d'eau bouillante. Égoutter et tenir au chaud.

MÉLANGER les œufs, la crème et le parmesan dans un saladier et réserver.

CHAUFFER l'huile dans une grande poêle à frire. Ajouter l'ail et le bacon et faire revenir sur feu moyen pendant 3 minutes, ou jusqu'à ce que le bacon soit croustillant (attention à ne pas laisser brûler l'ail).

AJOUTER les pâtes dans la poêle et bien mélanger. Retirer du feu et incorporer la préparation aux œufs. Assaisonner de poivre noir fraîchement moulu, puis servir immédiatement.

QUALITÉS NUTRITIVES PAR PORTION (6)

Protéines 40 g ; Lipides 30 g ; Glucides 90 g ; Fibres alimentaires 6,5 g ; Cholestérol 236 mg ; 3 395 kJ (810 cal)

NOTE : la chaleur des pâtes fera cuire les œufs. Ne laissez pas la poêle sur le feu, sinon les œufs auront la consistance d'œufs brouillés.

Ci-dessous, de gauche à droite : Spaghetti carbonara ; Penne arrabbiata ; Fusilli aux champignons et à la crème.

Penne arrabbiata

2 cuil. à soupe d'huile d'olive • 1 ou 2 petits piments rouges, finement hachés • 2 ou 3 gousses d'ail, hachées • 75 g de pancetta hachée • 1 petit oignon, finement haché • 1 branche de céleri, finement hachée • 1,5 kg de tomates bien mûres pelées, épépinées et concassées • 125 ml de vin blanc • 1 cuil. à soupe de concentré de tomates • 1 cuil. à café de sucre en poudre • 500 g de penne • 2 cuil. à soupe de persil frais haché • 2 cuil. à soupe de menthe fraîche hachée
Pour 4 à 6 personnes

CHAUFFER l'huile dans une grande poêle à frire. Faire revenir les piments, l'ail, la pancetta, l'oignon et le céleri sur feu moyen pendant 3 à 4 minutes jusqu'à ce qu'ils soient tendres. Ajouter les tomates, le vin, le concentré de tomates et le sucre et laisser mijoter 30 minutes, ou jusqu'à épaississement. Saler et poivrer.
CUIRE les pâtes *al dente* dans une grande marmite d'eau bouillante. Égoutter.
MÉLANGER la sauce avec les pâtes. Saupoudrer de persil et de menthe, retourner délicatement et servir.

QUALITÉS NUTRITIVES PAR PORTION (6)
Protéines 15 g ; Lipides 8 g ; Glucides 65 g ; Fibres alimentaires 7,5 g ; Cholestérol 6,5 mg ; 1 725 kJ (410 cal)

Fusilli aux champignons et à la crème

10 g de cèpes séchés • 30 g de beurre • 1 oignon, finement haché • 1 ou 2 gousses d'ail, finement hachées • 1 petit piment rouge, finement haché • 3 tranches de bacon, hachées • 375 g de champignons de Paris, émincés • 300 ml de crème fleurette • ⅓ de tasse de persil frais haché • 500 g de fusilli
Pour 4 à 6 personnes

METTRE les cèpes à tremper 10 minutes dans un bol contenant 60 ml d'eau bouillante. Égoutter et hacher en réservant le liquide.
CHAUFFER le beurre dans une grande poêle à frire. Faire revenir l'oignon, l'ail, le piment et le bacon sur feu moyen pendant 5 minutes, ou jusqu'à ce qu'ils soient cuits. Ajouter les cèpes et les champignons de Paris et cuire, en remuant, pendant encore 5 minutes ou jusqu'à ce que les champignons soient tendres. Ajouter le liquide de trempage réservé, la crème et le persil haché. Laisser mijoter 5 minutes.
CUIRE les pâtes *al dente* dans une grande marmite d'eau bouillante. Égoutter.
MÉLANGER la sauce avec les pâtes. Servir immédiatement.

QUALITÉS NUTRITIVES PAR PORTION (6)
Protéines 17 g ; Lipides 30 g ; Glucides 60 g ; Fibres alimentaires 6,5 g ; Cholestérol 90 mg ; 2 360 kJ (565 cal)

Fettucine Alfredo

500 g de fettucine frais ou secs • 50 g de beurre • 300 ml de crème fleurette • 1 tasse ½ de parmesan râpé • une pincée de noix muscade • 2 cuil. à soupe de persil frais finement haché

Pour 4 personnes

CUIRE les pâtes *al dente* dans une grande marmite d'eau bouillante. Égoutter et tenir au chaud.

CHAUFFER le beurre et les deux tiers de la crème dans une grande poêle à frire. Laisser mijoter 6 minutes.

AJOUTER les pâtes à la crème chaude et bien mélanger. Ajouter le restant de crème, 1 tasse de parmesan, la noix muscade et le persil. Assaisonner de sel et de poivre noir fraîchement moulu. Mélanger à nouveau et servir immédiatement, parsemé du reste de parmesan.

QUALITÉS NUTRITIVES PAR PORTION

Protéines 35 g ; Lipides 60 g ; Glucides 90 g ; Fibres alimentaires 6,5 g ; Cholestérol 180 mg ; 4 285 kJ (1 025 cal)

Lasagne à la viande

Sauce à la viande : *2 cuil. à soupe d'huile d'olive • 1 oignon, finement haché • 1 branche de céleri, finement hachée • 1 carotte, finement hachée • 500 g de viande de bœuf hachée • 125 g de champignons hachés • 2 boîtes de 400 g de tomates pelées et concassées • 1 cuil. à soupe de concentré de tomates • 1 cuil. à café d'origan séché •* ***Béchamel :*** *120 g de beurre • ⅔ de tasse de farine ordinaire • 1,5 litre de lait • 2 tasses de fromage râpé • 1 tasse de parmesan râpé • 1 pincée de noix muscade • environ 15 feuilles de lasagne sèches (235 g) • ½ tasse de parmesan supplémentaire*

Pour 6 personnes

POUR FAIRE LA SAUCE À LA VIANDE, chauffer l'huile dans une grande poêle à frire. Ajouter l'oignon, le céleri et la carotte et faire revenir sur feu moyen pendant 2 à 3 minutes, ou jusqu'à ce que l'oignon soit tendre. Ajouter la viande hachée et cuire, en remuant, 3 à 4 minutes de plus ou jusqu'à ce que la viande soit dorée. Ajouter les champignons, les tomates, le concentré de tomates et l'origan. Laisser mijoter 1 heure ou jusqu'à épaississement. Ajouter un peu d'eau si la sauce épaissit trop vite.

POUR PRÉPARER LA BÉCHAMEL, faire fondre le beurre dans une casserole. Ajouter la farine et cuire 1 minute en remuant. Retirer du feu et incorporer progressivement le lait en remuant jusqu'à ce que la consistance soit homogène. Remettre sur le feu et remuer jusqu'à ébullition et épaississement. Ajouter les fromages et la noix muscade. Assaisonner.

PRÉCHAUFFER le four à 180 °C. Graisser un plat allant au four de 38 x 26 x 5 cm.

VERSER un peu de sauce à la viande au fond du plat, puis recouvrir d'une couche de feuilles de lasagne. Recouvrir de viande, puis d'un tiers de la béchamel. Recommencer avec une couche de lasagne, le reste de la viande, une autre couche de lasagne et terminer par le reste de la béchamel. Saupoudrer de parmesan et cuire 45 minutes ; couvrir avec du papier aluminium si le dessus dore trop. Laisser reposer 10 minutes, puis couper en carrés et servir.

QUALITÉS NUTRITIVES PAR PORTION (6)

Protéines 65 g ; Lipides 65 g ; Glucides 100 g ; Fibres alimentaires 9 g ; Cholestérol 210 mg ; 5 240 kJ (1 250 cal)

Tortellini boscaiola

500 g de tortellini • 1 cuil. à soupe d'huile • 6 tranches de bacon, hachées • 200 g de champignons de Paris, émincés • 625 ml de crème fleurette • 2 oignons nouveaux, émincés • 1 cuil. à soupe de persil frais haché
Pour 4 personnes

CUIRE les pâtes *al dente* dans une grande marmite d'eau bouillante. Égoutter et tenir au chaud.
CHAUFFER l'huile dans une grande poêle à frire, ajouter le bacon et les champignons et cuire sur feu moyen en remuant pendant 5 minutes, ou jusqu'à ce que les ingrédients soient dorés.
INCORPORER une petite quantité de crème et gratter avec une cuillère en bois pour enlever le bacon attaché au fond de la poêle.
AJOUTER le reste de la crème, porter à ébullition et cuire 15 minutes sur feu vif, ou jusqu'à ce que la sauce soit suffisamment épaisse pour napper le dos d'une cuillère. Incorporer l'oignon de printemps à la préparation. Saler et poivrer. Verser la sauce sur les pâtes et mélanger. Servir saupoudré de persil.

QUALITÉS NUTRITIVES PAR PORTION
Protéines 30 g ; Lipides 75 g ; Glucides 95 g ; Fibres alimentaires 8 g ; Cholestérol 240 mg ; 4 909 kJ (1 175 cal)
NOTE : si vous êtes pressé et ne disposez pas de 15 minutes pour laisser la sauce réduire, vous pouvez l'épaissir en ajoutant 2 cuillerées à soupe de Maïzena mélangée dans 1 cuillerée à soupe d'eau. Tourner jusqu'à ébullition et épaississement.

Ci-dessous, de gauche à droite : Tortellini boscaiola ; Spaghetti siciliana ; Spaghetti marinara.

Spaghetti siciliana

60 ml d'huile d'olive • 1 oignon, finement haché • 2 à 3 gousses d'ail, finement hachées • 2 petites aubergines, émincées • 1 poivron jaune, coupé en fines lanières • 1 poivron vert, coupé en fines lanières • 1 courgette, coupée en dés de 1 cm • 1 boîte de 400 g de tomates pelées et concassées • 2 tomates bien mûres, pelées et concassées • 1 cuil. à soupe de câpres hachées • 4 à 5 filets d'anchois, égouttés et hachés • ⅓ de tasse d'olives noires dénoyautées et émincées • 500 g de spaghetti • basilic frais ciselé, pour décorer • parmesan râpé, pour servir

Pour 4 à 6 personnes

CHAUFFER l'huile dans une grande poêle à frire. Ajouter l'oignon, l'ail et l'aubergine et faire revenir sur feu moyen pendant 5 minutes, ou jusqu'à ce que l'oignon et l'aubergine soient tendres. Ajouter les poivrons et la courgette et cuire encore 3 minutes.

AJOUTER les tomates en boîte et fraîches et laisser mijoter 20 minutes. Ajouter les câpres, les anchois et les olives et laisser mijoter 10 minutes, ou jusqu'à ce que la sauce épaississe.

CUIRE les pâtes *al dente* dans une grande marmite d'eau bouillante. Égoutter.

MÉLANGER les pâtes et la sauce, garnir de basilic et servir accompagné de parmesan.

QUALITÉS NUTRITIVES PAR PORTION (6)

Protéines 15 g ; Lipides 13 g ; Glucides 65 g ; Fibres alimentaires 8 g ; Cholestérol 5 mg ; 1 830 kJ (435 cal)

Spaghetti marinara

12 moules, brossées et ébarbées • 125 ml de vin blanc • 2 cuil. à soupe d'huile d'olive • 1 oignon, finement haché • 2 à 3 gousses d'ail, finement hachées • 2 boîtes de 400 g de tomates pelées et concassées • 50 g de concentré de tomates • 500 g de spaghetti • 250 g de crevettes crues de taille moyenne décortiquées, veine enlevée, queue intacte • 250 g de coquilles Saint-Jacques avec le corail et nettoyées • 250 g de filets de poisson sans arêtes et coupés en dés • 12 anneaux de calamars • zeste râpé et jus d'un demi-citron • ¼ de tasse de persil frais haché

Pour 4 à 6 personnes

METTRE les moules (en jetant les coquillages ouverts) dans une grande casserole avec le vin et 125 ml d'eau. Cuire sur feu vif à couvert, 2 à 3 minutes ou jusqu'à ce que les moules soient ouvertes. Jeter tout coquillage encore fermé et réserver le liquide.

CHAUFFER l'huile dans une grande poêle à frire. Ajouter l'oignon et l'ail et faire revenir sur feu moyen pendant 3 minutes, ou jusqu'à ce que l'oignon soit tendre. Ajouter les tomates, le concentré de tomates et le liquide de cuisson réservé. Laisser mijoter 30 minutes, ou jusqu'à épaississement.

CUIRE les pâtes *al dente* dans une grande marmite d'eau bouillante. Égoutter.

AJOUTER tous les coquillages et les poissons à la sauce aux tomates. Cuire 3 à 4 minutes sur feu moyen, ou jusqu'à ce que les ingrédients soient bien cuits. Ajouter le jus de citron, le zeste et le persil. Mélanger les pâtes avec la sauce et servir.

QUALITÉS NUTRITIVES PAR PORTION (6)

Protéines 50 g ; Lipides 12,5 g ; Glucides 65 g ; Fibres alimentaires 7 g ; Cholestérol 203 mg ; 2 492 kJ (593 cal)

Cannelloni aux épinards et à la ricotta

Sauce aux tomates : *1 cuil. à soupe d'huile d'olive • 1 oignon, finement haché • 1 à 2 gousses d'ail, hachées • 1 boîte de 400 g de tomates pelées et concassées • 1 cuil. à soupe de concentré de tomates • 1 cuil. à café de sucre en poudre • 2 cuil. à soupe de basilic frais haché •* ***Sauce blanche :*** *50 g de beurre • ⅓ de tasse de farine ordinaire • 750 ml de lait • ¼ de cuil. à café de noix muscade •* ***Farce :*** *450 g d'épinards équeutés et hachés • 1 cuil. à soupe d'huile d'olive • 1 gros oignon, finement haché • 2 à 3 gousses d'ail, finement hachées • 250 g de ricotta • 1 œuf, légèrement battu • ½ cuil. à café de noix muscade • 14 tubes pour cannelloni (130 g) • 1 tasse de mozzarella râpée • ½ tasse de parmesan râpé*
Pour 4 à 6 personnes

PRÉCHAUFFER le four à 180 °C. Graisser un plat allant au four de 26 x 20 x 6 cm.
POUR PRÉPARER LA SAUCE AUX TOMATES, chauffer l'huile dans une grande poêle à frire. Ajouter l'oignon et l'ail et faire revenir sur feu moyen pendant 2 à 3 minutes puis ajouter les tomates, le concentré de tomates, le sucre et 125 ml d'eau. Laisser mijoter 20 minutes ou jusqu'à ce que la sauce épaississe un peu, puis incorporer le basilic.
POUR FAIRE LA SAUCE BLANCHE, faire fondre le beurre dans une casserole. Ajouter la farine et cuire 1 minute en remuant. Retirer du feu, ajouter progressivement le lait et fouetter jusqu'à ce que la consistance soit homogène. Remettre sur le feu et remuer jusqu'à épaississement. Ajouter la noix muscade et laisser mijoter 3 minutes, ou jusqu'à ébullition et épaississement. Saler et poivrer.
POUR FAIRE LA FARCE, mettre les épinards dans une grande casserole avec 100 ml d'eau. Couvrir et cuire 3 minutes ou jusqu'à ce que les épinards aient réduit, puis rafraîchir sous l'eau froide. Presser les épinards avec les mains pour enlever l'eau restante et hacher finement. Chauffer l'huile dans une petite poêle à frire. Ajouter l'oignon et l'ail et faire revenir sur feu moyen pendant 2 minutes, ou jusqu'à ce qu'ils soient tendres. Transvaser dans un grand saladier, ajouter la ricotta, l'œuf et la noix muscade et battre à la fourchette. Incorporer les épinards. Verser le mélange dans les tubes à cannelloni.
ÉTALER la moitié de la sauce blanche au fond du plat, puis recouvrir de la moitié de la sauce aux tomates. Disposer les cannelloni farcis en une seule couche uniforme. Napper avec le reste de sauce blanche, puis de sauce aux tomates et saupoudrer de fromage (parmesan et mozzarella). Laisser 40 minutes au four ou jusqu'à ce que les tubes soient bien cuits. Laisser reposer 10 minutes avant de servir.

QUALITÉS NUTRITIVES PAR PORTION (6)
Protéines 32 g ; Lipides 30 g ; Glucides 75 g ; Fibres alimentaires 8 g ; Cholestérol 110 mg ; 2 920 kJ (700 cal)

Bucatini amatriciana

2 cuil. à soupe d'huile • 1 oignon, finement haché • 1 petit piment rouge, finement haché • 90 g de tranches de pancetta coupées en lanières de 3 cm • 2 boîtes de 400 g de tomates pelées et concassées • 1 cuil. à soupe de concentré de tomates • 1 cuil. à café de sucre en poudre • 500 g de bucatini • ½ tasse de fromage romano râpé

Pour 4 à 6 personnes

CHAUFFER l'huile dans une grande poêle à frire. Ajouter l'oignon et le piment et faire revenir sur feu moyen pendant 3 minutes, ou jusqu'à ce qu'ils soient tendres. Ajouter la pancetta et cuire encore 3 minutes.

AJOUTER les tomates, le concentré de tomates et le sucre. Laisser mijoter 20 minutes, ou jusqu'à épaississement. Assaisonner de sel et de poivre noir fraîchement moulu.

CUIRE les pâtes *al dente* dans une grande marmite d'eau bouillante. Égoutter.

MÉLANGER les pâtes avec la sauce. Incorporer le fromage et servir.

QUALITÉS NUTRITIVES PAR PORTION (6)

Protéines 17 g ; Lipides 10 g ; Glucides 65 g ; Fibres alimentaires 6,5 g ; Cholestérol 17 mg ; 1 805 kJ (430 cal)

Fettucine, sauce aux noix et à l'ail

500 g de fettucine fraîches • 125 ml d'huile d'olive extra vierge • 150 g de cerneaux de noix • 2 ou 3 gousses d'ail, finement hachées • 1 tasse pleine de pain sec émietté• ¼ de tasse de persil frais finement haché • parmesan râpé, pour garnir
Pour 4 personnes

CUIRE les pâtes *al dente* dans une grande marmite d'eau bouillante. Égoutter et tenir au chaud.
CHAUFFER l'huile dans une grande poêle à frire sur feu moyen et ajouter les noix, l'ail et la chapelure. Réduire le feu et cuire 2 minutes, ou jusqu'à ce que les noix et la chapelure soient légèrement dorées (attention à ne pas les laisser brûler, les noix deviendraient alors amères). Assaisonner.
MÉLANGER les noix aux pâtes. Saupoudrer de persil et de parmesan avant de servir.

QUALITÉS NUTRITIVES PAR PORTION
Protéines 25 g ; Lipides 60 g ; Glucides 100 g ; Fibres alimentaires 10 g ; Cholestérol 0 mg ; 4 300 kJ (1 030 cal)

Conchiglie aux brocolis et à la pancetta

500 g de conchiglie (pâtes en forme de coquillage) • 500 g de brocolis coupés en bouquets • 70 ml d'huile d'olive • 1 oignon, finement haché • 100 g de pancetta, coupée en dés de 1 cm • 1 petit piment rouge, finement haché • ½ tasse de parmesan râpé
Pour 4 à 6 personnes

CUIRE les pâtes *al dente* dans une grande marmite d'eau bouillante. Égoutter et tenir au chaud.
BLANCHIR les brocolis dans une casserole d'eau bouillante pendant 1 à 2 minutes, ou jusqu'à ce qu'ils soient tendres. Rafraîchir rapidement sous l'eau froide et égoutter.
CHAUFFER l'huile dans une grande poêle à frire. Ajouter l'oignon, la pancetta et le piment et faire revenir sur feu moyen pendant 4 à 5 minutes, ou jusqu'à ce que l'oignon soit tendre. Ajouter les brocolis et remuer pour bien les napper du mélange huile-oignon et les réchauffer.
MÉLANGER les brocolis aux pâtes chaudes. Ajouter le parmesan et assaisonner de sel et de poivre noir fraîchement moulu. Mélanger à nouveau avant de servir.

QUALITÉS NUTRITIVES PAR PORTION (6)
Protéines 20 g ; Lipides 18 g ; Glucides 60 g ; Fibres alimentaires 8 g ; Cholestérol 18 mg ; 2 055 kJ (490 cal)

Fusilli aux boulettes de viande et à la sauce tomate

Boulettes de viande : *2 tranches de pain de mie sans croûte coupées en petits morceaux • 60 ml de lait • 500 g de viande de porc et de veau hachée • 2 gousses d'ail, finement hachées • 1 petit oignon, finement haché • ¼ de tasse de persil frais finement haché • 2 cuil. à café de zeste de citron râpé • 1 œuf, légèrement battu • ½ tasse de parmesan râpé • farine ordinaire pour enrober les boulettes • 2 cuil. à soupe d'huile d'olive pour friture •* ***Sauce tomate :*** *125 ml de vin blanc • 2 boîtes de 400 g de tomates pelées et concassées • 1 cuil. à soupe de concentré de tomates • 1 cuil. à café de sucre en poudre • ½ cuil. à café d'origan séché • 500 g de fusilli • origan frais, pour décorer*
Pour 6 personnes

POUR PRÉPARER LES BOULETTES DE VIANDE, faire tremper le pain dans le lait pendant 5 minutes, puis l'essorer avec les mains. Mettre le pain, la viande hachée, l'ail, l'oignon, le persil, le zeste de citron, l'œuf et le parmesan dans un grand saladier, assaisonner de sel et de poivre noir fraîchement moulu et bien mélanger avec les mains, jusqu'à consistance homogène.

FORMER des boulettes de la taille d'une noix avec les mains mouillées. Rouler rapidement dans la farine. Chauffer l'huile dans une grande poêle. Cuire les boulettes par fournées sur feu moyen pendant 5 minutes, en les retournant souvent ou jusqu'à ce quelles soient parfaitement dorées. Les retirer avec une écumoire et réserver. Égoutter sur du papier absorbant.
POUR FAIRE LA SAUCE, ajouter le vin blanc dans la même poêle et faire bouillir 2 à 3 minutes, ou jusqu'à ce qu'il s'évapore un peu. Ajouter les tomates, le concentré de tomates, le sucre et l'origan. Réduire la flamme puis laisser mijoter 20 minutes, ou jusqu'à ce que la sauce épaississe légèrement. Ajouter les boulettes de viande et laisser mijoter 20 minutes de plus.
CUIRE les pâtes *al dente* dans une grande marmite d'eau bouillante. Égoutter.
DISPOSER les pâtes dans un grand plat de service chaud, placer les boulettes de viande dessus et recouvrir de sauce. Garnir d'origan et servir chaud.

QUALITÉS NUTRITIVES PAR PORTION
Protéines 35 g ; Lipides 15 g ; Glucides 70 g ; Fibres alimentaires 7 g ; Cholestérol 95 mg ; 2 400 kJ (575 cal)
NOTE : vous pouvez remplacer le hachis de porc ou de veau par du hachis de bœuf si vous préférez.

Ci-dessous, de gauche à droite : Fettucine, sauce aux noix et à l'ail ; Conchiglie aux brocolis et à la pancetta ; Fuslli aux boulettes de viande et à la sauce tomate.

Gnocchi de pommes de terre à la sauce tomate

Gnocchi : *750 g de pommes de terre à chair farineuse • ¾ de tasse de parmesan râpé • 1 tasse ⅓ de farine ordinaire • 1 pincée de noix muscade •* ***Sauce :*** *50 g de beurre • 1 petit oignon, finement haché • 1 petite carotte, finement hachée • 1 branche de céleri, finement hachée • 1 boîte de 400 g de tomates pelées et concassées • 2 tomates bien mûres, pelées et concassées • 1 cuil. à café de sucre en poudre • ⅓ de tasse de persil frais finement haché • parmesan râpé, pour servir*
Pour 4 à 6 personnes

POUR LES GNOCCHI, faire cuire les pommes de terre dans de l'eau bouillante pendant 20 minutes, ou jusqu'à ce qu'elles soient tendres. Les égoutter et les éplucher quand elles sont chaudes. Mettre dans un saladier et réduire en purée à l'aide d'un presse-purée ou d'une fourchette, jusqu'à consistance homogène. Ne pas utiliser de robot, les pommes de terre seraient alors trop collantes.
AJOUTER le parmesan et 1 tasse de farine puis assaisonner de noix muscade, de sel et de poivre. Mélanger rapidement pour obtenir une pâte lisse.
RETOURNER sur une surface farinée et pétrir, en ajoutant la farine restante, jusqu'à ce que le mélange soit homogène et élastique mais toujours un peu collant. Diviser la pâte en quatre sur le plan de travail fariné, et former des boudins de 2,5 cm d'épaisseur. Couper chaque boudin en tronçons de 2 cm. Chemiser une plaque de papier sulfurisé.
DONNER à chaque morceau la forme traditionnelle des gnocchi : mettre chaque morceau sur la face concave d'une fourchette farinée et appuyer fermement dessus avec l'index fariné. Poser chaque morceau sur la plaque. Renouveler l'opération jusqu'à ce que tous les gnocchi soient formés et couvrir jusqu'au moment de cuire.
POUR FAIRE LA SAUCE, chauffer le beurre dans une poêle à frire. Ajouter l'oignon et faire revenir sur feu moyen 2 minutes, puis ajouter la carotte et le céleri et cuire encore 3 minutes.
AJOUTER les tomates en boîte et fraîches, ainsi que le sucre en poudre. Laisser mijoter 20 minutes ou jusqu'à épaississement. Remuer 2 à 3 fois pendant la cuisson.
MIXER le mélange de légumes dans un robot jusqu'à consistance homogène. Remettre dans la poêle, ajouter le persil et assaisonner de sel et de poivre.
PORTER de l'eau à ébullition dans une grande casserole. Mettre un quart des gnocchi dans l'eau bouillante. Cuire jusqu'à ce que tous les gnocchi remontent à la surface. Cuire 1 minute de plus, puis les retirer de l'eau à l'aide d'une écumoire et les mettre dans un plat de service chaud. Renouveler l'opération avec le reste des gnocchi. Napper de sauce, saupoudrer de parmesan et servir.

QUALITÉS NUTRITIVES PAR PORTION (6)
Protéines 14 g ; Lipides 13 g ; Glucides 44 g ; Fibres alimentaires 5,5 g ; Cholestérol 36 mg ; 1 457 kJ (350 cal)

Pasticcio

250 g de penne • 2 œufs, légèrement battus • ½ tasse de fromage râpé • ½ tasse de parmesan râpé • ½ cuil. à café de noix muscade • ***Sauce à la viande :*** *1 cuil. à soupe d'huile d'olive • 1 oignon, finement haché • 2 à 3 gousses d'ail, hachées • 500 g de viande de bœuf hachée • 1 boîte de 400 g de tomates concassées • 50 g de concentré de tomates • 1 cuil. à café d'origan séché • 125 ml de vin blanc • 125 ml de bouillon de bœuf ou d'eau • ¼ de tasse de persil frais haché* • ***Sauce blanche :*** *50 g de beurre • ¼ de tasse de farine ordinaire • 750 ml de lait • 1 œuf, légèrement battu • ¼ de cuil. à café de noix muscade • ¼ de tasse de parmesan râpé • ¼ de tasse de chapelure*

Pour 6 à 8 personnes

PRÉCHAUFFER le four à 180 °C. Graisser un plat allant au four de 30 x 22 x 5 cm.

CUIRE les pâtes *al dente* dans une grande marmite d'eau bouillante. Rafraîchir sous l'eau froide et égoutter. Incorporer les œufs, les fromages et la noix muscade et assaisonner de sel et de poivre noir.

POUR FAIRE LA SAUCE À LA VIANDE, chauffer l'huile dans une grande poêle à frire. Ajouter l'oignon et l'ail et faire revenir sur feu moyen pendant 2 à 3 minutes, ou jusqu'à ce qu'ils soient tendres. Ajouter la viande hachée et cuire, en remuant, pendant 3 à 4 minutes ou jusqu'à ce que la viande change de couleur.

AJOUTER les tomates, le concentré de tomates, l'origan, le vin et le bouillon ou l'eau. Laisser mijoter 45 minutes. Dissocier les morceaux avec un presse-purée ou une fourchette. Incorporer le persil haché.

POUR LA SAUCE BLANCHE, faire fondre le beurre dans une casserole. Ajouter la farine et cuire 1 minute en remuant. Retirer du feu, ajouter progressivement le lait et fouetter jusqu'à ce que la consistance soit homogène. Remettre sur le feu et remuer jusqu'à épaississement. Laisser mijoter 3 minutes et réserver. Laisser refroidir un peu avant d'incorporer l'œuf et la noix muscade en fouettant. Incorporer ½ tasse de cette sauce dans le mélange à la viande.

RECOUVRIR uniformément le fond du plat avec la moitié des pâtes. Étaler la sauce à la viande dessus, puis le reste des pâtes, et lisser. Verser la sauce blanche et saupoudrer d'un mélange de parmesan et de chapelure. Cuire 50 minutes au four. Couvrir de papier d'aluminium si le dessus dore trop vite. Laisser reposer 10 minutes avant de servir.

QUALITÉS NUTRITIVES PAR PORTION (8)
Protéines 25 g ; Lipides 18 g ; Glucides 35 g ; Fibres alimentaires 3 g ; Cholestérol 125 mg ; 1 727 kJ (413 cal)

Orechiette aux saucisses italiennes et aux tomates

2 cuil. à soupe d'huile d'olive • 375 g de saucisses italiennes (sans peau) • 2 ou 3 gousses d'ail, écrasées • 1 oignon rouge, finement émincé • 6 tomates bien mûres, pelées, épépinées et concassées • 70 ml de vin blanc ou d'eau • 2 cuil. à soupe de concentré de tomates • ½ cuil. à café d'origan séché • ⅓ de tasse de basilic frais ciselé • 500 g d'orechiette • feuilles de basilic entières, pour décorer • pecorino râpé, pour servir
Pour 4 à 6 personnes

CHAUFFER l'huile dans une grande poêle à frire. Ajouter les saucisses et cuire sur feu moyen, en les retournant de temps en temps, pendant 5 minutes. Retirer avec une écumoire et réserver. Une fois que les saucisses ont suffisamment refroidi pour être touchées, les émietter grossièrement.

AJOUTER le reste d'huile dans la poêle. Faire revenir l'ail et l'oignon sur feu moyen pendant 5 minutes puis ajouter les tomates, le vin ou l'eau, le concentré de tomates, l'origan et le basilic ciselé. Laisser mijoter 20 minutes ou jusqu'à léger épaississement. Assaisonner.

CUIRE les pâtes *al dente* dans une grande marmite d'eau bouillante. Égoutter.

REMETTRE la saucisse émiettée dans la sauce et chauffer 2 minutes. Mélanger la sauce aux pâtes, garnir de feuilles de basilic et servir avec le pecorino.

QUALITÉS NUTRITIVES PAR PORTION (6)
Protéines 20 g ; Lipides 20 g ; Glucides 65 g ; Fibres alimentaires 8 g ; Cholestérol 30 mg ; 2 180 kJ (520 cal)

Ci-dessous, de gauche à droite : Orechiette aux saucisses italiennes et aux tomates ; Spaghetti carrettierra ; Fettucine aux petits pois et au prosciutto.

Spaghetti carrettierra

1 tasse pleine de miettes de pain italien d'un jour • 125 ml d'huile d'olive • 1 gros oignon, finement haché • 2 à 3 gousses d'ail, finement hachées • ½ cuil. à café d'origan séché • 500 g de spaghetti frais • ⅓ de tasse de persil frais finement haché
Pour 4 personnes

ÉTALER le pain sur une plaque et le passer 2 minutes sous le gril, ou jusqu'à ce qu'il soit légèrement doré. Secouer pour qu'il cuise uniformément.
CHAUFFER l'huile dans une grande poêle à frire. Faire revenir l'oignon, l'ail et l'origan sur feu moyen pendant 5 minutes, ou jusqu'à ce qu'ils soient tendres.
CUIRE les pâtes *al dente* dans une grande marmite d'eau bouillante. Égoutter.
INCORPORER les miettes de pain et le persil dans le mélange à l'oignon et assaisonner. Mélanger aux pâtes.

QUALITÉS NUTRITIVES PAR PORTION
Protéines 20 g ; Lipides 30 g ; Glucides 105 g ; Fibres alimentaires 8,5 g ; Cholestérol 0 mg ; 3 270 kJ (780 cal)

Fettucine aux petits pois et au prosciutto

1 cuil. à soupe d'huile d'olive • 1 oignon, finement haché • 1 gousse d'ail, finement hachée • 1 petit piment rouge, finement haché • 90 g de prosciutto, finement haché • 125 ml de bouillon de poulet • 300 ml de crème fleurette • 1 tasse ¼ de petits pois frais ou surgelés • 2 cuil. à soupe de persil frais haché • 1 cuil. à soupe de thym frais • 500 g de fettucine fraîches • brins de thym, pour décorer • parmesan râpé, pour servir
Pour 4 à 6 personnes

CHAUFFER l'huile dans une grande poêle à frire. Faire revenir l'oignon, l'ail et le piment sur feu moyen pendant 3 à 4 minutes, ou jusqu'à ce qu'ils soient tendres. Ajouter le prosciutto et cuire 1 minute.
AJOUTER le bouillon et laisser bouillir 3 minutes, ou jusqu'à ce que le liquide ait réduit de moitié. Ajouter la crème, les petits pois et les herbes. Réduire le feu et laisser mijoter 3 à 4 minutes, ou jusqu'à léger épaississement.
CUIRE les pâtes *al dente* dans une grande marmite d'eau bouillante. Égoutter.
MÉLANGER les pâtes et la sauce. Garnir de thym et servir avec du parmesan.

QUALITÉS NUTRITIVES PAR PORTION (6)
Protéines 17 g ; Lipides 27 g ; Glucides 65 g ; Fibres alimentaires 7 g ; Cholestérol 80 mg ; 2 375 kJ (565 cal)

Penne à la sauce norma

600 g de petites aubergines coupées en tranches de 1 cm • 1 cuil. à soupe d'huile d'olive • 1 oignon, haché • 2 à 3 gousses d'ail, finement hachées • 1 boîte de 400 g de tomates, pelées et concassées • 2 tomates, pelées et concassées • 1 cuil. à soupe de concentré de tomates • 1 cuil. à café de sucre en poudre • ½ cuil. à café de basilic séché • huile supplémentaire, pour la friture • 500 g de penne • ½ tasse de pecorino râpé • basilic frais, pour décorer
Pour 4 à 6 personnes

SALER généreusement les tranches d'aubergines. Mettre dans une passoire et laisser dégorger 20 minutes.
CHAUFFER l'huile dans une grande poêle à frire, ajouter l'oignon et l'ail et faire revenir sur feu moyen 2 à 3 minutes. Ajouter les tomates en boîte et fraîches, le concentré de tomates, le sucre et le basilic. Laisser mijoter environ 30 minutes.
BIEN RINCER les aubergines et les sécher avec du papier absorbant. Chauffer 1 cm d'huile dans une poêle à frire. Frire les tranches d'aubergines, en plusieurs fournées, 2 minutes de chaque côté ou jusqu'à ce qu'elles soient dorées et tendres, en rajoutant de l'huile au besoin. Égoutter sur du papier absorbant.
CUIRE les pâtes *al dente* dans une grande marmite d'eau bouillante. Égoutter.
MÉLANGER les pâtes à la sauce, puis incorporer délicatement les tranches d'aubergine et le pecorino râpé. Répartir le basilic et servir.

QUALITÉS NUTRITIVES PAR PORTION (6)
Protéines 15 g ; Lipides 10 g ; Glucides 65 g ; Fibres alimentaires 8,5 g ; Cholestérol 9 mg ; 1 760 kJ (420 cal)

NOTE : vous pouvez passer les tranches d'aubergines sous le gril. Les mettre sur une plaque recouverte de papier aluminium et les badigeonner d'huile. Cuire sous un gril très chaud, jusqu'à ce qu'elles soient dorées des deux côtés.

Spaghetti aux moules et à la sauce tomate

750 g moules (35 environ) • 2 cuil. à soupe d'huile d'olive • 1 oignon, finement haché • 1 à 2 gousses d'ail, finement hachées • ¼ de tasse de persil plat frais haché • 125 ml de vin blanc • 1 boîte de 400 g de tomates pelées et concassées • 3 tomates bien mûres, pelées et concassées • 1 cuil. à soupe de concentré de tomates • 1 cuil. à café de sucre en poudre • ½ tasse de basilic ciselé • 500 g de spaghetti

Pour 4 à 6 personnes

BROSSER et ébarber les moules. Jeter tout coquillage ouvert ou cassé.

CHAUFFER l'huile dans une grande poêle à frire. Ajouter l'oignon, l'ail et le persil et faire revenir 3 minutes sur feu moyen, ou jusqu'à ce qu'ils soient tendres. Ajouter les moules, le vin et 125 ml d'eau. Couvrir et cuire 2 à 3 minutes ou jusqu'à ce que les moules s'ouvrent, en remuant la poêle de temps en temps. Transvaser les moules dans une assiette avec une pince, et jeter celles qui ne se sont pas ouvertes.

AJOUTER dans la poêle les tomates fraîches et en boîte, le concentré de tomates et le sucre. Cuire sur feu moyen pendant 20 minutes, ou jusqu'à épaississement. Ajouter la moitié du basilic et assaisonner de sel et de poivre noir fraîchement moulu.

CUIRE les pâtes *al dente* dans une grande marmite d'eau bouillante. Égoutter.

REMETTRE les moules dans la sauce, couvrir et faire doucement chauffer pendant 2 à 3 minutes. Mélanger les pâtes avec la sauce et les moules, saupoudrer du basilic restant et servir immédiatement.

QUALITÉS NUTRITIVES PAR PORTION (6)
Protéines 27 g ; Lipides 8,5 g ; Glucides 63 g ; Fibres alimentaires 6,5 g ; Cholestérol 110 mg ; 1 910 kJ (455 cal)

Bucatini con vongole

750 g de palourdes (une cinquantaine) • 2 cuil. à soupe d'huile d'olive • 125 ml de vin blanc • 1 oignon, finement haché • 1 à 2 gousses d'ail, finement hachées • 8 tomates bien mûres, pelées et concassées • 2 cuil. à soupe de concentré de tomates • 1 cuil. à café de sucre en poudre • 500 g de bucatini • ⅓ de tasse de persil plat frais finement haché

Pour 4 à 6 personnes

FROTTER les palourdes et les ébarber. Jeter tout coquillage ouvert ou cassé. Les laisser tremper 5 minutes dans l'eau froide pour enlever le sable.

CHAUFFER la moitié de l'huile dans une poêle à frire. Ajouter les palourdes, le vin blanc et 125 ml d'eau. Couvrir et cuire 2 à 3 minutes sur feu moyen jusqu'à ce que les coquillages s'ouvrent, en remuant la poêle de temps en temps. Transvaser dans une assiette et jeter celles qui ne se sont pas ouvertes. Passer et réserver le liquide de cuisson. Décoquiller un tiers des palourdes environ.

CHAUFFER le reste de l'huile dans la même poêle. Ajouter l'oignon et l'ail et faire revenir sur feu moyen pendant 3 à 4 minutes, ou jusqu'à ce que l'oignon soit tendre. Ajouter les tomates, le concentré de tomates, le sucre et le liquide réservé. Cuire 20 minutes ou jusqu'à épaississement. Assaisonner.

CUIRE les pâtes *al dente* dans une grande marmite d'eau bouillante. Égoutter.

REMETTRE les palourdes dans la sauce, y compris celles dans leur coquille, et réchauffer doucement pendant 2 à 3 minutes. Mélanger les pâtes avec la sauce et les palourdes. Saupoudrer de persil haché et servir immédiatement.

QUALITÉS NUTRITIVES PAR PORTION (6)
Protéines 114 g ; Lipides 9,5 g ; Glucides 64 g ; Fibres alimentaires 7 g ; Cholestérol 190 mg ; 1 945 kJ (465 cal)

Salade de pâtes aux tomates, à la roquette et à l'avocat

4 grosses tomates bien mûres, pelées • 70 ml d'huile d'olive • 3 cuil. à soupe de vinaigre de vin rouge • 1 gousse d'ail, écrasée • ½ cuil. à café de sucre en poudre • 150 g de roquette en botte équeutée et hachée • 125 g de feta émiettée • 15 olives vertes farcies et émincées • 2 cuil. à soupe de câpres hachées • 1 gros avocat, bien mûr et ferme • 500 g de conchiglie rigate (petits coquillages)

Pour 6 personnes

COUPER les tomates en deux dans le sens de la largeur et les épépiner. Émincer finement les tomates et les mettre dans un grand saladier.

MÉLANGER l'huile, le vinaigre, l'ail et le sucre dans un bocal avec couvercle et bien remuer.

AJOUTER la roquette, la feta, les olives, les câpres et la vinaigrette aux tomates et mélanger délicatement.

COUPER l'avocat en deux, le dénoyauter et l'émincer finement.

CUIRE les pâtes *al dente* dans une grande marmite d'eau bouillante. Égoutter. Mélanger délicatement les tomates et l'avocat aux pâtes et servir légèrement chaud.

QUALITÉS NUTRITIVES PAR PORTION
Protéines 15 g ; Lipides 29 g ; Glucides 60 g ; Fibres alimentaires 6,5 g ; Cholestérol 15 mg ; 2 600 kJ (620 cal)

Ci-dessous, de gauche à droite : Bucatini con vongole ; Salade de pâtes aux tomates, à la roquette et à l'avocat ; Tagliatelle aux crevettes et à la crème.

Tagliatelle aux crevettes et à la crème

500 g de tagliatelle fraîches • 50 g de beurre • 6 oignons nouveaux, finement hachés • 500 g de crevettes crues (une vingtaine) décortiquées, veine enlevée, queue intacte • 60 ml de cognac • 300 ml de crème fleurette • 1 cuil. à soupe de thym frais • ½ tasse de persil plat frais finement haché • parmesan râpé, pour garnir

Pour 4 personnes

CUIRE les pâtes *al dente* dans une grande marmite d'eau bouillante. Égoutter et tenir au chaud.

CHAUFFER le beurre dans une grande poêle à frire. Ajouter les oignons nouveaux et faire revenir sur feu moyen pendant 2 minutes, puis ajouter les crevettes. Cuire 2 minutes, en remuant, ou jusqu'à ce que les crevettes commencent à changer de couleur. Retirer de la poêle et réserver.

AJOUTER le cognac dans la poêle et laisser bouillir 2 minutes ou jusqu'à réduction de moitié. Incorporer la crème, le thym et la moitié du persil. Assaisonner de poivre noir fraîchement moulu. Réduire le feu et laisser mijoter 5 minutes, ou jusqu'à ce que la sauce commence à épaissir. Remettre les crevettes dans la sauce et cuire 2 minutes.

MÉLANGER la sauce et les pâtes. Saupoudrer du persil restant et du parmesan râpé.

QUALITÉS NUTRITIVES PAR PORTION

Protéines 45 g ; Lipides 46 g ; Glucides 90 g ; Fibres alimentaires 6,7 g ; Cholestérol 325 mg ; 4 083 kJ (975 cal)

NOTE : à défaut de cognac, utiliser du xérès ou du vin blanc.

Penne au gorgonzola

500 g de penne • 125 g de gorgonzola • 125 ml de lait • 50 g de beurre, coupé en dés • 1 cuil. à café de zeste de citron râpé • 300 ml de crème fleurette • ½ tasse de parmesan fraîchement râpé • 1 cuil. à soupe de persil frais finement haché • 1 cuil. à café de zeste de citron en lanières, pour décorer

Pour 4 à 6 personnes

CUIRE les pâtes *al dente* dans une grande marmite d'eau bouillante. Égoutter et tenir au chaud.

METTRE le gorgonzola, le lait, le beurre et le zeste de citron dans une grande casserole. Cuire 2 à 3 minutes sur feu doux, en remuant et en réduisant en purée, ou jusqu'à ce que le fromage soit fondu et le mélange crémeux. Ajouter la crème et laisser bouillir 5 à 10 minutes, ou jusqu'à ce que le mélange épaississe légèrement. Saler et poivrer.

VERSER la sauce sur les pâtes chaudes, ajouter le parmesan et bien mélanger. Servir immédiatement, garni de persil et de zeste de citron.

QUALITÉS NUTRITIVES PAR PORTION (6)

Protéines 20 g ; Lipides 40 g ; Glucides 60 g ; Fibres alimentaires 4 g ; Cholestérol 120 mg ; 2 860 kJ (685 cal)

NOTE : pour plus de saveur, utiliser du gorgonzola blanc à pâte molle à température ambiante. Il ne doit pas être trop fait, sinon la saveur sera trop forte.

Linguine aux tomates et au thon

2 cuil. à soupe d'huile d'olive • 2 à 3 gousses d'ail, finement hachées • 1 oignon, finement haché • 3 à 4 filets d'anchois, égouttés et hachés • 2 boîtes de 400 g de tomates pelées et concassées • 1 cuil. à café de sucre en poudre • 500 g de linguine • 2 cuil. à soupe de câpres hachées • 425 g de thon en boîte, égoutté et émietté • ½ tasse de persil frais haché
Pour 4 à 6 personnes

CHAUFFER l'huile dans une grande poêle à frire. Ajouter l'ail, l'oignon et les anchois et faire revenir sur feu doux pendant 3 minutes, ou jusqu'à ce que l'oignon soit tendre. Ajouter les tomates et le sucre et cuire sur feu moyen à vif pendant 15 minutes, ou jusqu'à ce que le mélange épaississe légèrement.
CUIRE les pâtes *al dente* dans une grande marmite d'eau bouillante. Égoutter.
RÉDUIRE en purée le mélange aux tomates dans un robot, puis le remettre dans la poêle. Ajouter les câpres et le thon et laisser mijoter 5 minutes de plus.
MÉLANGER la sauce et le persil avec les pâtes et servir immédiatement.

QUALITÉS NUTRITIVES PAR PORTION (6)
Protéines 30 g ; Lipides 9,5 g ; Glucides 65 g ; Fibres alimentaires 7 g ; Cholestérol 40 mg ; 1 955 kJ (467 cal)

Fettucine pescatore

16 à 24 moules (4 par personne) • 125 ml de vin blanc • 2 cuil. à soupe d'huile d'olive • 1 oignon, finement haché • 1 à 2 gousses d'ail, hachées • ½ poivron vert, finement haché • 1 boîte de 400 g de tomates pelées et concassées • 1 cuil. à soupe de concentré de tomates • 500 g de fettucine • 200 g de filets de poisson blanc sans arêtes (type flétan) coupés en dés de 2 cm • 200 g de poisson à chair rose (type saumon) coupé en dés de 2 cm • 170 g de chair blanche de crabe, égouttée • ⅓ de tasse de persil frais haché

Pour 4 à 6 personnes

BROSSER et ébarber les moules. Jeter tout coquillage ouvert ou cassé. Mettre dans une grande casserole avec le vin et 125 ml d'eau. Couvrir et cuire sur feu moyen à vif pendant 3 minutes, ou jusqu'à ce que les moules s'ouvrent.

RETIRER les moules à l'aide d'une écumoire et réserver le liquide de cuisson. Jeter tout coquillage encore fermé.

CHAUFFER l'huile dans la même casserole. Faire revenir l'oignon, l'ail et le poivron sur feu moyen pendant 5 minutes, ou jusqu'à ce qu'ils soient tendres. Ajouter les tomates, le concentré de tomates et le liquide réservé. Laisser mijoter 15 minutes ou jusqu'à épaississement.

CUIRE les pâtes *al dente* dans une grande marmite d'eau bouillante. Égoutter.

AJOUTER le poisson dans la sauce. Laisser mijoter 5 minutes ou jusqu'à ce qu'il soit cuit. Ajouter la chair de crabe, les moules et le persil et réchauffer 2 minutes. Assaisonner. Mélanger la sauce aux pâtes et servir immédiatement.

QUALITÉS NUTRITIVES PAR PORTION (6)

Protéines 30 g ; Lipides 10 g ; Glucides 65 g ; Fibres alimentaires 6 g ; Cholestérol 75 mg ; 2 025 kJ (485 cal)

Fusilli Vesuvius

2 cuil. à soupe d'huile d'olive • 2 boîtes de 400 g de tomates pelées et concassées • 1 cuil. à soupe de concentré de tomates • 1 cuil. à café de sucre en poudre • 1 cuil. à café d'origan séché • 500 g de fusilli • 200 g de mozzarella, coupée en petits dés • ½ tasse de parmesan râpé

Pour 4 à 6 personnes

CHAUFFER l'huile dans une grande poêle à frire. Ajouter les tomates, le concentré de tomates, le sucre en poudre et l'origan. Cuire sur feu moyen à vif pendant 15 minutes ou jusqu'à ce que le mélange épaississe et que l'huile se sépare légèrement des tomates.

CUIRE les pâtes *al dente* dans une grande marmite d'eau bouillante. Égoutter.

METTRE les pâtes dans un plat de service, ajouter la sauce aux tomates, la mozzarella et le parmesan râpé. Bien mélanger, puis attendre 2 à 3 minutes que la mozzarella fonde avant de servir.

QUALITÉS NUTRITIVES PAR PORTION (6)

Protéines 25 g ; Lipides 18 g ; Glucides 65 g ; Fibres alimentaires 6 g ; Cholestérol 30 mg ; 2 165 kJ (515 cal)

NOTE : on dit que la mozzarella fondue ressemble à la lave en fusion s'échappant du Vésuve.

Ci-dessous, de gauche à droite : Fettucine pescatore ; Fusilli Vesuvius ; Gnocchi de pâtes aux poivrons.

Gnocchi de pâtes aux poivrons

3 gros poivrons rouges, coupés en deux • 3 gros poivrons jaunes, coupés en deux • 2 cuil. à soupe d'huile d'olive • 1 oignon, finement émincé • 2 à 3 gousses d'ail, finement hachées • 500 g de gnocchi • 2 cuil. à soupe de basilic frais ciselé • feuilles de basilic frais entières, pour décorer

Pour 4 à 6 personnes

COUPER les poivrons en morceaux plats et larges. Cuire sous le gril chaud, la peau vers le haut, jusqu'à ce que celle-ci noircisse et forme des cloques. Mettre dans un sac plastique et laisser refroidir, puis éplucher.

CHAUFFER l'huile dans une grande poêle à frire. Faire revenir l'oignon et l'ail sur feu moyen pendant 5 minutes, ou jusqu'à ce qu'ils soient tendres.

PRENDRE deux moitiés de poivrons rouges et de poivrons jaunes et les couper en fines lanières. Ajouter au mélange à l'oignon.

HACHER le restant des poivrons rouges et jaunes et les réduire en purée au robot jusqu'à consistance homogène. Ajouter au mélange à l'oignon et réchauffer doucement pendant 5 minutes.

CUIRE les pâtes *al dente* dans une grande marmite d'eau bouillante. Égoutter.

MÉLANGER la sauce aux pâtes. Assaisonner et incorporer le basilic. Garnir de feuilles de basilic frais et servir.

QUALITÉS NUTRITIVES PAR PORTION (6)

Protéines 12 g ; Lipides 7,5 g ; Glucides 65 g ; Fibres alimentaires 6 g ; Cholestérol 0 mg ; 1 555 kJ (370 cal)

Pappardelle aux foies de volaille

250 g de foies de volaille • 1 cuil. à soupe d'huile d'olive • 1 oignon, finement haché • 1 à 2 gousses d'ail, finement hachées • 2 tranches de bacon, finement hachées • 2 cuil. à café de concentré de tomates • 125 ml de vin blanc • 500 g de pappardelle • 300 ml de crème fleurette • ⅓ de tasse de persil frais finement haché

Pour 4 à 6 personnes

FAIRE TREMPER les foies de volaille dans un bol d'eau froide pendant 15 minutes. Égoutter et sécher avec du papier absorbant. Enlever tous les nerfs, puis couper les foies en deux et réserver.

CHAUFFER l'huile dans une grande poêle à frire. Ajouter l'oignon, l'ail et le bacon et faire revenir sur feu doux pendant 3 minutes ou jusqu'à ce que l'oignon soit tendre. Ajouter les foies et cuire sur feu moyen, en remuant, pendant 3 à 4 minutes, ou jusqu'à ce que le foie change de couleur. Ajouter le concentré de tomates et le vin et cuire 2 à 3 minutes de plus, ou jusqu'à ce que le vin s'évapore un peu.

CUIRE les pâtes *al dente* dans une grande marmite d'eau bouillante. Égoutter et tenir au chaud.

INCORPORER la crème dans la sauce et assaisonner de poivre noir fraîchement moulu. Laisser mijoter 2 minutes sur feu doux. Verser sur les pâtes et mélanger. Saupoudrer de persil et servir immédiatement.

QUALITÉS NUTRITIVES PAR PORTION (6)

Protéines 20 g ; Lipides 25 g ; Glucides 62 g ; Fibres alimentaires 5 g ; Cholestérol 160 mg ; 2 415 kJ (575 cal)

Farfalle aux courgettes et au prosciutto

30 g de beurre • 1 cuil. à soupe d'huile • 2 ou 3 gousses d'ail, hachées • 6 oignons nouveaux, finement émincés • 300 g de petites courgettes, finement émincées • 1 petit poivron rouge, finement haché • 4 tomates bien mûres pelées, épépinées et concassées • 75 g de fines tranches de prosciutto, hachées • 500 g de farfalle • sauge fraîche, pour décorer • pecorino râpé, pour servir

Pour 4 à 6 personnes

CHAUFFER le beurre et l'huile dans une grande poêle à frire. Ajouter l'ail et les oignons nouveaux et faire revenir sur feu doux pendant 3 minutes, ou jusqu'à ce qu'ils soient tendres. Ajouter les courgettes et le poivron et cuire, en remuant, pendant 5 minutes ou jusqu'à ce qu'ils soient tendres. Ajouter les tomates et le prosciutto et cuire encore 5 minutes. Assaisonner de sel et de poivre noir fraîchement moulu.

CUIRE les pâtes *al dente* dans une grande marmite d'eau bouillante. Égoutter.

MÉLANGER la sauce dans les pâtes. Garnir de sauge et servir avec le pecorino.

QUALITÉS NUTRITIVES PAR PORTION (6)

Protéines 15 g ; Lipides 10 g ; Glucides 60 g ; Fibres alimentaires 6,5 g ; Cholestérol 25 mg ; 1 700 kJ (405 cal)

NOTE : vous pouvez remplacer le prosciutto par de fines tranches de bacon si vous préférez. Cuire le bacon avec l'ail et les oignons nouveaux.

Potiron surprise aux pâtes et au poireau

120 g de linguine • 1 potiron, de taille moyenne • 20 g de beurre • 1 poireau, finement émincé • 125 ml de crème fleurette • 1 pincée de noix muscade • 60 ml d'huile d'olive
Pour 2 personnes en repas léger ou 4 en accompagnement

CUIRE les pâtes *al dente* dans une grande marmite d'eau bouillante. Rafraîchir sous l'eau froide et égoutter.
PRÉCHAUFFER le four à 180 °C.
COUPER le quart supérieur du potiron (où s'accroche la tige) pour faire un couvercle. Couper le bas pour que le potiron tienne debout. Enlever les graines et les filaments du potiron et évider le centre. Saupoudrer les surfaces coupées de sel et de poivre, puis transférer le potiron dans un petit plat à cuire.
FAIRE FONDRE le beurre dans une petite poêle à frire et cuire doucement le poireau jusqu'à ce qu'il soit tendre. Ajouter la crème et la noix muscade et laisser mijoter 4 minutes, ou jusqu'à épaississement. Assaisonner de sel et de poivre blanc et incorporer les pâtes.
REMPLIR le potiron avec le mélange aux pâtes, mettre le couvercle et badigeonner d'huile d'olive. Cuire 1 heure au four, ou jusqu'à ce que le potiron soit tendre, en badigeonnant de temps en temps d'huile d'olive. Tester la cuisson en insérant une brochette dans la partie la plus épaisse du potiron.

QUALITÉS NUTRITIVES PAR PORTION (2)
Protéines 15 g ; Lipides 65 g ; Glucides 65 g ; Fibres alimentaires 7,5 g ; Cholestérol 110 mg ; 3 785 kJ (905 cal)

Frittata aux fusilli et aux artichauts

1 tasse de fusilli • 1 cuil. à soupe d'huile d'olive • 1 oignon rouge, coupé en fins quartiers • 2 à 3 gousses d'ail, finement hachées • 2 cuil. à soupe de thym frais • 285 g d'artichauts marinés, égouttés et émincés • 50 g de prosciutto, finement émincé et haché • 100 g de feta, émiettée • 1 cuil. à soupe de câpres hachées • 6 œufs, légèrement battus • 300 ml de crème fleurette • 1 cuil. à soupe d'huile d'olive supplémentaire • ½ tasse de parmesan fraîchement râpé • brins de thym, pour décorer

Pour 4 à 6 personnes

CUIRE les pâtes *al dente* dans une grande marmite d'eau bouillante. Rafraîchir sous l'eau froide et égoutter.

CHAUFFER l'huile dans une grande poêle à frire. Ajouter l'oignon, l'ail et le thym et faire revenir sur feu doux pendant 5 minutes, ou jusqu'à ce que l'oignon soit tendre.

METTRE les pâtes, les artichauts, le prosciutto, la feta et les câpres dans un grand saladier. Ajouter les oignons et mélanger avec les œufs et la crème. Assaisonner.

GRAISSER une poêle à frire à fond épais de 24 cm (30 cm au bord supérieur) avec l'huile d'olive supplémentaire. Une fois la poêle chaude, ajouter le mélange pour la frittata et lisser la surface. Réduire la flamme à feu doux et cuire 30 minutes ou jusqu'à ce que l'omelette soit presque totalement cuite. Veiller à ne pas la laisser brûler.

SAUPOUDRER de parmesan et passer sous le gril chaud pendant 3 à 4 minutes, ou jusqu'à ce que les œufs soient juste cuits et le fromage doré.

PASSER une spatule pour détacher le fond et faire glisser sur le plat de service chauffé. Saupoudrer de brins de thym. Couper en parts et servir.

QUALITÉS NUTRITIVES PAR PORTION (6)

Protéines 25 g ; Lipides 45 g ; Glucides 35 g ; Fibres alimentaires 4 g ; Cholestérol 285 mg ; 2 628 kJ (630 cal)

Tagliatelle à la poêlée de légumes

300 g d'aubergine, épluchée et coupée en tranches de 1 cm dans la longueur • 375 g de courgettes • 500 g de tagliatelle fraîches • 30 g de beurre • 1 cuil. à soupe d'huile • 4 tomates bien mûres, pelées, épépinées et concassées • 50 g de beurre supplémentaire • 2 à 3 gousses d'ail, écrasées • 4 oignons nouveaux, hachés • ½ petit piment rouge, épépiné et finement haché • 300 ml de crème fraîche • ½ tasse de parmesan râpé • ⅓ de tasse de persil frais haché

Pour 4 à 6 personnes

SALER les tranches d'aubergine, les mettre dans une passoire et les laisser dégorger 20 minutes. Les rincer sous l'eau froide, les égoutter et les sécher avec du papier absorbant. Couper en fins bâtonnets de 5 cm.

RÂPER les courgettes dans un bol. Saler légèrement et laisser dégorger 15 minutes. Rincer sous l'eau froide, égoutter et essorer avec les mains.

CUIRE les pâtes *al dente* dans une grande marmite d'eau bouillante. Égoutter et remettre dans la même casserole.

CHAUFFER le beurre dans une grande poêle à frire. Ajouter les aubergines et cuire sur feu moyen, en remuant, pendant 3 minutes ou jusqu'à ce que les légumes soient tendres. Retirer de la poêle. Ajouter les courgettes et cuire, en remuant, pendant 2 minutes, ou jusqu'à ce qu'elles soient tendres. Les retirer. Ajouter les tomates et cuire 2 minutes ou jusqu'à ce qu'elles soient molles. Retirer de la poêle.

FAIRE FONDRE le beurre supplémentaire dans la poêle. Faire revenir l'ail, les oignons et le piment sur feu doux pendant 2 minutes ou jusqu'à ce qu'ils soient tendres. Verser la crème et laisser mijoter 5 minutes ou jusqu'à épaississement. Mélanger la crème et les légumes avec les pâtes. Ajouter le parmesan, le persil et assaisonner. Mélanger à nouveau et servir.

QUALITÉS NUTRITIVES PAR PORTION (6)

Protéines 17 g ; Lipides 40 g ; Glucides 65 g ; Fibres alimentaires 8 g ; Cholestérol 112 mg ; 2 878 kJ (688 cal)

Orechiette au thon et au citron vert

500 g d'orechiette • 70 ml d'huile d'olive extra vierge • zeste râpé et jus de 2 citrons verts • 2 cuil. à soupe de thym frais finement haché • 2 cuil. à soupe de persil frais finement haché • 1 cuil. à soupe d'huile d'olive, supplémentaire • 1 oignon rouge, coupé en fins quartiers • 2 gousses d'ail, écrasées • 600 g de darnes de thon, coupées en dés de 2 cm • 1 cuil. à soupe de câpres hachées • 1 citron vert, coupé en fines rondelles pour garnir • 1 cuil. à soupe de câpres, pour garnir
Pour 4 à 6 personnes

CUIRE les pâtes *al dente* dans une grande marmite d'eau bouillante. Égoutter.
MÉLANGER l'huile, le zeste et le jus des citrons verts, le thym et le persil dans un petit bol et battre jusqu'à ce que le mélange soit crémeux.
CHAUFFER l'huile supplémentaire dans une grande poêle à frire. Ajouter l'oignon et l'ail et faire revenir sur feu doux, en remuant, pendant 3 à 4 minutes, ou jusqu'à ce qu'ils soient tendres. Retirer de la poêle avec une écumoire et réserver dans une assiette. Augmenter la flamme à feu moyen, ajouter les dés de thon et mélanger 1 à 2 minutes, ou jusqu'à ce qu'ils soient dorés à l'extérieur mais toujours roses au centre. Remettre l'oignon dans la poêle, puis incorporer les câpres et le mélange huile-citron vert. Réchauffer le tout 1 minute, puis mélanger aux pâtes. Assaisonner ; garnir de citron vert et de câpres et servir.

QUALITÉS NUTRITIVES PAR PORTION (6)
Protéines 35 g ; Lipides 23 g ; Glucides 60 g ; Fibres alimentaires 5 g ; Cholestérol 78 mg ; 2 499 kJ (597 cal)

Ci-dessous, de gauche à droite : Tagliatelle à la poêlée de légumes ; Orechiette au thon et au citron vert ; Cavatelli au méli-mélo de champignons et à la sauge.

Cavatelli au méli-mélo de champignons et à la sauge

85 g de beurre • 30 grandes feuilles de sauge • 2 à 3 gousses d'ail, écrasées • 500 g de champignons mélangés en lamelles épaisses • 500 g de cavatelli • 60 ml de bouillon de poulet ou de légumes • 1 cuil. à soupe de porto • 300 ml de crème fleurette
Pour 4 à 6 personnes

CHAUFFER 20 g de beurre dans une grande poêle à frire. Ajouter les feuilles de sauge et les faire frire sur feu moyen pendant 5 minutes, ou jusqu'à ce qu'elles soient croustillantes mais pas brûlées. Retirer de la poêle.
CHAUFFER le beurre restant dans la même poêle. Ajouter l'ail et les champignons et cuire, en remuant souvent, sur feu moyen à vif pendant 5 à 10 minutes, ou jusqu'à ce que les champignons soient tendres. Transvaser dans une assiette.
CUIRE les pâtes *al dente* dans une grande marmite d'eau bouillante. Égoutter.
AJOUTER le bouillon et le porto dans la poêle à frire et laisser réduire le liquide des trois-quarts sur feu vif. Ajouter la crème et laisser bouillir 5 minutes. Remettre les champignons et la moitié des feuilles de sauge dans la poêle. Remuer pour bien enduire les champignons et laisser épaissir la sauce 5 minutes de plus.
MÉLANGER la sauce aux pâtes. Garnir des feuilles de sauge restantes et servir.

QUALITÉS NUTRITIVES PAR PORTION (6)
Protéines 15 g ; Lipides 35 g ; Glucides 62 g ; Fibres alimentaires 6,5 g ; Cholestérol 105 mg ; 2 569 kJ (615 cal)

NOTE : utiliser 2 à 3 variétés différentes de champignons.

Ravioli à la menthe et à la ricotta, sauce crémeuse au citron vert

Pâte : *2 tasses ½ de farine ordinaire • 3 gros œufs • 1 cuil. à soupe ½ d'huile d'olive (facultatif)* • **Farce :** *350 g de ricotta • 2 jaunes d'œufs • ¼ de tasse de menthe fraîche finement hachée • ½ tasse de parmesan râpé • ¼ de cuil. à café de noix muscade* • **Sauce :** *30 g de beurre • 300 ml de crème fleurette • zeste de 3 citrons verts • ½ tasse de copeaux de parmesan • ¼ de tasse de menthe fraîche finement hachée*

Pour 4 à 6 personnes

Pour faire la pâte, mettre la farine sur un plan de travail ou dans un grand saladier en céramique et creuser un puits au centre. Casser les œufs dans le puits et ajouter l'huile (le cas échéant) et une pincée de sel. À l'aide d'une fourchette, fouetter les œufs et l'huile ensemble en incorporant un peu de farine à chaque fois. Travailler de l'intérieur vers l'extérieur.

Mettre la pâte sur une surface légèrement farinée et pétrir avec délicatesse et régularité, en tournant la pâte jusqu'à ce qu'elle soit élastique et pliable mais pas sèche au toucher. Si elle colle, incorporer un peu de farine. Couvrir d'un torchon ou d'un bol retourné et laisser reposer 30 minutes.

Pour faire les ravioli, mélanger les ingrédients de la farce dans un saladier. Étaler la moitié de la pâte en un grand rectangle de 52 x 22 cm à la main ou avec une machine. Couper les bords pour obtenir 50 x 20 cm. Disposer des cuillerées à café bombées de farce tous les 5 cm sur la pâte. Étaler la pâte restante en une abaisse légèrement plus grande que la première, et poser celle-ci sur la pâte recouverte de farce. Souder entre les petits tas de farce avec les doigts, en supprimant les bulles d'air. Couper des carrés de 5 cm avec un emporte-pièce cannelé. Cuire par fournées dans une grande casserole d'eau bouillante pendant 3 minutes. Bien égoutter.

Pour la sauce, faire fondre le beurre dans une petite casserole. Ajouter la crème et le zeste de citron vert. Cuire sur feu doux, sans laisser bouillir, pendant 3 minutes. Laisser infuser 15 minutes. Au moment de servir, retirer les zestes, réchauffer doucement la sauce puis ajouter le parmesan et la menthe et assaisonner. Verser sur les ravioli et servir immédiatement.

QUALITÉS NUTRITIVES PAR PORTION (6)

Protéines 25 g ; Lipides 48 g ; Glucides 45 g ; Fibres alimentaires 2,5 g ; Cholestérol 280 mg ; 2 980 kJ (710 cal)

Gâteaux de crabe aux risoni

Sauce tartare : *1 tasse de mayonnaise • 2 petits cornichons, finement hachés • 1 cuil. à soupe de câpres hachées • 1 cuil. à soupe de persil frais haché • 1 cuil. à soupe d'olives vertes farcies hachées •* ***Gâteaux de crabe :*** *½ tasse de risoni • 1 boîte de 170 g de chair de crabe, égouttée • 2 cuil. à soupe de farine ordinaire • 1 tasse pleine de chapelure fraîche • 4 oignons nouveaux, finement hachés • 1 cuil. à soupe de mayonnaise • ¼ de tasse de persil frais haché • zeste râpé d'un citron • 2 œufs, légèrement battus • chapelure sèche, pour recouvrir • huile, pour friture • quartiers de citron ou de citron vert, pour garnir*
Pour 8 gâteaux

POUR LA SAUCE TARTARE, mélanger tous les ingrédients de la sauce et mettre au réfrigérateur.
POUR FAIRE LES GÂTEAUX DE CRABE, cuire les risoni *al dente* dans une grande marmite d'eau bouillante. Égoutter et laisser refroidir. Essorer la chair de crabe avec les mains. Mettre les risoni, la chair de crabe, la farine, la chapelure, les oignons, la mayonnaise, le persil et le zeste dans un grand saladier. Incorporer les œufs. Mettre 1 heure au réfrigérateur ou jusqu'à ce que le mélange soit ferme. Avec les mains mouillées, former huit galettes de 7 cm de diamètre. Recouvrir de chapelure juste avant de cuire.
CHAUFFER 1 cm d'huile dans une grande poêle à frire et cuire les gâteaux, en plusieurs fournées, 3 minutes de chaque côté sur feu moyen ou jusqu'à ce qu'ils soient dorés. Ne les retourner qu'une fois. Égoutter sur du papier absorbant et servir chaud avec la sauce tartare et des quartiers de citron ou de citron vert.

QUALITÉS NUTRITIVES PAR GÂTEAU
Protéines 10 g ; Lipides 15 g ; Glucides 45 g ; Fibres alimentaires 3 g ; Cholestérol 75 mg ; 1 470 kJ (350 cal)

Gâteau de pâtes aux aubergines et aux courgettes

1 tasse ¼ de penne • 375 g d'aubergines, coupées en tranches de 1 cm dans le sens de la longueur • 250 g de courgettes, coupées en tranches de 1 cm dans le sens de la longueur • huile d'olive, pour badigeonner • 1 tasse pleine de basilic frais • 1 tasse de sauce tomate • ½ tasse de mozzarella râpée • ½ tasse de cheddar râpé • ½ tasse de parmesan

Pour 4 à 6 personnes

PRÉCHAUFFER le four à 180 °C. Graisser un moule à cake de 1,5 litre et en garnir le fond et les bords longs de deux couches de papier sulfurisé débordant de 7 cm de chaque côté. Recouvrir une plaque de cuisson de papier aluminium.

CUIRE les pâtes *al dente* dans une grande marmite d'eau bouillante. Rafraîchir sous l'eau froide et égoutter.

BADIGEONNER d'huile les tranches d'aubergine et de courgettes et les disposer en une seule couche sur la plaque. Passer sous le gril jusqu'à ce qu'elles soient dorées des deux côtés.

METTRE un tiers des tranches d'aubergines au fond du moule, en les faisant se chevaucher. Disposer ensuite un tiers des courgettes, puis un tiers du basilic, des pâtes et de la sauce. Répartir un tiers des fromages mélangés. Renouveler l'opération deux fois encore en terminant par une couche de fromage et presser fermement dans le moule.

CUIRE 50 minutes au four, ou jusqu'à ce que le gâteau soit doré. Couvrir de papier aluminium après 30 minutes pour éviter qu'il ne se colore trop. Laisser reposer 1 heure puis, en vous aidant du papier, démouler. Retirer le papier. Couper en tranches et servir.

QUALITÉS NUTRITIVES PAR PORTION (6)

Protéines 20 g ; Lipides 15 g ; Glucides 65 g ; Fibres alimentaires 7 g ; Cholestérol 25 mg ; 1 983 kJ (475 cal)

Spaghetti aux oignons caramélisés et au chèvre

2 cuil. à soupe d'huile d'olive • 500 g d'oignons rouges, coupés en deux et finement émincés • 1 cuil. à soupe de cassonade • 1 cuil. à soupe de vinaigre balsamique • 500 g de spaghetti frais • 150 g de fromage de chèvre, émietté • 75 g de noix, hachées grossièrement et légèrement grillées • 1 cuil. à soupe de petites câpres • 2 cuil. à soupe de thym frais finement haché

Pour 4 personnes

CHAUFFER l'huile dans une grande poêle à frire. Ajouter l'oignon et faire revenir sur feu doux, en remuant souvent, pendant 5 minutes ou jusqu'à ce qu'ils soient tendres, sans laisser colorer. Ajouter le sucre et le vinaigre et cuire 20 minutes de plus, ou jusqu'à ce que les oignons soient légèrement caramélisés.

CUIRE les pâtes *al dente* dans une grande marmite d'eau bouillante. Égoutter.

MÉLANGER les oignons avec les pâtes. Ajouter le fromage de chèvre, les noix, les câpres et le thym. Mélanger délicatement, de façon à préserver les miettes de chèvre. Servir immédiatement.

QUALITÉS NUTRITIVES PAR PORTION

Protéines 25 g ; Lipides 33 g ; Glucides 95 g ; Fibres alimentaires 8 g ; Cholestérol 26 mg ; 3 232 kJ (772 cal)

Fettucine printaniers

250 g de tomates cerises coupées en deux • 1 à 2 cuil. à soupe de vinaigre balsamique • 1 à 2 cuil. à soupe d'huile d'olive • 1 tasse de fèves surgelées • 175 g de brocolis, coupés en bouquets • 85 g de pois gourmands, parés • 1 tasse de petits pois surgelés • 2 petites courgettes, émincées • 10 asperges fines, coupées en tronçons de 5 cm • 500 g de fettucine frais aux épinards • 1 cuil. à soupe d'huile d'olive • ⅓ de tasse de pignons de pin • 60 g de beurre • 2 gousses d'ail, écrasées • 300 ml de crème fleurette • ⅓ de tasse de persil frais haché • ¼ de tasse de basilic frais

Pour 4 à 6 personnes

PRÉCHAUFFER le four à 180 °C. Chemiser une plaque de cuisson de papier sulfurisé. Mettre les moitiés de tomates sur la plaque et les asperger d'huile d'olive et de vinaigre balsamique. Assaisonner et sel et de poivre noir. Cuire 15 minutes au four, ou jusqu'à ce qu'elles soient ramollies mais encore entières.

BLANCHIR les fèves dans une casserole d'eau bouillante pendant 2 minutes. Retirer avec une écumoire et plonger dans de l'eau glacée. Blanchir les brocolis, les pois gourmands, les petits pois, les courgettes et les asperges pendant 2 minutes. Plonger dans l'eau glacée et égoutter. Éplucher les fèves et ajouter aux autres légumes.

CUIRE les pâtes *al dente* dans une grande marmite d'eau bouillante. Égoutter et réserver.

CHAUFFER l'huile dans la même casserole que les pâtes. Cuire les pignons de pin jusqu'à ce qu'ils soient légèrement dorés. Ajouter les légumes et remuer pour les réchauffer. Mélanger les pâtes aux légumes chauds.

CHAUFFER le beurre dans une grande poêle à frire. Ajouter l'ail et cuire 30 secondes, puis ajouter la crème et le persil. Porter à ébullition et laisser mijoter 8 minutes, ou jusqu'à léger épaississement de la sauce. Assaisonner de sel et de poivre noir.

AJOUTER la crème chaude aux pâtes et aux légumes et mélanger à nouveau. Disposer sur un plat de service chaud puis garnir des tomates rôties et des feuilles de basilic.

QUALITÉS NUTRITIVES PAR PORTION (6)

Protéines 17 g ; Lipides 25 g ; Glucides 65 g ; Fibres alimentaires 11 g ; Cholestérol 58 mg ; 2 362 kJ (565 cal)

Ci-dessous, de gauche à droite : Gâteau de pâtes aux aubergines et aux courgettes ; Spaghetti aux oignons caramélisés et au chèvre ; Fettucine printaniers.

Capelletti au poulet, sauce aux tomates, aux olives et au basilic

Sauce : *2 cuil. à soupe d'huile d'olive • 2 oignons nouveaux, hachés • 2 gousses d'ail, écrasées • 5 tomates bien mûres, pelées, épépinées et concassées • 125 ml de vin blanc • 1 cuil. à soupe de concentré de tomates • 1 cuil. à café de sucre en poudre • ⅓ de tasse d'olives noires dénoyautées et émincées • ½ tasse de basilic frais ciselé •* ***Farce :*** *375 g de blancs de poulet, hachés • 30 g de prosciutto, haché • 1 oignon nouveau, haché • 1 blanc d'œuf • 70 ml de crème fleurette • 1 paquet de 250 g de poches à wonton aux œufs (de 8,5 cm) • basilic frais, pour décorer • parmesan râpé, pour servir*

Pour 4 à 6 personnes

POUR PRÉPARER LA SAUCE, chauffer l'huile dans une grande poêle à frire. Faire revenir les oignons nouveaux et l'ail sur feu moyen pendant 2 minutes puis ajouter les tomates, le vin, le concentré de tomates et le sucre. Cuire 5 minutes. Ajouter 125 ml d'eau et laisser mijoter 5 minutes. Incorporer les olives et le basilic et tenir au chaud.

POUR FAIRE LA FARCE, hacher finement le poulet, le prosciutto et l'oignon dans un robot. Ajouter le blanc d'œuf et mélanger jusqu'à consistance homogène.

POSER une poche à wonton sur une surface propre. Badigeonner les bords extérieurs d'eau, puis placer une cuillerée à café bien pleine de farce au centre. Plier en forme de triangle et souder. Entourer les deux côtés courts autour du doigt et souder avec un peu d'eau. Plier la pointe vers le haut à l'opposé du pli soudé. Mettre les capelletti sur une plaque chemisée, sous un torchon.

CUIRE les capelletti en 2 à 3 fournées dans une grande marmite d'eau bouillante pendant 3 minutes ou jusqu'à ce qu'ils flottent à la surface, puis mélanger avec la sauce. Servir avec le basilic et le parmesan.

QUALITÉS NUTRITIVES PAR PORTION (6)

Protéines 25 g ; Lipides 15 g ; Glucides 35 g ; Fibres alimentaires 3 g ; Cholestérol 60 mg ; 1 565 kJ (375 cal)

Timbale de cheveux d'ange au fromage

50 g de beurre, fondu • ½ tasse de chapelure • 2 gousses d'ail, hachées • 1 oignon rouge, finement haché • 2 tranches de bacon, finement hachées • 1 poivron rouge, finement haché • ½ tasse de persil frais haché • ***Sauce blanche :*** *60 g de beurre • 2 cuil. à soupe de farine ordinaire • 500 ml de lait • 1 pincée de noix muscade • 375 g de cheveux d'ange • 1 tasse de parmesan râpé • 1 tasse de gruyère râpé*

Pour 6 à 8 personnes

GRAISSER généreusement un moule à fond amovible de 23 cm de diamètre avec une petite quantité du beurre. Chemiser le fond d'une partie de la chapelure. Réserver le beurre et la chapelure restants. Préchauffer le four à 200 °C.

AJOUTER 1 cuillerée à soupe de beurre dans une grande poêle à frire. Faire revenir l'ail, l'oignon, le bacon et le poivron sur feu moyen pendant 8 minutes, ou jusqu'à ce qu'ils soient tendres. Incorporer le persil.

POUR LA SAUCE BLANCHE, faire fondre le beurre dans une casserole. Ajouter la farine et cuire 1 minute en remuant. Retirer du feu, ajouter progressivement le lait et fouetter jusqu'à consistance homogène. Remettre sur le feu et remuer jusqu'à ébullition et épaississement. Assaisonner de noix muscade, de sel et de poivre noir.

CUIRE les pâtes *al dente* dans une grande marmite d'eau bouillante. Égoutter.

INCORPORER aux pâtes les deux tiers de la sauce blanche. Mettre les deux tiers des pâtes sur le fond et les côtés du moule, en appuyant fermement et en laissant un puits au centre.

MÉLANGER la sauce restante avec la préparation aux oignons et les fromages. Verser le mélange dans le puits, puis recouvrir des pâtes restantes. Appuyer fermement avec les mains, puis saupoudrer de chapelure et verser le reste de beurre fondu.

CUIRE 50 minutes au four, ou jusqu'à ce que le gâteau soit doré. Couvrir le dessus de papier aluminium s'il se colore trop. Laisser reposer 20 minutes avant de démouler. Couper en parts et servir.

QUALITÉS NUTRITIVES PAR PORTION (8)
Protéines 20 g ; Lipides 25 g ; Glucides 45 g ; Fibres alimentaires 3,5 g ; Cholestérol 80 mg ; 2 035 kJ (485 cal)

Tortelli aux pommes de terre et à l'ail, sauce au poivron rouge

Sauce : *1 gros poivron rouge, coupé en quatre • 1 cuil. à soupe d'huile d'olive • 1 petit oignon, coupé en deux • 2 à 3 gousses d'ail, écrasées • 1 cuil. à café de sucre en poudre • 1 boîte de 400 g de tomates pelées et concassées •* ***Tortelli :*** *400 g de pommes de terre à chair farineuse, non épluchées, coupées en quatre • 2 gousses d'ail, écrasées • 3 oignons nouveaux, émincés • 2 œufs, blancs et jaunes séparés • ¼ de cuil. à café de noix muscade • 1 paquet de 200 g de pâte gow gee (34 morceaux par paquet) • ½ tasse de basilic frais*

Pour 4 à 6 personnes

POUR FAIRE LA SAUCE, couper le poivron en morceaux plats et larges. Cuire sous le gril chaud, la peau vers le haut, jusqu'à ce que la peau noircisse et forme des cloques. Mettre dans un sac plastique et laisser refroidir avant d'éplucher.

CHAUFFER l'huile dans une poêle. Ajouter l'oignon et l'ail et faire revenir sur feu doux 2 à 3 minutes, ou jusqu'à ce qu'ils soient tendres. Ajouter le sucre, les tomates et 125 ml d'eau. Laisser mijoter 15 minutes, puis retirer et jeter l'oignon. Mettre la sauce dans un robot avec l'ail et réduire en purée lisse. Remettre dans la casserole et laisser mijoter 10 minutes de plus. Saler et poivrer.

POUR LES TORTELLI, faire bouillir les quartiers de pommes de terre 15 minutes ou jusqu'à ce qu'ils soient juste cuits. Égoutter et retirer la peau. Mettre dans un bol et réduire en purée pendant qu'ils sont chauds. Laisser refroidir légèrement avant d'incorporer l'ail, l'oignon nouveau, les jaunes d'œuf et la noix muscade. Mettre les blancs d'œufs dans un petit bol et réserver.

POUR ASSEMBLER LES TORTELLI, poser un morceau de pâte sur une surface propre. Découper un cercle avec un emporte-pièce cannelé de 8 cm. Badigeonner le bord extérieur avec les blancs d'œufs. Mettre une cuillerée à café bombée de mélange aux pommes de terre au centre du cercle. Replier en deux et bien souder, en enlevant les bulles d'air. Mettre sur une plaque de cuisson chemisée. Recouvrir d'un torchon pendant la préparation des autres tortelli.

CUIRE en 2 à 3 fournées dans une casserole d'eau bouillante 3 à 5 minutes, ou jusqu'à ce qu'ils soient cuits. Retirer à l'aide d'une écumoire et mettre dans un plat de service chaud. Réchauffer la sauce, ajouter les feuilles de basilic et mélanger aux tortelli.

QUALITÉS NUTRITIVES PAR PORTION (6)
Protéines 8 g ; Lipides 4 g ; Glucides 30 g ; Fibres alimentaires 3,5 g ; Cholestérol 0 mg ; 845 kJ (200 cal)

NOTE : la pâte gow gee se trouve dans les magasins d'alimentation asiatique.

Ci-dessous, de gauche à droite : Tortelli aux pommes de terre et à l'ail, sauce au poivron rouge ; Conchiglie à l'agneau, aux pois chiches et aux tomates ; Tagliatelle aux épinards et au « pistou » de pignons de pin.

Conchiglie à l'agneau, aux pois chiches et aux tomates

60 ml d'huile d'olive • 3 à 4 gousses d'ail, hachées • ½ petit piment rouge, épépiné et finement haché • 6 oignons nouveaux, finement hachés • 1 kg de tomates bien mûres, pelées, épépinées et concassées • 70 ml de vin blanc • 375 g de conchiglie • 4 filets d'agneau • 1 boîte de 300 g de pois chiches, rincés et égouttés • 2 cuil. à soupe de romarin frais grossièrement haché • 2 cuil. à soupe de persil frais finement haché • ¾ de tasse de parmesan râpé

Pour 4 personnes

CHAUFFER l'huile dans une grande poêle à frire. Ajouter l'ail, le piment et l'oignon de printemps et faire revenir sur feu moyen 2 à 3 minutes, ou jusqu'à ce qu'ils soient tendres. Ajouter les tomates et le vin blanc. Cuire 5 minutes ou jusqu'à obtention d'un mélange un peu sirupeux.

CUIRE les pâtes *al dente* dans une grande marmite d'eau bouillante. Égoutter et tenir au chaud.

CUIRE les filets d'agneau sur le gril et laisser reposer 10 minutes.

AJOUTER les pois chiches, le romarin et le persil à la sauce aux tomates et réchauffer 2 minutes. Mélanger la sauce aux pâtes et incorporer le parmesan. Découper les filets d'agneau en biais et mélanger aux pâtes.

QUALITÉS NUTRITIVES PAR PORTION

Protéines 75 g ; Lipides 35 g ; Glucides 80 g ; Fibres alimentaires 12 g ; Cholestérol 165 mg ; 3 930 kJ (939 cal)

Tagliatelle aux épinards et au pistou de pignons de pin

4 tranches de bacon • 2 œufs durs • 100 g de pignons de pin grillés • 2 gousses d'ail • 150 ml d'huile d'olive • 125 ml de vinaigre de vin blanc • 1 cuil. à soupe de moutarde de Dijon • 500 g de tagliatelle fraîches • 125 g d'épinards jeunes • ⅔ de tasse de copeaux de parmesan

Pour 4 à 6 personnes

PASSER le bacon sous le gril jusqu'à ce qu'il soit croustillant, l'égoutter sur du papier absorbant et l'émietter. Réserver. Hacher les blancs d'œufs et passer les jaunes au chinois. Réserver.

METTRE les deux tiers des pignons de pin dans un robot. Ajouter l'ail et réduire en fin hachis. Verser progressivement l'huile d'olive. Ajouter le vinaigre et la moutarde et mélanger.

CUIRE les pâtes *al dente* dans de l'eau bouillante. Égoutter.

AJOUTER aux pâtes le pistou de pignons de pin et les épinards, puis bien mélanger. Ajouter les deux tiers du bacon et les deux tiers du parmesan et remuer.

DISPOSER sur un plat de service et garnir du bacon, des pignons de pin et du parmesan restants ainsi que de l'œuf. Bien assaisonner de poivre noir et servir immédiatement.

QUALITÉS NUTRITIVES PAR PORTION (6)

Protéines 30 g ; Lipides 50 g ; Glucides 60 g ; Fibres alimentaires 6 g ; Cholestérol 100 mg ; 3 413 kJ (815 cal)

Lasagne aux légumes grillés

2 aubergines, coupées en tranches de 1,5 cm dans le sens de la longueur • 150 ml d'huile d'olive • 2 kg de tomates bien mûres, émincées en rondelles de 1,5 cm • vinaigre balsamique • 1 cuil. à café de sucre en poudre • 1 cuil. à soupe de thym frais finement haché • 4 gros poivrons rouges • 1 oignon moyen, finement haché • 500 g de champignons, émincés • 5 gousses d'ail • 500 g de ricotta lisse • 250 g de fromage de chèvre • 1 paquet de 250 g d'épinards surgelés, décongelés et essorés • ½ tasse de basilic frais finement haché • 50 g de pignons de pin grillés • 1 tasse ½ de parmesan râpé • 2 gros œufs, légèrement battus • 375 g de feuilles de lasagne fraîches • 3 tasses ½ de mozzarella râpée
Pour 6 à 8 personnes

PRÉCHAUFFER le four à 200 °C. Graisser un moule de 37 x 25 x 7 cm.
BADIGEONNER d'huile chaque tranche d'aubergine. Cuire sous le gril chaud jusqu'à ce que les deux côtés soient dorés. Bien les essuyer avec du papier absorbant.
BADIGEONNER deux plaques de cuisson d'huile d'olive et disposer les rondelles de tomates en une seule couche. Verser un filet d'huile et de vinaigre balsamique, puis saupoudrer légèrement de sucre et de la moitié du thym. Assaisonner et rôtir 1 heure au four. Sortir du four et réduire la température à 190 °C.
COUPER les poivrons en gros morceaux plats. Cuire sous le gril chaud, la peau vers le haut, jusqu'à ce que celle-ci noircisse et forme des cloques. Mettre dans un sac plastique et laisser refroidir, puis éplucher. Couper en lanières de 3 cm de large.
CHAUFFER 1 cuillerée à soupe d'huile sur feu moyen dans une grande poêle à frire, ajouter l'oignon et faire revenir jusqu'à ce qu'il soit tendre. Retirer. Cuire les champignons dans 1 cuillerée à soupe ½ d'huile sur feu vif pendant 10 minutes, ou jusqu'à ce que le jus se soit pratiquement évaporé. Ajouter 2 gousses d'ail écrasées, le restant de thym et une pincée de sel. Bien mélanger.
METTRE la ricotta et le fromage de chèvre dans un saladier avec les épinards, le basilic, les pignons de pin, 1 tasse de parmesan, 3 gousses d'ail écrasées et les œufs. Assaisonner et bien mélanger.
RECOUVRIR le fond du moule d'une couche de lasagne. Saupoudrer les feuilles de lasagne avec ½ tasse de mozzarella, puis disposer en une couche la moitié des rondelles de tomates, une couche d'aubergines et la moitié de la ricotta. Recouvrir d'une autre couche de lasagne, saupoudrer d'une autre ½ tasse de mozzarella, puis répartir les champignons et une couche de poivrons. Lisser le reste de la ricotta dessus, suivi d'une dernière couche de tomates et de feuilles de lasagne. Mélanger 2 tasses ½ de mozzarella avec ½ tasse de parmesan et saupoudrer sur les lasagnes. Cuire 45 minutes à 1 heure au four, ou jusqu'à ce que le fromage soit fondu et doré. Sortir du four, couvrir et laisser reposer 15 minutes avant de servir.

QUALITÉS NUTRITIVES PAR PORTION (8)
Protéines 50 g ; Lipides 45 g ; Glucides 40 g ; Fibres alimentaires 9,5 g ; Cholestérol 155 mg ; 3 135 kJ (750 cal)

Spaghetti en papillote

6 tomates olivettes (roma), coupées en 4 dans le sens de la longueur • environ 10 feuilles de basilic • 2 cuil. à café de vinaigre balsamique • 2 cuil. à café d'huile d'olive • 200 g de spaghetti • ¾ de tasse de sauce tomate • 9 olives noires, dénoyautées et hachées • ¼ de tasse de persil plat frais finement haché • 6 asperges, épluchées • 240 g de fontina ou de cheddar, coupés en 6 tranches • 3 tranches de prosciutto, coupées en deux • 25 g d'anchois en conserve, égouttés • 6 brins de persil plat frais
Pour 6 papillotes

PRÉCHAUFFER le four à 180 °C. Chemiser une grande plaque de cuisson de papier sulfurisé. Disposer les tomates en une seule couche sur la plaque, saupoudrer de basilic et verser le vinaigre et l'huile dessus. Assaisonner. Cuire 30 minutes, puis sortir du four. Augmenter la température du four à 200 °C.
CUIRE les pâtes *al dente* dans une grande marmite d'eau bouillante. Égoutter. Mélanger avec la sauce tomate, les olives et le persil. Couper chaque asperge en quatre et blanchir dans l'eau bouillante jusqu'à ce qu'elles soient tendres. Rafraîchir rapidement sous l'eau froide. Égoutter.
COUPER six carrés de 30 x 30 cm dans du papier sulfurisé et en badigeonner d'huile les bords extérieurs. Disposer quatre tranches de tomates et un peu de basilic sur chaque feuille. Diviser les spaghetti en six portions et les disposer sur les tomates, en utilisant une fourchette pour enrouler les pâtes.
METTRE quatre morceaux d'asperges par-dessus, puis une tranche de fromage, de prosciutto et un filet d'anchois et terminer par un brin de persil. Former des carrés et replier en papillote, en rentrant les extrémités du papier sous la papillote. Cuire 15 minutes au four. Pour servir, couper ou ouvrir le papier et servir dans la papillote.

QUALITÉS NUTRITIVES PAR PAPILLOTE
Protéines 4 g ; Lipides 23 g ; Glucides 13 g ; Fibres alimentaires 2 g ; Cholestérol 5 mg ; 390 kJ (93 cal)

Gnocchi de semoule aux fines herbes

560 ml de lait • 1 tasse de semoule • 1 jaune d'œuf • 2 cuil. à soupe de fines herbes hachées (persil, basilic et ciboulette) • ¾ de tasse de parmesan râpé • 1 pincée de noix muscade • 125 g de fontina ou de gruyère, coupés en petits dés • ½ tasse de parmesan râpé supplémentaire • 150 ml de crème fleurette • basilic frais ciselé, pour décorer
Pour 4 à 6 personnes

PRÉCHAUFFER le four à 200 °C. Graisser un plat carré de 23 cm, profond de 5 cm.
POUR FAIRE LES GNOCCHI, porter à ébullition le lait et 250 ml d'eau dans une grande casserole. Ajouter la semoule en filet continu, en remuant sans cesse pour éviter la formation de grumeaux. Remuer souvent pendant 15 minutes, ou jusqu'à ce que le mélange se détache des côtés de la casserole et forme une boule.
RETIRER du feu et incorporer rapidement les jaunes d'œuf, les fines herbes, le parmesan et la noix muscade. Assaisonner. Former les gnocchi en prenant un peu de pâte avec une cuillère, en la faisant passer dans une deuxième cuillère, puis à nouveau dans la première et ainsi de suite jusqu'à ce que le gnocchi soit lisse et ovale. Une fois formé, mouiller la cuillère vide et l'utiliser pour enlever le gnocchi de l'autre cuillère. Les poser en biais dans le plat, appuyés les uns contre les autres.
RÉPARTIR la fontina ou le gruyère sur les gnocchi, saupoudrer de parmesan et napper uniformément de crème.
CUIRE 20 minutes au four ou jusqu'à coloration dorée. Servir garni de basilic.

QUALITÉS NUTRITIVES PAR PORTION (6)
Protéines 20 g ; Lipides 30 g ; Glucides 25 g ; Fibres alimentaires 1 g ; Cholestérol 125 mg ; 1 935 kJ (460 cal)

Farfalle au saumon fumé

50 g de beurre • 1 poireau, finement émincé • 1 branche de céleri, finement émincée • 2 gousses d'ail, écrasées • 1 cuil. à soupe de cognac • 1 cuil. à soupe de câpres hachées • zeste râpé d'un citron • 500 g de farfalle • 300 ml de crème fleurette • 200 g de saumon fumé, coupé en fines lanières • 2 cuil. à soupe d'aneth frais haché • brins d'aneth, pour décorer

Pour 4 à 6 personnes

CHAUFFER le beurre dans une grande poêle à frire. Ajouter le poireau, la branche de céleri et l'ail et cuire sur feu moyen 7 minutes, ou jusqu'à ce qu'ils soient tendres. Ajouter le cognac, les câpres et le zeste de citron et cuire 2 minutes de plus.

CUIRE les pâtes *al dente* dans une grande marmite d'eau bouillante. Égoutter.

AJOUTER la crème au mélange au poireau et réchauffer 5 minutes sur le feu. Ajouter les lanières de saumon et l'aneth. Assaisonner. Mélanger la sauce aux pâtes. Garnir de brins d'aneth et servir immédiatement.

QUALITÉS NUTRITIVES PAR PORTION (6)

Protéines 18 g ; Lipides 30 g ; Glucides 60 g ; Fibres alimentaires 5 g ; Cholestérol 105 mg ; 2 515 kJ (600 cal)

Ci-dessous, de gauche à droite : Gnocchi de semoule aux fines herbes ; Farfalle au saumon fumé ; Tomates farcies aux pâtes.

Tomates farcies aux pâtes

1 tasse de ditalini • 8 grosses tomates, bien mûres • 3 cuil. à soupe d'huile d'olive • 8 feuilles de basilic • 2 gousses d'ail, écrasées • 6 oignons nouveaux, finement hachés • 125 ml de sauce tomate • 1 ou 2 anchois, hachés • 1 cuil. à soupe de câpres hachées • 2 cuil. à soupe de menthe fraîche hachée • ½ tasse de mozzarella râpée • ½ tasse de parmesan râpé

Pour 8 personnes

CUIRE les pâtes *al dente* dans une grande marmite d'eau bouillante. Rafraîchir sous l'eau froide et égoutter.

PRÉCHAUFFER le four à 180 °C.

COUPER le haut des tomates et réserver. Évider la chair et enlever les pépins à l'aide d'une cuillère. Couper la chair en dés et la mettre dans un saladier. Huiler légèrement la peau des tomates avant de les mettre sur une plaque de cuisson graissée. Garnir chaque tomate d'une feuille de basilic.

CHAUFFER 2 cuillerées à soupe d'huile dans une poêle à frire. Ajouter l'ail et les oignons et faire revenir sur feu moyen pendant 2 minutes. Ajouter la pulpe de tomate, la sauce tomate, les câpres et la menthe et cuire 2 minutes de plus, ou jusqu'à épaississement. Incorporer aux pâtes et aux fromages. Assaisonner.

TASSER le mélange dans les tomates. Remettre les « couvercles ». Cuire 35 à 40 minutes au four. Servir chaud.

QUALITÉS NUTRITIVES PAR TOMATE

Protéines 10 g ; Lipides 12 g ; Glucides 25 g ; Fibres alimentaires 3,5 g ; Cholestérol 13 mg ; 1 080 kJ (260 cal)

Gratin de rigatoni aux poivrons et aux fruits de mer

2 cuil. à soupe d'huile d'olive • 2 gousses d'ail, écrasées • 1 poivron rouge, coupé en dés • 1 poivron jaune, coupé en dés • 1 poivron vert, coupé en dés • 30 millerighi ciociari (gros rigatoni) (130 g) • 425 g de filets de saumon • 300 g de gambas crues, décortiquées, veine noire enlevée • 160 ml de crème fleurette • ¼ de tasse d'aneth frais haché • 100 g de fontina ou de cheddar, coupés en dés • 250 ml de crème fleurette • 2 jaunes d'œufs • 1 cuil. à soupe de persil frais finement haché • ¼ de tasse de parmesan râpé
Pour 4 à 6 personnes

PRÉCHAUFFER le four à 190 °C. Graisser un moule assez profond de 30 cm de diamètre.

CHAUFFER l'huile dans une grande poêle à frire. Ajouter l'ail et les poivrons et cuire 10 minutes sur feu doux, ou jusqu'à ce qu'ils soient tendres. Étaler au fond du moule.

CUIRE les pâtes dans une grande marmite d'eau bouillante jusqu'à ce qu'elles commencent à ramollir. Rafraîchir rapidement sous l'eau froide et égoutter. Cuire quelques tubes en plus, au cas où certains se fendraient pendant le remplissage.

RETIRER la peau et les arêtes du saumon et hacher grossièrement. Mettre dans un robot avec les crevettes, la crème et l'aneth. Assaisonner généreusement de sel et de poivre noir. Réduire en purée lisse.

FARCIR les tubes de pâte avec le mélange saumon-crevettes après s'être mouillé les mains ou à l'aide d'une poche à douilles. Disposer sur les poivrons en une seule couche selon des angles différents.

RÉPARTIR les dés de fromage sur les pâtes et verser la crème, les jaunes d'œufs et le persil préalablement mélangés. Cuire 15 minutes au four, puis répartir le parmesan et poursuivre la cuisson de 15 à 20 minutes ou jusqu'à légère coloration dorée et formation de bulles. Servir immédiatement.

QUALITÉS NUTRITIVES PAR PORTION (6)
Protéines 25 g ; Lipides 40 g ; Glucides 38 g ; Fibres alimentaires 3 g ; Cholestérol 225 mg ; 2 515 kJ (600 cal)

Risoni au potiron et au poireau

1,25 litre de bouillon de poulet • 60 g de beurre • 1 poireau, finement émincé • 2 gousses d'ail, hachées • 700 g de potiron, épluché, épépiné et coupé en dés de 1 cm • ½ cuil. à café de noix muscade • 500 g de risoni • ¼ de tasse de persil frais haché • ½ tasse de copeaux de parmesan

Pour 4 à 6 personnes

METTRE le bouillon de poulet dans une grande casserole et chauffer sans laisser bouillir.
CHAUFFER le beurre dans une grande poêle à frire. Cuire le poireau et l'ail sur feu doux pendant 4 à 5 minutes, ou jusqu'à ce qu'ils soient très tendres mais sans coloration.
AJOUTER le potiron, la noix muscade et 250 ml de bouillon chaud. Couvrir et laisser mijoter, pendant 8 minutes, ou jusqu'à ce que le potiron soit juste tendre.
INCORPORER les risoni et 875 ml de bouillon chaud. Cuire, sans couvrir, sur feu moyen pendant 10 à 12 minutes ou jusqu'à ce que les pâtes soient tendres. Remuer souvent en veillant à ne pas écraser les dés de potiron. Ajouter le reste de bouillon si nécessaire.
RETIRER du feu, couvrir la casserole et laisser reposer 5 minutes. Incorporer le persil et le parmesan. Assaisonner généreusement de sel et de poivre noir et servir immédiatement.

QUALITÉS NUTRITIVES PAR PORTION (6)
Protéines 17 g ; Lipides 15 g ; Glucides 70 g ; Fibres alimentaires 7 g ; Cholestérol 35 mg ; 1 940 kJ (465 cal)

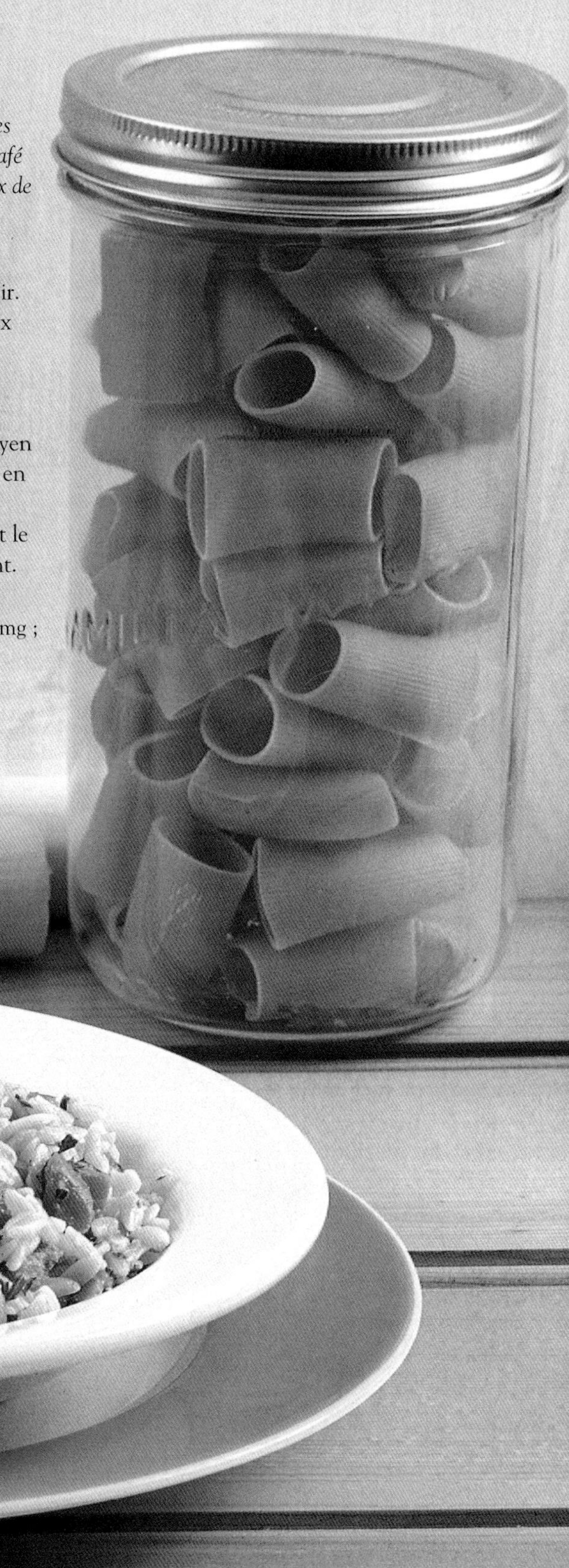

LE POULET

Les meilleures techniques pour préparer et cuire le poulet. Avec les recettes classiques, des idées géniales pour les occasions particulières et des suggestions pour les jours où le temps vous fait défaut.

TOUT SUR LE POULET

Récemment encore, on considérait le poulet comme un mets de luxe, servi lors d'occasions particulières, et en général rôti. Aujourd'hui, le poulet fait l'objet de plats très divers, au même titre que le poisson ou la viande rouge, c'est-à-dire comme toutes les sources de protéines nécessaires à un régime équilibré.

FAIRE SON MARCHÉ

Poulets prêts-à-cuire (P.A.C), très bon marché, poulets fermiers et poulets labellisés, poulets surgelés... Le choix dépend de votre goût et de votre budget. En principe, ceux dont la chair et la peau sont d'une belle couleur orangée ont été nourris au maïs, et sont les meilleurs.
Les poulets surgelés ont une chair moins savoureuse. Lorsqu'on achète un poulet entier, il faut compter 1,5 kg pour 4 personnes. N'hésitez pas à demander conseil à votre boucher !
Dans les rayons ou chez le boucher, on peut également demander des morceaux de poulet : cuisses, pilons, suprêmes (ailerons et blancs), filets, ou encore, des demi-poulets. Votre boucher peut flamber, parer et vider la volaille. Enfin, on peut acheter des abattis, et de la chair de poulet hachée.
Choisissez un poulet dont la chair est légèrement rose et humide. Les poulets surgelés doivent être parfaitement compacts et hermétiquement enveloppés.
Petit conseil lorsque vous faites vos courses : achetez le poulet en dernier, et laissez-le hors du réfrigérateur le moins longtemps possible. En voiture, et par temps chaud, conservez-le dans un sac de congélation. Même par temps froid, l'environnement de la voiture est suffisamment chaud pour favoriser une prolifération bactérienne toxique.
Enfin, il est essentiel de bien conserver et de savoir préparer le poulet pour éviter toute contamination éventuelle de salmonelle, laquelle provoque une intoxication alimentaire.

PRÉPARER LE POULET

Avant tout, il faut le parer, c'est-à-dire le débarrasser des parties non comestibles, de l'excédent de gras et des tendons. On peut ôter la peau pour réduire la teneur en graisses de la volaille (les graisses sont accumulées juste sous la peau). Toutefois, cuire un poulet avec sa peau rend la chair plus tendre et plus savoureuse.
Pour préparer un poulet rôti, commencez par ôter le cou et les abats (parfois, ils sont gardés dans un petit sachet en plastique à l'intérieur, ce qui, en cas de cuisson, est désastreux !), ôtez le bréchet et toute partie graisseuse. Une paire de ciseaux de cuisine (ou à volaille) et un couteau de chef vous seront très utiles.
Si vous désirez le farcir, faites-le juste avant la cuisson. Maintenez la cavité du cou à l'aide d'une brochette, mais il n'est pas nécessaire de le brider d'une manière compliquée : nouez les pilons avec du fil de cuisine, puis ramenez et repliez les ailes à l'arrière du poulet.
Pour vérifier la cuisson, piquez une brochette dans la partie la plus épaisse de la cuisse. Si du jus clair s'en écoule, le poulet est prêt. Si le jus est rose, poursuivez la cuisson pendant

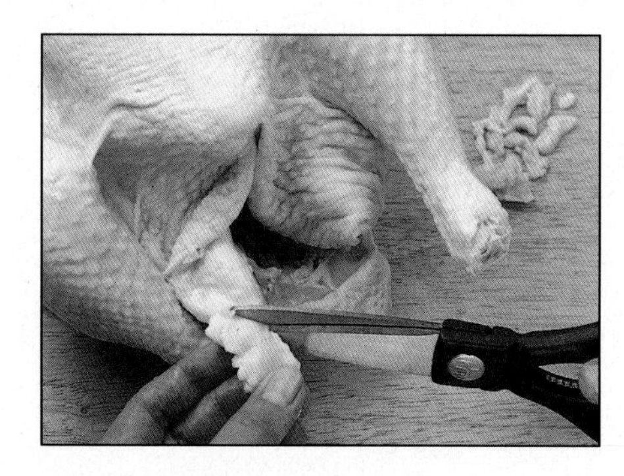

Avec une paire de ciseaux de cuisine, ôtez le gras et les tendons du poulet.

LA CONSERVATION

Pour conserver un poulet cru, jetez l'emballage d'origine et ôtez tout le jus. Enveloppez-le de film alimentaire ou dans un sac en plastique, de manière lâche, et placez-le sur une assiette pour recueillir tout écoulement. Évitez de le mettre à côté d'autres nourritures, pour éviter tout contact éventuellement nocif. Un poulet cru se conserve au réfrigérateur 2 jours au maximum. Pour le congeler, placez-le dans un sac de congélation. Expulsez l'air et scellez hermétiquement le sac, puis étiquetez-le en mentionnant la date. Il est parfois judicieux de congeler le poulet en morceaux, en prévoyant la recette que vous préparerez ainsi que le nombre de convives : vous perdrez moins de temps pour le décongeler. Pour la décongélation, comptez 3 heures pour 500 g de poulet, que vous laisserez au réfrigérateur. Vous pouvez aussi décongeler de petites quantités au micro-ondes, mais nous déconseillons cette méthode pour un poulet entier, car la décongélation se ferait de manière inégale. Cuisinez le poulet dans les 12 heures. Ne laissez JAMAIS le poulet dégeler à température ambiante à cause des risques bactériens, qui peuvent provoquer une intoxication alimentaire. Pour la même raison, ne dégelez JAMAIS un poulet dans de l'eau ou sous l'eau courante. Enfin, ne recongelez JAMAIS un poulet décongelé ! Cuit, le poulet se conserve jusqu'à 3 jours au réfrigérateur, protégé par de l'aluminium ou un film alimentaire (ne pas l'envelopper d'une manière trop serrée). Pour éviter tout risque de contamination bactérienne, ne laissez pas un poulet cuit à température ambiante plus d'une heure. Les plats cuisinés à base de poulet — par exemple le poulet en cocotte — peuvent se congeler dans des récipients hermétiques ou dans des sacs de congélation, jusqu'à 2 mois. Avant de les congeler, il faut les laisser refroidir au réfrigérateur.

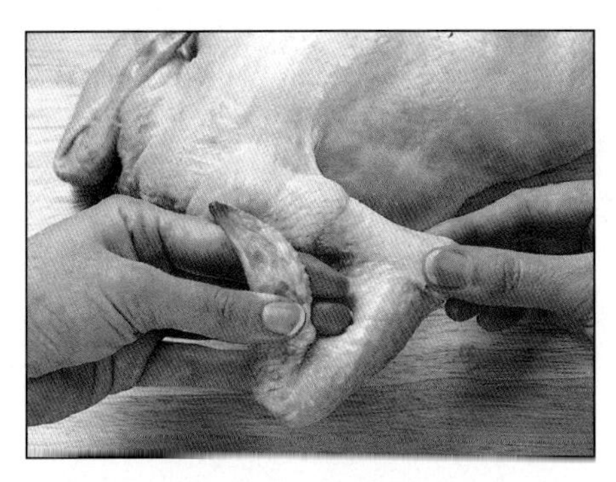

Repliez et ramenez les ailes à l'arrière du poulet.

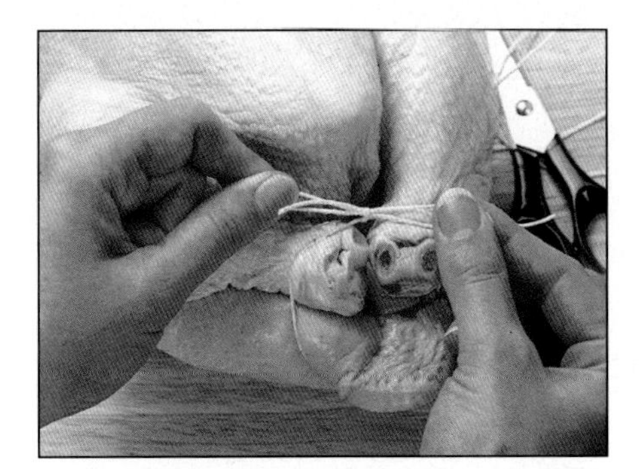

Pour brider le poulet, nouez les pilons avec du fil de cuisine.

10 minutes environ, en vérifiant de nouveau. Les temps de cuisson peuvent varier en fonction du four. Lorsque le poulet est cuit, retirez-le du four, couvrez-le légèrement de papier d'aluminium, et attendez 10 minutes avant de le découper. Vous pouvez vérifier la cuisson des gros morceaux — cuisses, suprêmes, pilons — de la même manière, en piquant avec

Insérez une brochette dans la cuisse. Le jus qui s'en écoule doit être clair.

une brochette. Bien évidemment, assurez-vous d'une cuisson parfaite avant de servir ! Une chair encore rose n'est certes pas appétissante, mais surtout peu fiable quant à l'hygiène. Vous pouvez aussi varier le choix des morceaux : des filets dans la cuisse sont en général moins chers que des filets dans le flanc de la volaille, et tout aussi délicieux pour une recette nécessitant des morceaux finement détaillés ou hachés. On peut aussi préférer le blanc de poulet à la chair plus foncée de la cuisse. Lorsque les recettes sont préparées avec des morceaux, cuisinez des cuisses, des pilons, des ailes, ou tout mélange correspondant au poids indiqué. Après avoir préparé un poulet, lavez-vous soigneusement les mains à l'eau chaude et au savon, de même que tous les ustensiles que vous aurez utilisés — planche à découper, couteau, ciseaux — avant de les employer pour d'autres préparations culinaires.

LE POULET RÔTI PRÊT À CONSOMMER

Le poulet rôti tout prêt à être dégusté est très apprécié pour un repas rapide. Quelques conseils sont toutefois utiles : ne le laissez pas dans son emballage d'origine trop longtemps avant de le consommer. Comme on peut facilement acheter un demi-poulet, voire même un quart de poulet, n'hésitez pas à demander exactement la portion dont vous avez besoin, car le poulet rôti se dessèche rapidement.

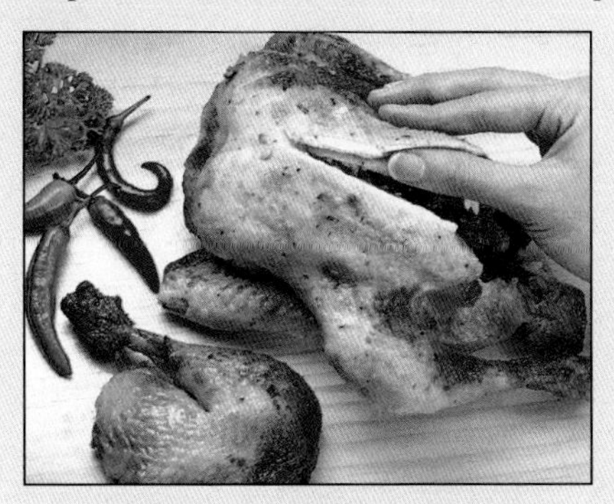

Pour désosser le poulet, faites une incision au milieu.

Émincez la chair du poulet avec vos doigts ou un couteau d'office.

LE POULET FUMÉ

On peut l'acheter entier ou en morceaux. La chair est rose pâle et le goût légèrement salé. Vérifier la date limite de consommation avant l'achat. Si vous achetez des morceaux, consommez-les dans les deux ou trois jours. Conservez le poulet, couvert, au réfrigérateur. Il est délicieux en émincés, en salades, sandwiches, ou assiettes de viandes froides. En fines lamelles, il agrémente les pâtes et les préparations poêlées.

Le poulet fumé émincé est délicieux en sandwiches.

LES MORCEAUX DE POULET

Le poulet comporte de nombreux morceaux, que l'on peut préparer de mille et une manières, avec un peu d'imagination et sans se ruiner ! Comme l'illustrent ces photographies, on peut en utiliser toutes les parties. Traditionnellement, le poulet entier est rôti, tandis que les morceaux se cuisinent de multiples façons : au gril, à la poêle, rissolés, ou en plats mijotés pour des recettes plus exotiques. Hachée, la chair est délicieuse en feuilletés ou en boulettes. Le foie constitue la base de certains pâtés et terrines, et on utilise la carcasse pour les bouillons.

Ailes
Pilons
Cuisses entières
Poulet haché
Aiguillettes
Suprêmes
Foies

Poulet rôti au bacon

1 poulet moyen (1,5 kg) • 2 beaux brins de romarin frais • 2 gousses d'ail, pelées • 15 g de beurre, fondu • 4 tranches de bacon, sans la couenne • 1 cuil. à soupe d'huile • 125 ml de bouillon de poulet • brins de romarin frais supplémentaires

Pour 4 personnes

PARER le poulet. Le rincer soigneusement et le sécher avec du papier absorbant. Placer les brins de romarin, l'ail et le beurre dans la cavité du poulet préparé. Préchauffer le four à 180 °C.

GARNIR les flancs de poulet de tranches de bacon, en formant des croisillons, et les maintenir à l'aide de petites brochettes ou de piques à cocktail.

PLACER le poulet dans un plat à four et le badigeonner d'huile. L'enfourner pendant 1 heure 30, en l'arrosant régulièrement de bouillon. Si nécessaire, le couvrir d'aluminium pour que le bacon ne brunisse pas trop. Laisser reposer 15 minutes avant de découper le poulet. Ôter les brochettes, garnir de brins de romarin et servir.

Poulet frit

12 pilons de poulet (environ 1,3 kg) • ¼ de tasse de corn flakes pilés • 1 tasse ¼ de farine • 2 cuil. à soupe de bouillon de poulet en poudre • 1 cuil. à café de sel de céleri • 1 cuil. à café de sel d'oignon • ½ cuil. à café d'ail en poudre • ½ cuil. à café de poivre blanc, moulu • huile pour la friture

Pour 4 personnes

CUIRE le poulet dans une grande casserole d'eau bouillante. Baisser le feu et laisser mijoter, à découvert, pendant 8 minutes environ, jusqu'à ce que le poulet soit presque cuit. Le retirer de la casserole à l'aide d'une fourchette à rôti, et l'égoutter.
MÉLANGER les corn flakes, la farine préalablement tamisée, le bouillon en poudre, le sel de céleri, le sel d'oignon, l'ail en poudre et le poivre blanc dans un saladier.
PLACER les pilons dans un grand saladier et recouvrir d'eau froide. Rouler les pilons un par un dans la préparation à base de farine, et secouer pour ôter l'excédent.
CHAUFFER l'huile à température moyenne dans une friteuse ou un faitout. Y plonger le poulet, par petites quantités. Frire à feu vif puis moyen 8 minutes environ, jusqu'à ce que le poulet soit doré et bien cuit. Le retirer avec précaution à l'aide d'une fourchette à rôti ou d'une écumoire. Égoutter sur du papier absorbant et réserver au chaud. Répéter l'opération jusqu'à ce que tous les pilons soient frits. Servir chaud, accompagné d'une salade. Pour ajouter une note colorée, garnir éventuellement d'une tomate jaune.

Pâté de foie

125 g de beurre • 1 bel oignon, haché • 2 gousses d'ail, écrasées • 2 tranches de bacon, sans la couenne, finement détaillées • 250 g de foie de poulet, parés • ¼ de cuil. à café de thym séché • poivre noir, fraîchement moulu • 2 cuil. à soupe de crème fleurette • 1 cuil. à soupe de cognac • ***Garniture :*** *60 g de beurre, fondu • 2 cuil. à soupe de ciboulette fraîche ciselée*
Pour 4 à 6 personnes, en entrée

FAIRE FONDRE le beurre dans une poêle. Ajouter les oignons, l'ail et le bacon. Cuire jusqu'à ce que les oignons soient tendres et le bacon croustillant.
AJOUTER le foie et poursuivre la cuisson 5 à 10 minutes, en remuant de temps en temps. Ôter du feu et incorporer les autres ingrédients. Laisser refroidir. Mixer la préparation jusqu'à obtention d'un pâté lisse. Verser dans des ramequins.
POUR PRÉPARER LA GARNITURE, verser le beurre fondu sur le pâté. Parsemer de ciboulette et réfrigérer une nuit. Servir avec des crackers ou du pain grillé.
NOTE : ce pâté peut se conserver au réfrigérateur une semaine, protégé de film alimentaire. La plupart des pâtés sont meilleurs un à deux jours après avoir été préparés.

Hamburgers au poulet

1 kg de chair de poulet, hachée • 1 petit oignon, finement haché • 2 cuil. à café de zeste de citron • 2 cuil. à soupe de crème fraîche • 1 tasse de mie de pain frais, émiettée • 6 petits pains à hamburgers • feuilles de laitue, ciselées • 1 belle tomate, émincée • ½ tasse de mayonnaise
Pour 6 personnes

PLACER la chair de poulet hachée dans un saladier.
AJOUTER l'oignon, le zeste de citron, la crème fraîche et la mie de pain. Bien malaxer jusqu'à obtention d'une préparation homogène. Diviser en 6 galettes épaisses.
CUIRE les galettes au gril, ou au barbecue préalablement chauffé. Compter 7 minutes de chaque côté, en les retournant une fois. Partager les petits pains en deux, les garnir de laitue, d'une galette, d'une tranche de tomate, et de mayonnaise. Couvrir avec la moitié de pain et servir.

Salade au poulet

1 poulet rôti • 1 salade de feuilles de chêne ou 1 lolla rossa • ½ concombre libanais, finement émincé (ou 1 concombre ordinaire) • 1 branche de céleri, détaillée en lamelles de 1 cm • 3 oignons nouveaux, finement détaillés • 1 avocat • 2 pêches ou nectarines • ¼ de tasse de mayonnaise crémeuse • ¼ de tasse de yaourt nature • 1 cuil. à soupe de vinaigrette • ⅓ de tasse de noix de pécan (ou de noix) pilées

Pour 4 personnes

DÉCOUPER le poulet en morceaux, en gardant la peau. Ôter les os. Bien laver et sécher la salade. La détailler et dresser sur un plat de service. Ajouter le poulet.

GARNIR de concombre, céleri et oignons nouveaux. Émincer l'avocat et couper les pêches ou les nectarines en quartiers juste avant de servir. En garnir le poulet et les légumes.

MÉLANGER la mayonnaise, le yaourt et la vinaigrette dans un petit bol. En napper la salade et parsemer de noix. Servir immédiatement.

NOTE : on peut utiliser n'importe quel fruit de saison, par exemple des oranges émincées, du raisin vert ou noir ou des mangues. On peut également employer des fruits au sirop. Pour varier le goût, on peut remplacer les noix par des pignons grillés.

Club sandwich

½ poulet rôti • ¼ de tasse de mayonnaise • 1 cuil. à café de moutarde à l'ancienne • 2 tranches de bacon, sans la couenne • 6 tranches de pain complet ou de seigle, grillé et beurré • 2 beaux morceaux de poivron séché, égoutté et émincé • ¼ de tasse de cottage cheese ou de fromage blanc entier • 2 cornichons, émincés • 1 belle tomate, émincée • ½ tasse de laitue ciselée

Pour 2 personnes

DÉSOSSER le poulet et ôter la peau. Découper la chair en morceaux, de la taille d'une bouchée. Dans un petit bol, mélanger le poulet, la mayonnaise et la moutarde. Faire griller le bacon et l'égoutter sur du papier absorbant.

ÉTALER la préparation sur 2 tranches de pain. Garnir le poulet de bacon et d'une couche de poivron.

GARNIR avec une autre tranche de pain grillé, étaler le cottage cheese, ajouter une couche de cornichons, de tomate et de salade. Couvrir avec la tranche restante.

INSÉRER 4 piques à cocktail, espacées régulièrement, dans les sandwiches. Trancher délicatement le sandwich pour obtenir des quartiers.

LE POULET RÔTI ET SES VARIANTES

Salade de pâtes au poulet

Désosser et ôter la peau d'un demi-poulet rôti. Détailler la chair en morceaux de la taille d'une bouchée. Cuire 2 tasses de pâtes jusqu'à ce qu'elles soient tendres. Les égoutter et les rincer pour bien les refroidir. Ajouter 1 cuillerée à soupe d'huile d'olive et mélanger. Couper 4 tranches de prosciutto (ou d'un autre jambon cru), et griller légèrement ⅓ de tasse de pignons dans une poêle. Mettre le poulet, les pâtes, le jambon et les pignons dans un grand saladier, ajouter 15 olives noires, l'équivalent d'une barquette de tomates cerises partagées en deux et ½ tasse de pesto.
Bien mélanger puis servir.
Pour 4 personnes

Ci-dessous, en partant de la gauche : salade de pâtes au poulet, nachos au poulet, frittata, tacos.

Nachos au poulet

Préchauffer le four à 180 °C. Désosser et ôter la peau d'un demi-poulet rôti. Détailler la chair en morceaux de la taille d'une bouchée. Étaler 150 g de chips de maïs sur toute la surface d'un plat à four peu profond. Garnir de 450 g de purée de haricots à la mexicaine. Ajouter le poulet en une couche, puis garnir d'un poivron rouge finement émincé. Napper de 200 ml de sauce taco et parsemer d'une tasse de fromage râpé. Enfourner pendant 20 minutes environ, jusqu'à ce que le fromage ait fondu. Servir accompagné de crème fraîche épaisse, à votre goût.
Pour 4 personnes

Frittata

Désosser et ôter la peau d'un demi-poulet rôti. Détailler la chair en petits morceaux. Cuire 3 pommes de terre à l'eau bouillante (la chair doit rester ferme). Les laisser refroidir, puis les couper en dés ou les râper. Hacher un petit oignon rouge, une courgette et ½ poivron rouge. Chauffer 2 cuillerées à soupe d'huile d'olive dans une poêle à fond épais, y ajouter les légumes hachés et 2 gousses d'ail écrasées. Laisser mijoter 5 minutes, ajouter les pommes de terre et poursuivre la cuisson 10 minutes. Incorporer le poulet et une tasse de fromage râpé. Bien mélanger. Battre 6 œufs avec 60 ml d'eau. Verser sur la préparation et égaliser la surface à l'aide d'une spatule. Laisser cuire à petit feu 10 à 15 minutes. Dorer la surface en plaçant la frittata sous un gril préchauffé. Servir chaud ou froid.
Pour 4 personnes

Tacos

Préchauffer le four à 150 °C. Désosser et ôter la peau d'un demi-poulet rôti. Émincer ou détailler la viande en beaux morceaux. Chauffer 1 cuillerée à soupe d'huile d'olive dans une grande poêle à fond épais. Ajouter 1 oignon finement haché, 1 branche de céleri finement détaillée, et ½ cuillerée à café de piment séché, haché (facultatif). Laisser cuire 5 minutes environ, jusqu'à ce que l'oignon soit tendre. Ajouter 400 g de tomates concassées en boîte, avec le jus, 1 cuillerée à soupe de sauce Worcestershire, 1 cuillerée à soupe de sauce pimentée douce. Porter à ébullition, baisser le feu et laisser mijoter à découvert, 20 minutes environ, jusqu'à ce que la préparation ait épaissi. Chauffer au four 12 coquilles à taco pendant 5 à 10 minutes, puis les garnir. Incorporer dans la poêle 400 g de haricots rouges, égouttés, et les morceaux de poulet. Ajouter ½ tasse de persil frais haché, puis garnir les tacos réchauffés avec de la laitue ciselée et le poulet préparé. Napper de crème fraîche épaisse. Pour varier, on peut aussi utiliser du pain pita réchauffé.
Pour 4 personnes

Sandwich au blanc de poulet

4 blancs de poulet • 4 tranches de bacon • 2 baguettes campagnardes • 4 feuilles de laitue • 1 belle tomate, émincée • 1 avocat, émincé • ⅓ de tasse de mayonnaise
Pour 4 personnes

PARER le poulet. Ôter la couenne du bacon et le couper en deux, en diagonale. Pour une présentation plus décorative, enfiler le bacon sur des petites brochettes.
CUIRE le poulet et le bacon au gril, au barbecue ou sur une plaque de cuisson préalablement graissés. Cuire le bacon pendant 5 minutes environ, jusqu'à ce qu'il soit croustillant. Le retirer et le laisser égoutter sur du papier absorbant. Retourner le poulet et poursuivre la cuisson 5 à 10 minutes, jusqu'à ce qu'il soit bien cuit et doré.
DÉCOUPER le pain en 4 portions et les partager en deux. Les griller légèrement et les beurrer, à votre goût. Garnir les moitiés de laitue, tomate, poulet et avocat. Napper de mayonnaise puis recouvrir pour former un sandwich. Servir accompagné de bacon.

Escalopes panées

4 blancs de poulet • 2 tasses de mie de pain frais émiettée • ¼ de tasse d'amandes pilées • 2 cuil. à soupe de persil frais, finement haché • ½ tasse de farine • 1 œuf, battu • 50 g de beurre • 2 cuil. à soupe d'huile d'olive
Pour 4 personnes

METTRE les blancs de poulet, un par un, entre 2 feuilles de film alimentaire, et les aplatir à l'aide d'un rouleau à pâtisserie pour qu'ils aient environ 1 cm d'épaisseur, en veillant à ne pas abîmer la chair
PLACER la mie de pain dans un plat à four peu profond. Préchauffer le four à 150 °C. Cuire la mie de pain au four 15 à 20 minutes, en remuant souvent et en veillant à ce qu'elle ne brunisse pas trop. Faire refroidir et mixer avec les amandes et le persil, environ 30 secondes, puis verser sur une plaque. Mettre la farine dans une assiette ou sur une feuille de papier sulfurisé. Y mélanger les blancs de poulet, puis les tremper dans l'œuf battu et les badigeonner de la chapelure préparée. Réfrigérer au moins 30 minutes.
CHAUFFER le beurre et l'huile dans une poêle à fond épais. Cuire les escalopes 3 à 4 minutes de chaque côté, en les retournant une fois, jusqu'à ce qu'elles soient bien croustillantes. Garnir de pois mange-tout et de maïs frais.

Curry au poulet

8 hauts de cuisse (environ 900 g) • ½ tasse de farine • sel et poivre • 1 cuil. à soupe d'huile d'olive • 30 g de beurre • 1 bel oignon, émincé • 2 cuil. à soupe de poudre de curry • 125 ml de bouillon de poulet • 400 g de maïs en grains, non égoutté • sel et poivre noir • 2 belles pommes Granny Smith, pelées, coupées en quartiers

Pour 4 personnes

PRÉCHAUFFER le four à 180 °C. Parer le poulet.

PLACER la farine, le sel et le poivre dans un sachet en plastique et ajouter le poulet. Secouer pour bien l'enrober et ôter l'excédent de farine. Chauffer l'huile et le beurre dans une poêle à fond épais. Cuire le poulet à feu moyen, en remuant de temps en temps, jusqu'à ce qu'il soit doré. Le transférer dans une cocotte allant au four.

INCORPORER l'oignon et le curry dans la poêle et mélanger à feu doux, jusqu'à ce que l'oignon soit tendre. Ajouter le bouillon et le maïs. Assaisonner et porter à ébullition.

NAPPER le poulet de la préparation. Couvrir et enfourner 20 minutes. Ajouter la pomme et poursuivre la cuisson au four pendant 20 minutes, à couvert, jusqu'à ce que le poulet soit très tendre. Servir accompagné de riz.

Mitonnée de poulet au gingembre

4 cuisses de poulet • 4 pilons de poulet • ½ tasse de farine • 2 cuil. à soupe d'huile d'olive, plus 2 cuil. à café • 2 poireaux moyens, émincés en gros morceaux • 1 gousse d'ail, écrasée • 1 cuil. à soupe de gingembre frais, râpé • 400 g de tomates en boîte • 125 ml de bouillon de poulet

Pour 4 personnes

PRÉCHAUFFER le four à 180 °C. Placer la farine, le sel et le poivre dans un sac en plastique puis ajouter le poulet. Secouer pour bien l'enrober et ôter l'excédent de farine.

CHAUFFER 2 cuillerées à soupe d'huile dans un faitout. Cuire le poulet à feu moyen jusqu'à ce qu'il soit doré. Le transférer dans une cocotte allant au four.

AJOUTER 2 cuillerées à café d'huile, les poireaux, l'ail et le gingembre dans le faitout, et laisser cuire à petit feu jusqu'à ce que les poireaux soient tendres. Incorporer les tomates concassées avec leur jus et le bouillon. Porter à ébullition et en napper le poulet.

COUVRIR et enfourner 1 heure environ, jusqu'à ce que le poulet soit très tendre. Garnir avec un brin de romarin et servir.

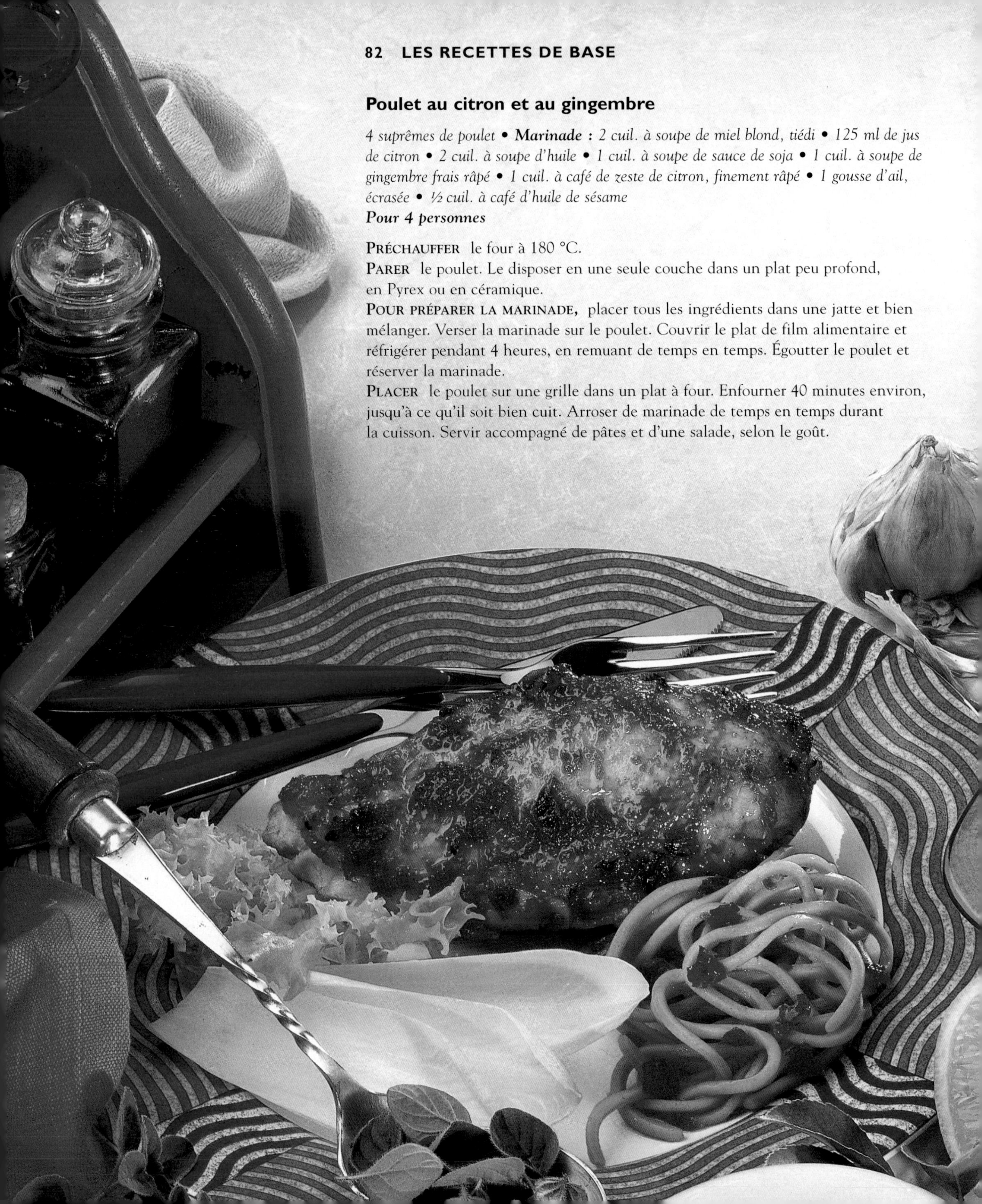

Poulet au citron et au gingembre

4 suprêmes de poulet • **Marinade :** *2 cuil. à soupe de miel blond, tiédi • 125 ml de jus de citron • 2 cuil. à soupe d'huile • 1 cuil. à soupe de sauce de soja • 1 cuil. à soupe de gingembre frais râpé • 1 cuil. à café de zeste de citron, finement râpé • 1 gousse d'ail, écrasée • ½ cuil. à café d'huile de sésame*

Pour 4 personnes

PRÉCHAUFFER le four à 180 °C.

PARER le poulet. Le disposer en une seule couche dans un plat peu profond, en Pyrex ou en céramique.

POUR PRÉPARER LA MARINADE, placer tous les ingrédients dans une jatte et bien mélanger. Verser la marinade sur le poulet. Couvrir le plat de film alimentaire et réfrigérer pendant 4 heures, en remuant de temps en temps. Égoutter le poulet et réserver la marinade.

PLACER le poulet sur une grille dans un plat à four. Enfourner 40 minutes environ, jusqu'à ce qu'il soit bien cuit. Arroser de marinade de temps en temps durant la cuisson. Servir accompagné de pâtes et d'une salade, selon le goût.

Aiguillettes panées aux herbes

4 blancs de poulet • 1 tasse ½ de chapelure • 1 cuil. à soupe de persil frais haché • 1 cuil. à soupe d'origan frais haché • ½ tasse de farine • sel et poivre • 2 œufs, légèrement battus • 125 ml d'huile d'olive • ***Mayonnaise à l'ail :*** *1 tasse de mayonnaise • 1 gousse d'ail, écrasée • 2 cuil. à soupe de persil haché*
Pour 4 personnes

DÉTAILLER les blancs de poulet en longues aiguillettes d'environ 2 cm de large. Dans un saladier, mélanger chapelure, persil et origan. Mettre la farine, le sel et le poivre dans un sac en plastique et y ajouter le poulet. Bien secouer pour l'enrober, puis ôter l'excédent. Tremper dans les œufs battus, puis badigeonner de chapelure. Placer sur une plaque recouverte de papier d'aluminium. Réfrigérer 30 minutes à couvert.
CHAUFFER l'huile dans une grande sauteuse et y faire revenir la moitié du poulet. Laisser cuire à feu moyen environ 3 minutes de chaque côté, jusqu'à ce que le poulet soit doré et bien cuit. Égoutter sur du papier absorbant et frire les aiguillettes restantes.
POUR PRÉPARER LA MAYONNAISE À L'AIL, mélanger tous les ingrédients dans un petit saladier jusqu'à obtention d'une texture homogène. Servir en accompagnement des aiguillettes aux herbes.

Poulet chasseur

120 g de champignons de Paris • 1 oignon moyen • 1 cuil. à soupe d'huile • 12 pilons de poulet (environ 1,3 kg) • 1 gousse d'ail, écrasée • 400 g de purée de tomates, prête à l'emploi • 125 ml de vin blanc • 125 ml de bouillon de poulet • 1 cuil. à café d'origan séché • 1 cuil. à café de thym séché • sel et poivre
Pour 6 personnes

PRÉCHAUFFER le four à 180 °C. Détailler les champignons en quartiers et hacher finement l'oignon.
CHAUFFER l'huile dans une sauteuse. Y faire revenir les pilons de poulet par petites quantités, à feu vif puis moyen, jusqu'à ce qu'ils soient bien dorés. Les transférer dans une grande cocotte allant au four.
DORER l'oignon et l'ail dans la sauteuse, à feu moyen. En napper le poulet. Ajouter les ingrédients restants dans la sauteuse. Porter à ébullition, puis laisser mijoter 10 minutes. Verser sur le poulet. Couvrir et enfourner 35 minutes environ, jusqu'à ce que le poulet soit très tendre. Ce plat est délicieux servi avec des pâtes ou des légumes cuits à la vapeur.

Poulet Kiev

125 g de beurre, ramolli • 1 gousse d'ail, écrasée • 2 cuil. à soupe de persil frais, haché • 2 cuil. à café de jus de citron • 2 cuil. à café de zeste de citron râpé • 6 petits blancs de poulet • ½ tasse de farine • 2 tasses de chapelure • 2 œufs, battus • huile pour la friture • quartiers de citron pour servir
Pour 6 personnes

MÉLANGER le beurre, l'ail, le persil, le jus et le zeste de citron dans un petit bol. Transférer la préparation dans une feuille de papier d'aluminium. La plier en formant un rectangle d'environ 5 x 8 cm, et réfrigérer.
METTRE les blancs de poulet un par un entre deux feuilles de film alimentaire, et en utilisant un rouleau à pâtisserie ou un maillet à viande, les aplatir délicatement pour qu'ils aient environ 1 cm d'épaisseur, sans abîmer la chair.
DÉTAILLER la préparation au beurre en 6 morceaux de la taille d'un doigt. Déposer un morceau au centre de chaque blanc de poulet, puis les rouler. Les maintenir à l'aide de piques à cocktail. Verser la farine et la chapelure séparément sur deux plaques ou deux feuilles de papier sulfurisées.
ENROBER les blancs de poulet de farine, les tremper dans l'œuf battu et les badigeonner de chapelure. Réfrigérer au moins 1 heure. Remplir à moitié une friteuse d'huile et la chauffer à température moyenne. Y cuire le poulet par petites quantités, environ 5 minutes, pour que les morceaux soient dorés. Égoutter et ôter les piques à cocktail. Servir avec des quartiers de citron, des pâtes et une salade.
NOTE : autant utiliser le même nombre de piques à cocktail par blanc de poulet préparé, pour être sûr de ne pas en oublier avant de servir !

Poulet Maryland (cuisses de poulet frites et garniture sucrée-salée)

4 petites cuisses de poulet • 500 ml de bouillon de poulet • 6 grains de poivre • ½ oignon, pelé • 1 feuille de laurier • ½ tasse de farine • sel et poivre noir, fraîchement moulu • 2 tasses de chapelure • 2 œufs, battus • 2 bananes, coupées en deux • huile pour friture • 2 tomates, coupées en deux • 4 tranches d'ananas • 4 épis de maïs, cuits
Pour 4 personnes

PARER les cuisses de poulet, en gardant la peau. Chauffer le bouillon dans un faitout, ajouter les grains de poivre, l'oignon et la feuille de laurier. Laisser frémir, ajouter le poulet et mouiller à hauteur. Faire mijoter 20 minutes environ. Retirer le poulet du bouillon. Laisser refroidir, puis ôter et jeter la peau et sécher le poulet avec du papier absorbant.
MÉLANGER la farine, le sel et le poivre sur une plaque. Éparpiller la chapelure sur une assiette ou une feuille de papier sulfurisé. Passer le poulet dans la farine, le tremper dans l'œuf puis dans la chapelure. Réfrigérer au moins 1 heure.
ENROBER les bananes de farine, les tremper dans l'œuf puis dans la chapelure. Réfrigérer. Remplir à demi une friteuse d'huile et chauffer à température moyenne. Y frire les cuisses deux par deux pendant 4 à 6 minutes, jusqu'à ce qu'elles soient dorées. Les égoutter sur du papier absorbant et les réserver au chaud.
FRIRE les bananes 2 à 3 minutes, jusqu'à ce qu'elles soient bien dorées. Les égoutter sur du papier absorbant. Passer au gril les moitiés de tomates et les tranches d'ananas jusqu'à ce qu'elles soient bien chaudes. Servir les cuisses de poulet accompagnées de bananes, de tomates, d'ananas et de maïs.

Poulet à la provençale

1 cuil. à soupe d'huile d'olive • 30 g de beurre • 1,25 kg de poulet (pilons, hauts de cuisse) • 5 gousses d'ail, pelées • 4 petits oignons, détaillés en deux ou en quartiers • 2 cuil. à soupe de cognac • 180 ml de vin blanc • 400 g de tomates en boîte, écrasées en purée • 2 cuil. à soupe de concentré de tomates • ½ cuil. à café de thym séché • 250 g de champignons de Paris, coupés en deux • 12 olives noires • ½ tasse de persil frais haché
Pour 4 personnes

CHAUFFER l'huile et le beurre dans une grande sauteuse. Sécher le poulet avec du papier absorbant, et le mettre dans la sauteuse. Le faire revenir pendant 10 minutes, en remuant souvent, jusqu'à ce qu'il soit bien doré. Le retirer de la sauteuse et réserver. Ajouter l'ail et les oignons dans la sauteuse et les faire revenir jusqu'à ce qu'ils soient tendres. Les ôter de la sauteuse à l'aide d'une pelle charcutier et réserver.
RETIRER l'excédent d'huile et le réserver. Remettre le poulet dans la sauteuse. Verser le cognac, pencher la sauteuse et faire flamber le cognac. Lorsque les flammes se sont éteintes (compter quelques secondes), ajouter la préparation à l'oignon, le vin, les tomates, le concentré de tomates et le thym. Bien mélanger et laisser cuire à découvert pendant 10 minutes environ, en remuant de temps en temps, jusqu'à ce que le jus ait réduit.
CHAUFFER l'huile réservée dans une petite poêle et ajouter les champignons. Mélanger pendant 5 minutes environ, jusqu'à ce qu'ils soient tendres. Incorporer les champignons au poulet préparé.
COUVRIR hermétiquement la sauteuse et laisser mijoter 30 minutes environ, jusqu'à ce que le poulet soit tendre. Ajouter les olives et parsemer de persil. Servir accompagné de pâtes.

Coq au vin

2 cuil. à soupe d'huile végétale • 1 bel oignon, haché • 2 gousses d'ail, écrasées • 10 cuisses de poulet ou d'autres morceaux, sans la peau • 125 g de jambon, finement détaillé • 250 g de petits champignons de Paris • 500 ml de vin rouge • 2 cuil. à soupe de Maïzena • 2 cuil. à soupe d'eau • 2 cuil. à soupe de persil frais haché
Pour 4 à 6 personnes

CHAUFFER l'huile dans une sauteuse. Y cuire les oignons jusqu'à ce qu'ils soient tendres. Ajouter le poulet et l'ail. Laisser cuire jusqu'à ce qu'il soit doré puis le réserver.
AJOUTER le jambon et les champignons. Les faire revenir 1 minute. Remettre le poulet et ajouter le vin. Porter à ébullition, baisser le feu et laisser mijoter à couvert, 1 heure.
MÉLANGER la Maïzena avec l'eau jusqu'à obtention d'une texture lisse. L'incorporer peu à peu dans la sauce au vin. Faire cuire, sans cesser de remuer, jusqu'à ébullition et épaississement. Baisser le feu et laisser mijoter 3 minutes.
AJOUTER le persil haché juste avant de servir. Accompagner de riz, de salade et de pain croustillant.
NOTE : idéalement, cette recette — un grand classique — se prépare avec une poule ou un coq, mais le poulet convient également. On peut le préparer deux jours à l'avance et le conserver au réfrigérateur. Il n'en sera que plus savoureux !

Fricassée de poulet aux abricots

1,5 kg de blancs de poulet • 1 cuil. à soupe d'huile • 120 g d'abricots secs • 375 ml de nectar d'abricots • 125 ml de bouillon de poulet • 40 g de préparation en sachet pour soupe à l'oignon • sel et poivre noir, fraîchement moulu • 1 cuil. à soupe de persil frais, finement haché
Pour 6 personnes

PARER le poulet. Découper les blancs en gros morceaux. Chauffer l'huile dans une sauteuse. Cuire le poulet par petites quantités, à feu vif puis moyen, jusqu'à ce qu'il soit bien doré. Le retirer et égoutter.

ÉMINCER les abricots secs. Remettre le poulet dans la sauteuse avec les abricots, le nectar, le bouillon et la préparation pour soupe à l'oignon. Assaisonner et mélanger. Porter à ébullition, baisser le feu et laisser mijoter 20 minutes en remuant, jusqu'à ce que le poulet soit cuit et que la sauce ait épaissi.

RETIRER du feu, incorporer le persil et servir avec des pâtes et une salade.

Poulet cordon bleu

4 blancs de poulet • sel et poivre, fraîchement moulu • 4 fines tranches de gruyère • 4 tranches de jambon fumé ou de pastrami • ⅓ de tasse de farine assaisonnée • ½ tasse de chapelure • 1 œuf, fraîchement battu • 125 ml d'huile

Pour 4 personnes

PARER le poulet. À l'aide d'un couteau d'office, entailler la partie la plus épaisse sans la couper complètement. Ouvrir les filets et les aplatir. Assaisonner à volonté.
GARNIR l'un des côtés des blancs d'une tranche de fromage et de jambon. Replier pour former un chausson. Verser la farine et la chapelure sur deux assiettes séparées ou sur deux feuilles de papier sulfurisé. Enrober chaque blanc de farine et secouer l'excédent. Les tremper dans l'œuf puis les enduire de chapelure. Placer sur une plaque recouverte de papier d'aluminium, couvrir et réfrigérer 30 minutes.
CHAUFFER l'huile dans une sauteuse. Ajouter le poulet. Cuire à feu moyen environ 4 minutes sur chaque face, jusqu'à ce que le poulet soit bien doré et cuit. Servir accompagné de pommes de terre nouvelles cuites à l'eau et de petites courges cuites à la vapeur.

Curry de poulet à la coriandre

850 g de morceaux de poulet, désossés • 2 cuil. à café de graines de coriandre • 1 cuil. à café de grains de poivre noir • 3 à 5 piments verts frais, épépinés et hachés • 1 morceau de galanga d'un cm ou 2 cuil. à café de poudre laos (à défaut, utiliser du gingembre frais) • ¼ de tasse de coriandre, feuilles, tiges et racines hachées • 2 belles gousses d'ail • ¼ de tasse d'oignons nouveaux hachés (parties vertes et blanches) • 3 cm de citronnelle, grossièrement hachée • 2 cuil. à soupe d'huile végétale • 400 ml de crème de coco • 4 feuilles de citron kaffir (ou 4 feuilles de citron vert) • 1 petit bouquet de basilic frais • 1 cuil. à soupe de sauce de poisson
Pour 6 personnes

MOUDRE les graines de coriandre et les grains de poivre dans un mixeur, un moulin à épices, ou les piler au mortier.
AJOUTER les piments, le galanga, les feuilles de coriandre, l'ail, les oignons nouveaux et la citronnelle, et préparer une pâte bien lisse.
CHAUFFER l'huile dans une sauteuse. Y incorporer la préparation et mélanger 3 à 4 minutes. Ajouter la crème de coco et les feuilles de citron puis laisser mijoter 10 minutes.
DÉTAILLER le poulet en dés ou en fines lamelles. L'incorporer à la sauce avec 125 ml d'eau, et laisser mijoter environ 20 minutes, jusqu'à ce que le poulet soit tendre. Ajouter les feuilles de laurier et la sauce de poisson. Servir avec du riz vapeur.

Consommé de poulet au maïs

200 g de chair de poulet, hachée • 1 cuil. à café de sel • 2 blancs d'œufs • 750 ml de bouillon de poulet • 1 tasse de grains de maïs, écrasé en purée • 1 cuil. à soupe de Maïzena • ½ tasse de maïs en conserve, égoutté • 2 cuil. à café de sauce de soja • 2 oignons nouveaux, détaillés en diagonale, pour la garniture

Pour 4 personnes

SALER la chair de poulet dans un saladier. Dans un petit bol, battre légèrement les blancs d'œufs jusqu'à ce qu'ils soient bien mousseux. Les incorporer au poulet.

PORTER à ébullition le bouillon dans une casserole et ajouter la purée de maïs. Délayer la Maïzena dans un peu d'eau, l'ajouter à la soupe et remuer jusqu'à épaississement.

BAISSER le feu et ajouter le poulet préparé, en l'émiettant à l'aide d'un fouet. Cuire à petit feu environ 3 minutes, sans faire bouillir. Ajouter le maïs en grains et laisser mijoter quelques secondes. Assaisonner de sauce de soja et servir, garni d'oignons émincés.

Ailes de poulet à l'américaine

8 belles ailes de poulet (environ 900 g) • 2 cuil. à café de poivre noir • 2 cuil. à café de sel à l'ail • 2 cuil. à café d'oignon en poudre • huile d'olive pour la friture • 125 ml de sauce tomate • 2 cuil. à soupe de sauce Worcestershire • 20 g de beurre, fondu • 2 cuil. à café de sucre • sauce tabasco • ***Sauce à l'américaine :*** *½ tasse de mayonnaise • ½ tasse de crème fraîche • 2 cuil. à soupe de jus de citron • 2 cuil. à soupe de ciboulette hachée • sel et poivre blanc*

Pour 4 personnes

LAVER soigneusement les ailes de poulet et les sécher avec du papier absorbant. Couper les bouts des ailes et les jeter. Ramener les ailes en arrière et les détacher en 2 morceaux. Mélanger le poivre, le sel à l'ail et l'oignon moulu. Enduire à la main chaque aile de poulet de préparation.

CHAUFFER l'huile à température moyenne dans un faitout. Cuire les ailes par petites quantités pendant 2 minutes. Les retirer à l'aide d'une écumoire, et égoutter sur du papier absorbant.

Mettre le poulet dans un saladier non métallique ou un plat peu profond. Dans un bol, mélanger les sauces, le beurre, le sucre et le tabasco et en napper le poulet. Bien mélanger. Réfrigérer, couvert, pendant plusieurs heures ou une nuit entière.

CUIRE les ailes de poulet au barbecue (le préparer et le chauffer environ 1 heure avant la cuisson) ou au gril. Disposer les ailes sur une plaque ou une grille préalablement graissée. Cuire 5 minutes environ, en les retournant et en les arrosant de marinade de temps en temps. Servir accompagné de sauce à l'américaine.

POUR PRÉPARER LA SAUCE, bien mélanger les ingrédients dans un bol.

BROCHETTES DE POULET

Satays

FAIRE TREMPER 16 brochettes en bambou dans de l'eau pour éviter qu'elles ne brûlent. Détailler 500 g d'aiguillettes de poulet et les couper en deux dans le sens de la longueur. Dans un bol peu profond, mélanger 1 cuillerée à soupe de miel, 60 ml de sauce de soja, 2 cuillerées à café d'huile de sésame, 1 cuillerée à café de coriandre moulue, 1 cuillerée à café de curcuma et ½ tasse à café de poudre de piment. Enfiler les aiguillettes sur les brochettes et les tremper dans la marinade. Couvrir et réfrigérer au moins 2 heures. Pour préparer la sauce, faire revenir un petit oignon finement haché dans 1 cuillerée à soupe d'huile jusqu'à ce qu'il soit bien tendre, puis incorporer ½ tasse de beurre de cacahuètes, 2 cuillerées à soupe de sauce de soja, 125 ml de crème de coco et 2 cuillerées à soupe de sauce pimentée douce. Laisser mijoter jusqu'à obtention d'une sauce lisse et chaude. Cuire les brochettes au gril préchauffé pendant 5 à 7 minutes, en les tournant et en les arrosant fréquemment de marinade. Servir accompagné de sauce aux cacahuètes encore chaude.
Pour 16 brochettes

Kebabs

PARER 8 filets de poulet dans la cuisse et les détailler en petits dés. Dans un bol en verre ou en céramique peu profond, mélanger 1 oignon finement haché, 125 ml d'huile, 2 cuillerées à soupe de thym frais haché, 1 cuillerée à café de paprika, 1 feuille de laurier émiettée, du sel et du poivre noir fraîchement moulu. Détailler 4 courgettes moyennes en morceaux et laver l'équivalent d'une barquette de tomates cerises. Enfiler le poulet sur des brochettes, en alternant avec des courgettes et des tomates. Laisser tremper dans la marinade au moins 2 heures. Égoutter et cuire au gril préchauffé pendant 10 à 12 minutes, en tournant les brochettes et en les arrosant fréquemment de marinade.
Pour environ 14 brochettes

Yakitori

FAIRE TREMPER 12 brochettes de bambou dans de l'eau pour qu'elles ne brûlent pas. Parer 6 filets de poulet dans la cuisse et les détailler en petits dés. Laver et sécher 250 g de petits champignons de Paris, puis émincer 6 oignons nouveaux en petites lamelles. Enfiler le poulet, les champignons et les oignons sur les brochettes. Dans un bol, mélanger 125 ml de sauce de soja légère, 80 ml de mirin (on en trouve dans les épiceries japonaises) ou de xérès sec, 2 cuillerées à soupe de cassonade douce, et 1 à 2 gousses d'ail écrasées. Enrober les brochettes de sauce et les laisser mariner au moins 1 heure. Les cuire au gril préchauffé pendant 8 à 10 minutes, en les retournant et en les arrosant fréquemment de marinade.
Pour 12 brochettes

Teriyaki

FAIRE TREMPER 12 brochettes de bambou dans de l'eau pour éviter qu'elles ne brûlent. Détailler 500 g d'aiguillettes de poulet et les couper en deux dans le sens de la longueur. Dans un bol peu profond, mélanger 2 cuillerées à soupe d'huile, 60 ml de sauce de soja légère, 4 cuillerées à soupe de mirin (on en trouve dans les épiceries japonaises) ou de xérès sec, 2 cuillerées à soupe de cassonade douce, 1 à 2 gousses d'ail et 2 cuillerées à café de gingembre frais râpé. Ajouter le poulet, bien mélanger, couvrir et réfrigérer au moins 2 heures. Détailler 1 poivron rouge en petits cubes et 4 oignons nouveaux en petites lamelles. Enfiler le poulet sur les brochettes, en alternant avec le poivron et l'oignon nouveau. Les badigeonner d'huile et les cuire au gril préchauffé pendant 6 à 8 minutes, en les retournant et en les arrosant fréquemment de marinade.
Pour 12 brochettes

Brochettes à l'aigre-doux

PARER 6 filets de poulet dans la cuisse et les détailler en petits cubes. Égoutter 400 g d'ananas en morceaux, non sucré, et réserver 60 ml de jus pour la marinade. Dans un bol peu profond, mélanger 60 ml d'huile, 60 ml de jus d'ananas, 1 cuillerée à soupe de sauce de soja légère, 1 à 2 gousses d'ail écrasées, 2 cuillerées à café de gingembre frais râpé, 1 cuillerée à café de poudre de curry, 1 cuillerée à café de coriandre moulue, 1 cuillerée à café de cumin moulu et 1 cuillerée à café d'origan moulu. Détailler 1 poivron vert et 1 poivron rouge en petits cubes. Enfiler le poulet sur des brochettes métalliques, en alternant avec le poivron et l'ananas. Les laisser tremper dans la marinade au moins 2 heures. Les badigeonner d'huile et les cuire au gril préchauffé pendant 10 à 12 minutes.
Pour environ 12 brochettes

En partant de la gauche : satays, yakitori, kebabs, teriyaki, brochettes à l'aigre-doux

Poulet en crapaudine

1 petit poulet (1,4 kg) • 60 g de beurre • 4 oignons nouveaux, finement hachés • 1 gousse d'ail, écrasée • 1 tasse de mie de pain frais, émiettée • ½ tasse de ricotta • ⅓ de tasse de parmesan frais râpé • 1 œuf, légèrement battu • 1 cuil. à café ½ d'origan séché • ½ tasse de persil frais haché • 2 cuil. à soupe d'huile d'olive

Pour 4 personnes

INCISER le poulet sur le dos dans le sens de la longueur, l'ouvrir et l'aplatir avec les mains. Décoller légèrement la peau de la chair en glissant la main entre les deux.
FAIRE FONDRE le beurre dans une sauteuse. Ajouter les oignons nouveaux et l'ail. Les faire revenir 2 à 3 minutes, jusqu'à ce qu'ils soient tendres. Retirer du feu et incorporer la mie de pain émiettée, les fromages, l'œuf, ½ cuillerée à café d'origan et de persil. Préchauffer le four à 220 °C (190 °C pour un four à gaz).
GLISSER la farce sous la peau, en l'insérant jusqu'aux cuisses et la poitrine. D'une main, bien répartir la farce sous la peau tout en la modelant avec l'autre main au-dessus de la peau. Lorsque la farce est bien répartie, lisser la peau extérieure avec les mains. Maintenir les cuisses avec de la ficelle ou des brochettes et ramener les ailes en dessous en les pliant.
BADIGEONNER le poulet avec l'huile mélangée au reste d'origan. Placer sur une grille, au-dessus d'une lèchefrite. Enfourner 10 minutes. Baisser le four à 180 °C et poursuivre la cuisson 40 à 45 minutes. Arroser le poulet de jus de temps en temps. Le couvrir de papier d'aluminium durant les dernières 15 minutes si la peau devient trop brune.
NOTE : le poulet en crapaudine cuit très bien au barbecue (la cuisson s'effectue de manière régulière). Il se découpe également très facilement.

Poulet tandoori

1 petit poulet (1,4 kg) ou 1 kg de pilons de poulet • 2 cuil. à soupe de vinaigre de malt ou de jus de citron • 1 cuil. ½ à café de piment moulu • 1 cuil. ½ à café de paprika doux moulu • 2 cuil. à café de coriandre moulue • 2 cuil. à café de cumin moulu • 1 cuil. à café de garam masala • 1 cuil. à soupe de gingembre finement râpé • 1 cuil. à café d'ail écrasé • 1 cuil. à café de sel • ⅓ de tasse de yaourt nature • 3 cuil. à soupe de ghee (beurre clarifié) ou d'huile

Pour 4 personnes

LAVER le poulet à l'eau froide. Le sécher avec du papier absorbant.

MÉLANGER le vinaigre, le piment, le paprika, la coriandre, le cumin, le garam masala, le gingembre, l'ail, le sel et le yaourt dans un grand saladier en verre ou en céramique.

INCISER le poulet sur le dos dans le sens de la longueur, l'ouvrir et l'aplatir avec les mains. Inciser la peau à plusieurs endroits. Placer le poulet sur une plaque et le badigeonner entièrement de marinade, en la faisant pénétrer dans la chair. Couvrir de film alimentaire et réfrigérer pendant 4 heures.

PLACER le poulet sur une plaque de gril froide, légèrement huilée. Le badigeonner de ghee fondu. Le cuire au gril à température moyenne, environ 20 minutes, en le retournant à mi-cuisson et en le badigeonnant de temps en temps avec la marinade restante. Le détailler en portions avant de servir. Le poulet tandoori s'accompagne délicieusement de riz ou de pains indiens tels que le naan ou le chapatti, avec des quartiers de citron.

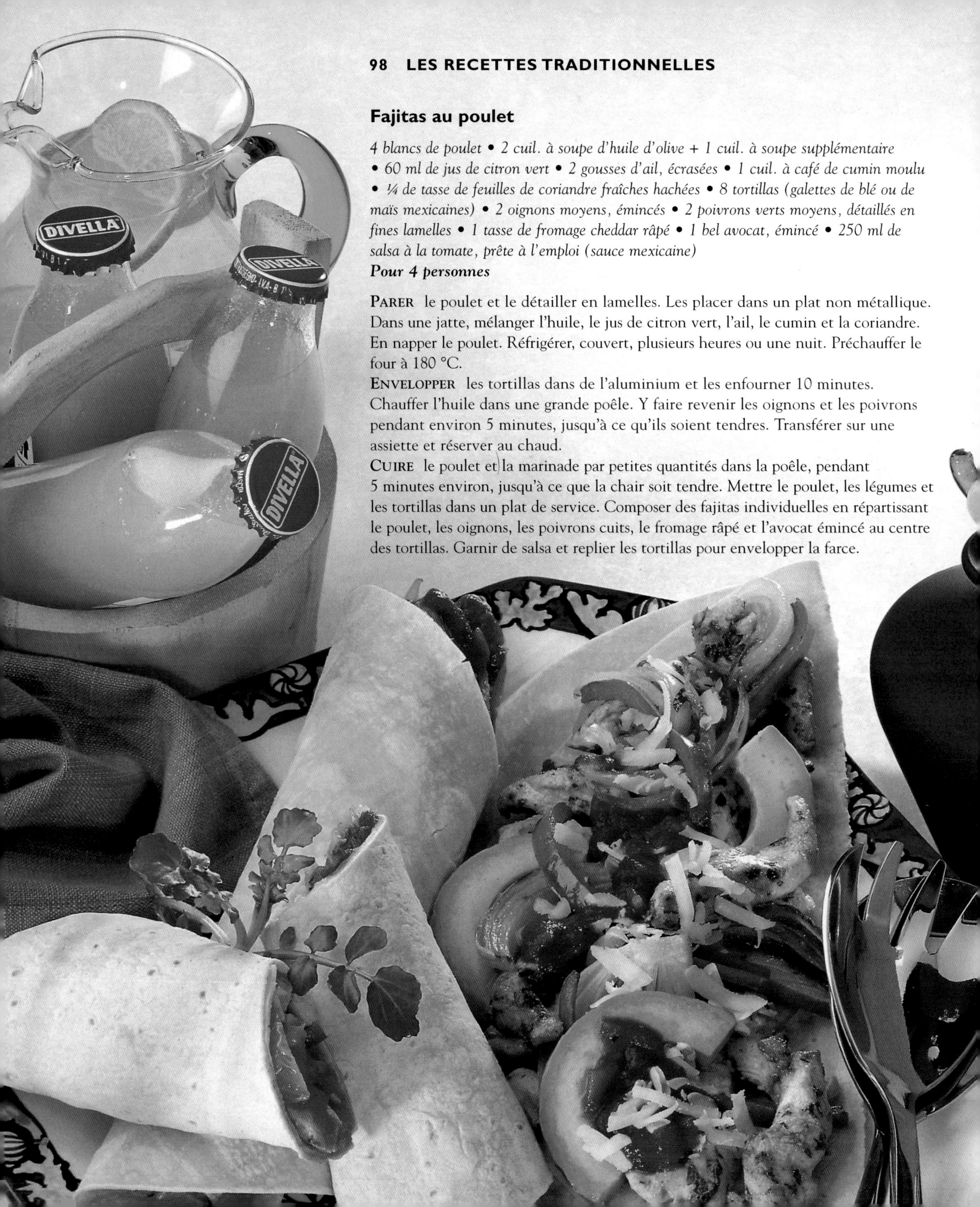

Fajitas au poulet

4 blancs de poulet • 2 cuil. à soupe d'huile d'olive + 1 cuil. à soupe supplémentaire • 60 ml de jus de citron vert • 2 gousses d'ail, écrasées • 1 cuil. à café de cumin moulu • ¼ de tasse de feuilles de coriandre fraîches hachées • 8 tortillas (galettes de blé ou de maïs mexicaines) • 2 oignons moyens, émincés • 2 poivrons verts moyens, détaillés en fines lamelles • 1 tasse de fromage cheddar râpé • 1 bel avocat, émincé • 250 ml de salsa à la tomate, prête à l'emploi (sauce mexicaine)

Pour 4 personnes

PARER le poulet et le détailler en lamelles. Les placer dans un plat non métallique. Dans une jatte, mélanger l'huile, le jus de citron vert, l'ail, le cumin et la coriandre. En napper le poulet. Réfrigérer, couvert, plusieurs heures ou une nuit. Préchauffer le four à 180 °C.

ENVELOPPER les tortillas dans de l'aluminium et les enfourner 10 minutes. Chauffer l'huile dans une grande poêle. Y faire revenir les oignons et les poivrons pendant environ 5 minutes, jusqu'à ce qu'ils soient tendres. Transférer sur une assiette et réserver au chaud.

CUIRE le poulet et la marinade par petites quantités dans la poêle, pendant 5 minutes environ, jusqu'à ce que la chair soit tendre. Mettre le poulet, les légumes et les tortillas dans un plat de service. Composer des fajitas individuelles en répartissant le poulet, les oignons, les poivrons cuits, le fromage râpé et l'avocat émincé au centre des tortillas. Garnir de salsa et replier les tortillas pour envelopper la farce.

Paella au poulet

¼ de tasse de farine • 1 cuil. à café de poivre noir moulu • 6 filets de poulet dans la cuisse (environ 250 g), en morceaux • 2 cuil. à soupe d'huile d'olive • 2 gousses d'ail, écrasées • 1 bel oignon rouge, haché • 1 poivron rouge ou vert, émincé • 1 courgette, émincée • 1 tasse de riz brun • 400 g de tomates en boîte • 500 ml de bouillon de poulet • ½ tasse de petits pois surgelés • 1 cuil. à soupe de basilic frais haché • 1 cuil. à soupe de persil frais haché

Pour 4 personnes

MÉLANGER la farine et le poivre dans un sac en plastique. Ajouter le poulet et secouer pour bien l'enrober. Ôter l'excédent de farine.
CHAUFFER l'huile dans une sauteuse et y faire revenir le poulet à feu vif, puis moyen, jusqu'à ce qu'il soit bien doré. L'ôter de la poêle et l'égoutter sur du papier absorbant.
AJOUTER l'ail, l'oignon, le poivron et la courgette dans la poêle. Cuire à feu moyen 3 minutes. Incorporer le riz, les tomates concassées avec leur jus et le bouillon. Couvrir, porter à ébullition et mélanger une fois pour que le riz n'attache pas. Baisser le feu et laisser mijoter à couvert pendant 40 minutes, jusqu'à ce que le jus ait été absorbé.
AJOUTER les petits pois, le basilic, le persil et le poulet, et mélanger. Laisser cuire 5 minutes environ, jusqu'à ce que la paella soit bien chaude.

Chaussons au poulet épicé

2 cuil. à soupe d'huile • 1 petit oignon, finement haché • 1 gousse d'ail, écrasée • ½ cuil. à café de coriandre moulue • ½ cuil. à café de cumin moulu • ¼ de cuil. à café de curcuma moulu • ¼ de tasse de piment en poudre • 300 g de chair de poulet hachée • ⅓ de tasse de petits pois surgelés • 1 cuil. à soupe de coriandre fraîche finement hachée • sel, à volonté • 5 feuilles de pâte feuilletée, prête à l'emploi • 1 œuf, légèrement battu
Pour 20 chaussons

PRÉCHAUFFER le four à 180 °C. Couvrir une plaque de four de papier d'aluminium.
CHAUFFER l'huile dans une sauteuse. Y faire revenir l'oignon et l'ail, et cuire à feu moyen 2 minutes, jusqu'à ce que l'oignon soit tendre. Ajouter la coriandre, le cumin et le curcuma, la poudre de piment, puis poursuivre la cuisson 1 minute, en remuant.
INCORPORER le poulet et cuire 10 minutes environ en remuant, jusqu'à ce que le jus se soit évaporé. Ajouter petits pois, coriandre et sel. Retirer du feu et laisser refroidir.
DÉCOUPER des cercles de 10 cm dans la pâte feuilletée à l'aide d'un couteau et d'une soucoupe. Déposer une cuillère à soupe de préparation au centre de chaque cercle. Replier la pâte pour former un chausson et pincer les bords. Les disposer sur la plaque et les badigeonner d'œuf battu. Enfourner 15 minutes, jusqu'à ce qu'ils soient bien dorés.

Poulet froid épicé et salade de riz

1 poulet moyen (1,5 kg), cuit • 1 cuil. à soupe d'huile d'olive • 1 oignon, finement haché • 2 cuil. à café de pâte de curry forte • 1 belle tomate, pelée, épépinée et finement hachée • 125 ml de vin blanc • 2 cuil. à soupe de chutney • 1 cuil. à soupe de confiture d'abricots • 1 cuil. à café de jus de citron • ⅓ de tasse de mayonnaise • ⅓ de tasse de yaourt nature • ***Salade de riz :*** *3 tasses de riz long grain, cuit • 1 concombre libanais, pelé, épépiné et finement détaillé (ou 1 petit concombre ordinaire) • ½ poivron rouge, finement détaillé • 3 cuil. à soupe de menthe fraîche hachée • 60 ml de vinaigrette*

Pour 4 à 6 personnes

ÔTER la peau du poulet et le désosser. Émincer la chair. Chauffer l'huile dans une sauteuse et y faire revenir l'oignon environ 5 minutes. Ajouter la pâte de curry et poursuivre la cuisson pendant 2 minutes.

INCORPORER les tomates et le vin. Porter à ébullition, puis laisser mijoter 10 minutes. Ajouter le chutney, la confiture et le jus de citron. Mélanger et poursuivre la cuisson 5 minutes. Retirer du feu et laisser refroidir. Incorporer ensuite la mayonnaise mélangée au yaourt. Ajouter le poulet émincé et le mélanger pour bien l'enrober.

POUR PRÉPARER LA SALADE, bien mélanger tous les ingrédients dans un grand saladier. En garnir un grand plat de service et disposer le poulet au centre.

NOTE : servir à température ambiante. On peut également utiliser un poulet rôti, sans la peau, désossé et émincé. Pour peler une tomate, l'entailler à la base en formant une croix, la plonger dans de l'eau bouillante pendant 30 secondes, laisser refroidir, et peler en partant de la croix.

Tourte de poulet à l'ancienne

1 beau poulet (1,8 kg) • 1 cuil. à café de sel • ¼ de cuil. à café de poivre • 1 feuille de laurier • 375 ml d'eau • 2 carottes moyennes, très finement détaillées • 60 g de beurre • 1 gousse d'ail, écrasée • ½ tasse de farine • 1 tasse ¼ de petits pois surgelés • 2 cuil. à soupe de persil frais, finement haché • 2 à 3 cuil. à café d'estragon frais, haché • 80 ml de crème fleurette • 2 cuil. à soupe de farine, en supplément • ***Garniture :*** *2 tasses de farine avec levure incorporée • 1 pincée de sel • 150 g de beurre froid, en petits morceaux • 170 ml de lait • 1 œuf, légèrement battu • 1 cuil. à soupe d'eau • 1 à 2 cuil. à soupe de graines de sésame*

Pour 4 à 6 personnes

METTRE le poulet dans un grand faitout. Saler, poivrer, ajouter le laurier, l'eau et les carottes, et porter à ébullition. Baisser le feu et laisser mijoter, à couvert, 45 minutes environ, jusqu'à ce que le poulet soit tendre. Retirer du feu, transférer le poulet dans un plat et le réfrigérer. Tamiser le jus dans un bol, ôter la feuille de laurier et les carottes et laisser refroidir à température ambiante pendant environ ½ heure, en remuant fréquemment. Réfrigérer jusqu'à ce que la graisse se soit solidifiée en surface et écumer; garder 1 cuillerée à soupe de graisse. Ôter la peau du poulet et la jeter. Détacher la chair de la carcasse et la détailler en morceaux de la taille d'une bouchée.

FAIRE FONDRE le beurre et la graisse réservée dans une sauteuse. Y faire revenir l'oignon et l'ail environ 2 minutes, jusqu'à ce que l'oignon soit tendre. Ajouter la farine et poursuivre la cuisson à feu moyen en remuant, 1 minute. Incorporer le jus tamisé, en remuant constamment, à feu moyen, jusqu'à ébullition et épaississement. Retirer du feu et ajouter les petits pois, le poulet, le persil et l'estragon. Incorporer la crème mélangée à la farine supplémentaire. Laisser cuire à feu moyen jusqu'à ébullition et épaississement. Rectifier l'assaisonnement si nécessaire. Verser dans un moule d'une capacité de 2,5 litres. Préchauffer le four à 210 °C (190 °C pour un four à gaz).

POUR PRÉPARER LA GARNITURE, mettre la farine, le sel et le beurre dans un mixeur. Mélanger 20 à 30 secondes, jusqu'à obtention d'une texture friable et fine. Verser le lait et continuer à mixer pour obtenir une pâte homogène. Travailler la pâte sur un plan de travail fariné. La pétrir doucement pendant 1 minute environ, jusqu'à ce qu'elle soit lisse. Rouler la pâte en fonction du moule et lui donner une épaisseur de 0,5 cm.

DÉCOUPER la pâte en lamelles dans le sens de la longueur. En garnir la préparation de poulet, en pressant des lamelles de pâte sur le pourtour du moule. Avec le restant de pâte, former des croisillons sur la surface de la tourte. Dorer la pâte avec le mélange d'œuf battu et d'eau. Pincer les bords pour les sceller. Badigeonner avec le mélange à l'œuf et parsemer de graines de sésame. Enfourner environ 25 à 30 minutes, jusqu'à ce que la pâte soit croustillante et dorée.

Ailes de poulet caramélisées au miel

12 ailes de poulet (environ 1,2 kg) • 2 cuil. à soupe de sauce de soja • 2 cuil. à soupe de sauce hoisin • 60 ml de sauce tomate • ¼ de tasse de miel • 1 cuil. à soupe de vinaigre de cidre • 2 gousses d'ail, écrasées • 2 cuil. à soupe de graines de sésame • ½ cuil. à café de poudre cinq-épices chinoises • sel, à volonté • 1 cuil. à soupe d'huile de sésame

Pour 4 personnes

LAVER les ailes de poulet et les sécher avec du papier absorbant. Replier les bouts d'ailes en dessous. Mélanger les autres ingrédients dans un saladier.

INCORPORER les ailes dans la marinade, et bien mélanger pour les enrober. Réfrigérer, couvert d'un film plastique, pendant 2 heures ou une nuit entière, en remuant de temps en temps. Égoutter le poulet et réserver la marinade. Préchauffer le four à 180 °C.

DISPOSER le poulet sur une grille au-dessus d'une lèchefrite. Enfourner 35 à 40 minutes, en retournant les ailes et en les arrosant de marinade réservée de temps en temps.

Ailes de poulet épicées

12 ailes de poulet (environ 1,2 kg) • 1 cuil. à soupe d'huile • 60 ml de sauce barbecue • 60 ml de sauce tomate • 60 ml de xérès sec • 2 cuil. à café de sauce Worcestershire • 2 cuil. à café de sauce pimentée douce

Pour 24 morceaux

LAVER les ailes de poulet et les sécher avec du papier absorbant. Couper les extrémités des ailes et les jeter. Replier chaque aile en arrière pour la partager en deux morceaux.

BIEN MÉLANGER les autres ingrédients dans un grand saladier. Y incorporer les ailes de poulet et mélanger pour bien les enrober de marinade. Couvrir et réfrigérer pendant 3 heures ou une nuit entière.

ÉGOUTTER les ailes de poulet et réserver la marinade. Préchauffer le four à 180 °C. Disposer le poulet en une seule couche dans un grand plat à four peu profond. Couvrir et enfourner 30 minutes. Ôter le couvercle et poursuivre la cuisson 15 minutes environ, jusqu'à ce que la chair soit très tendre. Durant la cuisson, badigeonner de temps en temps de marinade réservée. Servir chaud, lors d'un repas léger ou en amuse-gueule.

Boulettes de poulet parfumées

500 g de poulet maigre, haché • 3 cm de citronnelle, finement hachée • 2 oignons nouveaux, finement émincés • 2 cuil. à soupe de coriandre fraîche, ciselée • 2 cuil. à soupe de farine • 2 cuil. à soupe de noix de coco séchée • 2 à 3 cuil. à café de sauce pimentée douce • 2 cuil. à soupe de sauce de poisson • 1 petit œuf, légèrement battu • 750 ml d'eau • 80 ml de sauce de soja • ¼ de tasse de sucre • 2 cuil. à soupe de sauce de poisson supplémentaires • 2 cuil. à soupe de xérès sec

Pour 4 personnes

METTRE le poulet, la citronnelle, les oignons nouveaux et la coriandre dans un grand saladier. Ajouter la farine, la noix de coco, la sauce pimentée, la sauce de poisson et l'œuf. Bien mélanger les ingrédients puis former des boulettes.

VERSER l'eau, la sauce de soja, le sucre, la sauce de poisson supplémentaire et le xérès dans une poêle. Porter à ébullition. À l'aide de 2 cuillères à soupe humides, faire tomber les boulettes dans le liquide et laisser mijoter 4 à 5 minutes. Il vaut mieux cuire les boulettes par petites quantités.

FAIRE FRÉMIR rapidement la sauce restante, pendant quelques secondes, jusqu'à ce qu'elle ait légèrement épaissi. Servir les boulettes avec des pâtes cuites à l'eau et napper de sauce.

Poulet au raisin

4 blancs de poulet • ⅓ de tasse de farine assaisonnée • 1 cuil. à soupe d'huile • 20 g de beurre • 125 ml de vin blanc sec • 125 ml de crème fleurette • 1 cuil. à soupe de ciboulette fraîche, finement ciselée • 4 fines tranches de prosciutto • 1 tasse de raisin frais, sans pépins

Pour 4 personnes

PARER le poulet. Verser la farine dans une assiette ou sur une feuille de papier sulfurisé. Y passer chaque filet pour les enrober de farine. Secouer l'excédent. Chauffer l'huile et le beurre dans une sauteuse de taille moyenne. Ajouter le poulet. Cuire à feu moyen pendant 3 à 4 minutes sur chaque face, jusqu'à ce que le poulet soit cuit. Le retirer de la poêle, couvrir de papier d'aluminium et réserver au chaud. Ôter la graisse de la sauteuse.

AJOUTER le vin, la crème et la ciboulette dans la sauteuse. Porter à ébullition, puis baisser le feu et laisser mijoter environ 4 minutes, jusqu'à ce que le jus ait réduit de moitié.

ENVELOPPER chaque blanc de poulet d'une tranche de prosciutto. Remettre dans la sauteuse et ajouter le raisin. Laisser cuire 1 minute. Servir accompagné de sauce, de raisin, et éventuellement de pâtes ou de légumes.

Terrine de poulet

12 pruneaux, dénoyautés • 12 moitiés d'abricots secs • 2 cuil. à soupe de cognac • 30 g de beurre • 1 poireau moyen, détaillé en grosses lamelles • 500 g de filet de poulet, dans la cuisse • 250 g de blancs de poulet, coupés en lamelles • 2 œufs, légèrement battus • 1 tasse ½ de mie de pain frais, émiettée • 1 cuil. à soupe de thym-citron frais ciselé • 60 ml de crème fleurette • sel et poivre noir, fraîchement moulu • 12 tranches de prosciutto • 12 amandes blanchies

Pour 1 terrine, environ 16 tranches

PRÉCHAUFFER le four à 180 °C. Mettre les pruneaux et les abricots dans un saladier, arroser de cognac et laisser reposer 15 minutes. Faire fondre le beurre et y faire revenir le poireau à feu doux. Laisser refroidir.
HACHER les filets de poulet au mixeur. Ajouter les œufs et continuer à mixer jusqu'à obtention d'une préparation lisse. Verser dans un saladier et incorporer la mie de pain émiettée, le thym-citron, la crème, le sel et le poivre. Bien mélanger.
GARNIR le fond et les côtés d'un moule à terrine ou à cake (de 13 x 23 cm environ) avec des tranches de prosciutto, en les faisant se chevaucher. Prendre ⅓ de la préparation au poulet et en étaler une couche au fond et sur les côtés de la terrine. Couvrir avec une couche de pruneaux, abricots, lamelles de blanc de poulet, cognac parfumé aux fruits, poireau et amandes. Napper d'une dernière couche de préparation au poulet et garnir de tranches de prosciutto.
COUVRIR la terrine avec du papier d'aluminium puis la placer dans une cocotte allant au four, à demi pleine d'eau. Enfourner 1 heure, jusqu'à ce que la préparation soit ferme. Laisser refroidir puis ôter l'aluminium. Couvrir de film alimentaire. Réfrigérer toute la nuit, en mettant des poids sur le plastique pour tasser la terrine. La démouler en la retournant sur le plat de service. Découper en tranches et servir avec du pain frais et une salade.

Ravioli au poulet et sauce aux champignons

250 g de blancs de poulet • 1 oignon nouveau, finement haché • 1 blanc d'œuf, légèrement battu • 180 ml de crème fleurette • sel et poivre blanc • 60 feuilles de pâte à wonton (ravioli chinois), carrées • ***Sauce aux champignons :*** *40 g de beurre • 125 g de champignons de Paris, finement émincés • 2 cuil. à café de jus de citron • 1 cuil. à soupe de cognac • 1 cuil. à soupe de ciboulette, finement ciselée • 180 ml de crème fleurette • sel et poivre*

Pour 4 à 6 personnes

PARER le poulet. Le détailler grossièrement en petits morceaux. Dans un mixeur, hacher finement la chair de poulet et les oignons nouveaux. Ajouter le blanc d'œuf et mixer, jusqu'à obtention d'une préparation lisse. La transférer dans un saladier de taille moyenne. Couvrir de film alimentaire et réfrigérer au moins 1 heure.

INCORPORER peu à peu à la crème dans la préparation au poulet, en mélangeant à l'aide d'une cuillère en bois. Assaisonner, puis étaler des cuillerées de préparation (compter 1 cuillerée ½ à café à chaque fois) sur la moitié des feuilles à wonton, en les disposant au centre. Badigeonner les bords d'œuf battu et replier les feuilles, en scellant bien les bords. Découper les ravioli en cercles, en utilisant par exemple un emporte-pièce à beignet.

CUIRE les ravioli dans une grande casserole d'eau bouillante et salée, pendant 4 à 5 minutes, en deux ou trois fois. Les égoutter et les ajouter à la sauce aux champignons. Parsemer de parmesan frais râpé.

POUR PRÉPARER LA SAUCE, faire fondre le beurre dans une sauteuse. Ajouter les champignons et mélanger à feu vif jusqu'à ce qu'ils soient tendres. Incorporer le cognac, la crème, et porter à ébullition. Saler et poivrer à volonté, et laisser mijoter 1 minute.

Poulet fumé et salade aux poires

1 beau poulet fumé • 2 poires fermes et mûres, émincées • 2 branches de céleri, émincées en diagonale • 3 oignons nouveaux, émincés en diagonale • ½ tasse de cerneaux de noix, partagés en deux • 1 tasse de feuilles de roquette
*• **Assaisonnement au citron :** 125 ml d'huile d'olive légère • 60 ml de jus de citron*
• 1 cuil. à soupe de miel clair • sel et poivre concassé, à volonté
Pour 4 à 6 personnes

ÔTER la peau du poulet et le désosser. Le détailler en fines lamelles de la taille d'une bouchée. Les placer dans un grand saladier avec la poire, le céleri, les oignons nouveaux et les noix.
NAPPER la salade d'assaisonnement au citron, et mélanger délicatement les ingrédients pour bien les enrober de sauce.
DRESSER la salade sur des assiettes individuelles et servir garni de feuilles de roquette.
POUR PRÉPARER L'ASSAISONNEMENT, placer tous les ingrédients dans un petit bol et bien les mélanger au fouet.

Blancs de poulet à l'estragon

4 blancs de poulet • 1 cuil. à soupe d'huile • 60 g de beurre • 250 ml de jus de pommes • 1 cube de bouillon de poulet, émietté • 2 cuil. à soupe d'estragon frais haché • poivre, fraîchement moulu
Pour 4 personnes

PARER le poulet. Chauffer l'huile et 30 g de beurre dans une sauteuse de taille moyenne. Ajouter le poulet et le faire revenir à feu moyen, environ 3 minutes sur chaque face, jusqu'à ce qu'il soit presque cuit. Retirer le poulet, le couvrir de papier d'aluminium et réserver au chaud. Égoutter l'huile de la sauteuse.
AJOUTER le jus de pommes, le cube de bouillon et l'estragon dans la sauteuse. Porter à ébullition, baisser le feu et laisser mijoter jusqu'à ce que la sauce ait réduit de moitié. Tamiser la sauce puis la verser de nouveau dans la sauteuse.
INCORPORER le beurre restant dans la sauce. Bien mélanger, assaisonner, puis remettre le poulet et laisser cuire pendant 1 minute pour bien réchauffer le tout. Servir accompagné de petits choux-fleurs et de courgettes détaillées en lamelles selon le goût.

Ci-dessous, en partant de la gauche : blancs de poulet à l'estragon, émincé de poulet aux tomates séchées et aux pignons, blancs de poulet sauce crémeuse aux champignons.

Émincé de poulet aux tomates séchées et aux pignons

4 blancs de poulet (environ 500 g) • 1 cuil. à soupe d'huile d'olive • 250 g de petites pommes de terre nouvelles • 200 g de petits haricots verts, coupés en deux • 12 tomates séchées, émincées • ¼ de tasse de pignons grillés • 2 cuil. à soupe de feuilles de basilic frais haché • ***Assaisonnement :*** *85 ml d'huile d'olive vierge • 1 cuil. à soupe de vinaigre balsamique • 1 cuil. à café de moutarde de Dijon • sel et poivre noir, fraîchement moulu, à volonté*
Pour 4 personnes

PRÉCHAUFFER le four à 220 °C (190 °C pour un four à gaz). Parer le poulet. Le placer sur une plaque de four graissée, et badigeonner les blancs d'huile. Couvrir de papier d'aluminium et enfourner 15 à 20 minutes, jusqu'à ce que le poulet soit tout juste cuit. Laisser refroidir (sans réfrigérer). Détailler les blancs en 4 ou 5 lamelles dans le sens de la longueur. Cuire les pommes de terre dans de l'eau frémissante 5 à 10 minutes, jusqu'à ce qu'elles soient tendres. Les égoutter, les laisser refroidir, puis les couper en deux. Cuire les haricots dans une casserole d'eau frémissante 3 minutes, les égoutter et les plonger dans de l'eau froide. Bien les égoutter.
DRESSER le poulet, les pommes de terre et les haricots dans un saladier. Garnir de tomates émincées, de pignons et de basilic. Assaisonner et servir aussitôt.
POUR PRÉPARER L'ASSAISONNEMENT, placer tous les ingrédients dans un petit bol et bien les mélanger au fouet.

Blancs de poulet sauce crémeuse aux champignons

½ tasse de farine • 4 blancs de poulet • 20 g de beurre • 1 cuil. à soupe d'huile • 8 oignons nouveaux, avec 5 cm de tige • 180 g de champignons de Paris, coupés en deux • 125 ml de bouillon de poulet ou d'eau • 125 ml de vin blanc • 100 ml de crème fleurette • 1 à 2 cuil. à café de jus de citron • 1 cuil. à soupe de ciboulette fraîche, finement ciselée • sel et poivre noir fraîchement moulu

Pour 4 personnes

PLACER la farine dans un sac en plastique. Ajouter les blancs de poulet et secouer pour bien les enrober. Chauffer le beurre et l'huile dans une sauteuse. Y faire revenir les blancs 3 minutes sur chaque face, jusqu'à ce qu'ils soient dorés et cuits. Mettre dans un plat de service et réserver au chaud.
AJOUTER les oignons et les champignons dans la sauteuse. Les faire revenir 5 minutes, jusqu'à ce qu'ils soient tendres.
INCORPORER le bouillon ou l'eau, et le vin. Porter à ébullition, baisser le feu et laisser mijoter 5 minutes à découvert, en remuant jusqu'à ce que la sauce ait réduit de moitié.
AJOUTER la crème, mélanger et laisser mijoter encore 5 minutes, jusqu'à ce que la sauce ait légèrement épaissi. Ajouter le jus de citron, la ciboulette, le sel, le poivre, et bien mélanger. Napper le poulet de sauce et servir accompagné de pâtes.
NOTE : couper les oignons blancs à quelques millimètres au-dessus du bulbe, en gardant une petite partie verte de la tige. Ils agrémentent joliment la présentation et le goût.

Salade de poulet à la mangue

1 beau poulet rôti • 2 mangues de taille moyenne • 125 g de pois mange-tout, équeutés • 1 tasse de céleri émincé • 6 oignons nouveaux, émincés • ***Assaisonnement à la noix de coco :*** *½ tasse de yaourt nature • 125 ml de crème de coco • ¼ de tasse de mayonnaise • ½ cuil. à café de gingembre frais râpé • 1 cuil. à café de zeste de citron fraîchement râpé • 1 petit piment rouge, finement haché (facultatif)*
Pour 4 personnes

ÔTER la peau du poulet et le désosser. Détailler la chair en lamelles. Peler et émincer les mangues. Blanchir les pois en les plongeant dans de l'eau bouillante 30 secondes. Les égoutter, puis les mettre dans de l'eau glacée et les égoutter de nouveau.
MÉLANGER poulet, mangues, pois mange-tout, céleri et oignons dans un saladier. Mettre sur un plat de service, garni de laitue et napper de sauce. Réfrigérer 30 minutes.
POUR PRÉPARER L'ASSAISONNEMENT, placer les ingrédients dans un bol et bien les mélanger.

Poulet en papillote

4 suprêmes de poulet (ou d'autres morceaux) • 2 cuil. à soupe de sauce de soja • 2 cuil. à soupe de xérès • ½ cuil. à soupe de miel clair • 2 carottes, détaillées en bâtonnets • 2 courgettes, détaillées en bâtonnets • 1 petit oignon, émincé • 2 branches de céleri, détaillées en bâtonnets • 1 poireau, finement émincé • 4 gousses d'ail, finement hachées • 1 à 2 cuil. à café de gingembre frais, râpé • poivre noir, fraîchement moulu

Pour 4 personnes

PRÉCHAUFFER le four à 210 °C (190 °C pour un four à gaz). Découper 4 feuilles de papier d'aluminium en carrés de 25 cm. Badigeonner chaque carré avec un peu d'huile. Parer le poulet.

MÉLANGER la sauce de soja, le xérès et le miel dans un bol. Disposer un morceau de poulet au centre de chaque feuille d'aluminium. Répartir les légumes, l'ail et le gingembre sur chaque morceau. Poivrer, napper de sauce de soja, et envelopper les morceaux de poulet en remontant les bords de la feuille d'aluminium et en les repliant pour former des papillotes.

PLACER dans un plat à four et enfourner 20 minutes. Pour vérifier la cuisson, entrouvrir les papillotes : le poulet doit être bien doré et la chair blanche. Si nécessaire, poursuivre la cuisson de 5 à 10 minutes. Servir le poulet en papillote ou non, selon le goût, éventuellement accompagné d'une salade.

Salade de poulet mariné

1 poulet moyen (1,5 kg) • 10 grains de poivre noir • 2 feuilles de laurier • 1 branche de céleri, finement détaillée • 1 carotte, finement détaillée • 1 branche de persil • ***Marinade :*** *125 ml d'huile d'olive • 2 cuil. à soupe de jus de citron • 2 cuil. à soupe de vinaigre de vin rouge • 2 feuilles de laurier • 3 cuil. à soupe de pignons • 3 cuil. à soupe de raisins secs • 1 cuil. à soupe de cassonade • sel et poivre noir*
Pour 6 à 8 personnes

ÔTER l'excédent de graisse dans la cavité du poulet. Placer le poulet dans un grand faitout, ajouter les grains de poivre, les feuilles de laurier, le céleri, les carottes, le persil, et mouiller à hauteur. Porter à ébullition, baisser le feu et laisser mijoter à couvert pendant environ 50 minutes, jusqu'à ce que le poulet soit cuit.
LAISSER le poulet refroidir dans le jus de cuisson, puis le retirer. Détacher la chair de la carcasse et la détailler en morceaux de la taille d'une bouchée. Disposer les morceaux dans un saladier.
POUR PRÉPARER LA MARINADE, placer tous les ingrédients dans un bol et bien remuer. Verser la marinade sur le poulet et mélanger pour bien l'enrober. Laisser mariner au réfrigérateur, couvert, pendant au moins 24 heures. Servir garni de fines tranches de citron vert, de cresson et de feuilles de salade.

Poulet à la tomate

1 cuil. à soupe d'huile d'olive • 1 oignon moyen, finement haché • 1 gousse d'ail, écrasée • 3 tomates, pelées et grossièrement concassées • 6 tomates séchées en marinade à l'huile, égouttées et finement détaillées • 4 blancs de poulet • 25 g de beurre • 3 cuil. à soupe de vinaigre balsamique • 80 ml de crème fleurette • sel et poivre noir, à votre goût • 1 pincée de poivre de Cayenne • 1 cuil. à soupe de cassonade

Pour 4 personnes

CHAUFFER l'huile dans une grande poêle. Ajouter l'oignon, l'ail, et laisser cuire à feu moyen pendant environ 10 minutes, jusqu'à ce qu'ils soient tendres et bien dorés. Incorporer toutes les tomates et laisser mijoter pendant environ 5 à 10 minutes, jusqu'à ce que la préparation ait réduit. Transférer dans un saladier et laisser reposer. Essuyer soigneusement la poêle.

PARER le poulet et le détailler en fines lamelles, dans le sens des fibres. Chauffer le beurre dans la poêle et y faire revenir le poulet à feu vif puis moyen pendant environ 5 minutes, jusqu'à ce qu'il soit doré à l'extérieur, mais pas trop cuit et encore tendre. Le retirer de la poêle, et réserver au chaud.

AJOUTER le vinaigre dans la même poêle et mélanger à feu moyen pendant 1 à 2 minutes, en grattant le fond pour bien déglacer le jus. Incorporer l'oignon, la préparation aux tomates et la crème. Assaisonner de sel, poivre noir, poivre de Cayenne et sucre. Remettre le poulet dans la poêle et l'enrober de sauce. Servir accompagné de petites pommes de terre nouvelles parfumées au paprika.

Poulet en cocotte

60 g de beurre • 2 tranches de bacon, finement détaillées • 4 petits oignons, en quartiers • 2 carottes moyennes, découpées en morceaux • ¼ de tasse de cassonade • 1 poulet moyen (1,5 kg) • 1 brin d'estragon, haché • 1 petit oignon supplémentaire, haché • 125 ml de vin blanc • 125 ml de bouillon de poulet • sel et poivre noir • plusieurs brins d'estragon supplémentaires, pour la garniture

Pour 4 à 6 personnes

PRÉCHAUFFER le four à 180 °C. Faire fondre la moitié du beurre dans une sauteuse puis ajouter le bacon, les oignons et les carottes. Mélanger à feu moyen pendant environ 5 à 10 minutes, jusqu'à obtention d'une belle couleur dorée. Parsemer de sucre et bien mélanger pour le dissoudre. Retirer la préparation de la sauteuse et réserver.

PARER le poulet. Le laver et le sécher. Faire fondre le beurre restant dans la sauteuse et y dorer le poulet sur toutes ses faces, à feu vif puis moyen, pendant environ 5 à 10 minutes. Mélanger l'oignon supplémentaire haché avec l'estragon et en farcir le poulet. Transférer dans une cocotte allant au four et disposer les carottes, les oignons et le bacon tout autour. Assaisonner de sel et de poivre.

VERSER le vin et le bouillon dans la sauteuse et mélanger à feu moyen pour bien déglacer la sauce. En napper le poulet et enfourner, à découvert, pendant 1 heure 15 à 1 heure 30, jusqu'à ce que le poulet soit doré et cuit. Garnir avec les brins d'estragon supplémentaires. Placer le poulet et les légumes dans un plat de service et réserver au chaud. Écumer tout excédent de graisse. Transférer le jus dans une petite casserole et le faire bouillir rapidement à feu vif environ 5 minutes, jusqu'à obtention d'une sauce onctueuse. Servir le poulet garni de légumes et de sauce.

Poulet caramélisé à l'orange

4 morceaux de poulet (suprêmes, ou hauts de cuisse) • 1 cuil. à soupe d'huile de tournesol • 1 oignon, finement émincé • 125 ml de bouillon de poulet • 1 cuil. à soupe de vinaigre de vin blanc • 2 cuil. à soupe de jus d'oranges • ½ cuil. à café de zeste d'orange râpé • 1 cuil. à soupe de cassonade • sel et poivre noir

Pour 4 personnes

PARER le poulet. Préchauffer le four à 180 °C. Chauffer l'huile dans une poêle et ajouter l'oignon. Mélanger à feu moyen pendant 5 minutes, jusqu'à ce qu'il soit tendre.

INCORPORER le poulet et laisser dorer 5 minutes. Écumer tout excédent de graisse. Ajouter le bouillon, le vinaigre, le jus d'oranges et le zeste de citron. Bien mélanger à feu moyen, en grattant le fond pour déglacer la sauce.

Ajouter le sucre, le sel et le poivre. Mélanger pour dissoudre le sucre. Laisser frémir, puis transférer dans un plat à four. Enfourner pendant 20 minutes environ, jusqu'à ce que le poulet soit bien doré et cuit.

ÔTER le poulet et réserver au chaud. Verser la sauce dans une casserole, porter à ébullition à feu moyen et laisser cuire environ 5 minutes, jusqu'à ce que la sauce ait réduit de moitié. Rectifier l'assaisonnement si nécessaire. Napper le poulet de sauce et servir accompagné de pâtes et garni de rondelles d'oranges, selon le goût.

NOTE : vérifier la cuisson du poulet en insérant une brochette dans la partie la plus charnue. Le poulet est cuit lorsque du jus clair s'en écoule. Trop cuite, la chair du poulet sera sèche et moins savoureuse.

Salade tiède de pâtes et poulet

60 ml d'huile d'olive vierge • 2 gousses d'ail, hachées • le zeste d'un citron, détaillé en fines lamelles • 1 cuil. à soupe de jus de citron • ¼ de tasse de basilic frais ciselé • 4 tomates moyennes, pelées, épépinées et finement détaillées • 18 olives noires, dénoyautées et émincées • ½ cuil. à café de feuilles d'origan frais ciselé • sel et poivre noir, fraîchement moulu • 2 tasses de pâtes « penne » • 400 g d'aiguillettes de poulet • 1 cuil. à soupe d'huile • ½ à 1 tasse de feuilles de roquette

Pour 6 personnes

PLACER l'huile d'olive, l'ail, le zeste et le jus de citron, le basilic, les tomates, les olives et l'origan dans un grand saladier. Assaisonner de sel et de poivre, et bien mélanger.
CUIRE les pâtes al dente dans une grande casserole d'eau bouillante salée. Les égoutter.
DÉTAILLER les aiguillettes en fines lamelles. Chauffer l'huile dans une sauteuse. Ajouter le poulet et laisser cuire à feu moyen, en mélangeant de temps en temps, 4 minutes environ. Égoutter et le mélanger avec les pâtes chaudes et la préparation aux tomates dans un grand saladier. Servir aussitôt, accompagné de feuilles de roquette.

En partant de la gauche : salade tiède de pâtes et poulet, poulet rôti sauce aux groseilles, blancs de poulet au bacon et au fromage.

Poulet rôti sauce aux groseilles

1 poulet moyen (1,5 kg) • 60 g de beurre • 2 gousses d'ail, écrasées • 1 cuil. à café de gingembre frais râpé • ¼ de tasse de persil frais finement ciselé • 1 petit citron • 1 cuil. à soupe d'huile • **Sauce :** *2 cuil. à café de zeste de citron finement râpé • 2 cuil. à café de zeste d'orange finement râpé • 125 ml de jus d'oranges • 2 cuil. à soupe de jus de citron • ¾ de tasse de gelée de groseilles • 60 ml de porto • ½ cuil. à café de gingembre frais râpé*

Pour 4 personnes

PRÉCHAUFFER le four à 180 °C. Parer le poulet. Le laver et le sécher avec du papier absorbant. Détacher la chair juste au-dessus de la cavité, et en glissant les doigts sous la peau, former des « poches » au niveau de la poitrine.

MÉLANGER le beurre, l'ail, le gingembre et le persil. Farcir les poches de cette préparation et tasser, pour la répartir uniformément. Découper le citron en quartiers et les placer dans la cavité. Brider le poulet et le badigeonner d'huile. Mettre dans un plat.

ENFOURNER 1 heure, en arrosant de temps en temps. Il est cuit lorsque du jus clair s'en écoule (vérifier en piquant avec une brochette). Détailler le poulet en portions, et servir accompagné de légumes (pois mange-tout et courge sur notre illustration).

POUR PRÉPARER LA SAUCE, mélanger tous les ingrédients dans une petite casserole et remuer, jusqu'à obtention d'une préparation homogène. Porter à ébullition puis baisser le feu et laisser mijoter, à découvert, pendant 10 minutes. Passer dans un tamis fin et servir chaud avec le poulet.

Blancs de poulet au bacon et au fromage

4 suprêmes de poulet • 1 à 2 cuil. à café de moutarde • 8 tranches de bacon, sans la couenne • 4 tranches de gruyère • 60 ml de bouillon de poulet

Pour 4 personnes

PRÉCHAUFFER le four à 210 °C (190 °C pour un four à gaz). Parer le poulet et le sécher avec du papier absorbant. Badigeonner chaque suprême d'une fine couche de moutarde. Garnir d'une tranche de bacon et la maintenir à l'aide d'un pique à cocktail.

GARNIR les suprêmes d'une tranche de fromage et les placer dans un plat à four. Napper de bouillon de poulet.

ENFOURNER 15 à 30 minutes, jusqu'à ce que le poulet soit cuit mais encore tendre. Retirer les piques à cocktail et servir accompagné de pâtes et de salade.

NOTE : le temps de cuisson dépend de la taille des suprêmes.

FEUILLETÉS ET AMUSE-GUEULE AU POULET

Champignons farcis au poulet

NETTOYER 30 petits champignons de Paris et couper les pieds au niveau du chapeau. Cuire 1 blanc de poulet. Le hacher avec 40 g de jambon. Placer le poulet et le jambon dans un saladier, et ajouter ¼ de tasse de ciboulette hachée, ¼ de tasse de fromage râpé, ¼ de tasse de crème fraîche épaisse et 1 cuillerée à soupe de mayonnaise. Disposer des cuillerées à café de préparation dans le chapeau de chaque champignon et bien garnir le dessus. Faire fondre 1 cuillerée à soupe de beurre et en badigeonner les champignons. Parsemer de paprika. Placer sur une plaque de four. Préchauffer le four à 180 °C et enfourner 10 à 12 minutes.
Pour 30 champignons

Samosas au poulet

CHAUFFER 1 cuillerée à soupe d'huile dans une poêle. Ajouter un petit oignon finement haché, 1 gousse d'ail écrasée, 1 cuillerée à soupe de pâte de curry et 2 cuillerées à café de sauce tomate. Cuire 3 minutes jusqu'à ce que la préparation soit tendre, et ajouter 125 g de poulet haché. Mélanger 5 minutes jusqu'à ce que le poulet soit cuit. Incorporer 2 cuillerées à soupe de petits pois, 1 petite carotte râpée, 1 cuillerée à soupe de menthe fraîche hachée et 1 cuillerée à soupe de coriandre fraîche hachée. Laisser refroidir. Découper 3 feuilles de pâte feuilletée prête à étaler en 9 cercles de 8 cm chacun. Répartir la préparation au poulet sur les cercles, badigeonner les bords d'eau, les replier et les sceller. Remplir à demi une friteuse d'huile. Chauffer modérément et y frire les samosas par petites quantités, 3 à 4 minutes, jusqu'à ce qu'ils soient bien dorés. Les égoutter sur du papier absorbant. Servir chaud, accompagné de chutney.
Pour 27 samosas

Dans le sens des aiguilles d'une montre en partant du haut, à gauche : champignons farcis au poulet, samosas au poulet, aiguillettes de poulet frites et sauce au chutney, rumaki, boulettes de poulet sauce à la diable.

Aiguillettes de poulet frites et sauce au chutney

DÉTAILLER 375 g d'aiguillettes de poulet en lamelles de 5 cm. Dans un plat, mélanger 1 tasse ½ de chapelure, ½ tasse de parmesan frais râpé et 2 cuillerées à soupe de persil finement haché. Battre 2 œufs dans un bol. Mettre ½ tasse de farine dans un sac en plastique et ajouter le poulet. Secouer pour bien l'enrober. Ôter l'excédent. Tremper les aiguillettes dans l'œuf battu puis dans la chapelure. Placer sur une plaque et réfrigérer 1 heure. Remplir à demi une friteuse d'huile et chauffer modérément. Frire les aiguillettes par petites quantités, 2 à 3 minutes. Les égoutter sur du papier absorbant et les réserver au chaud au fur et à mesure. Servir accompagné de sauce au chutney.

POUR PRÉPARER LA SAUCE AU CHUTNEY, mélanger ½ tasse de chutney aux fruits, 2 cuillerées à soupe de mayonnaise, 2 cuillerées à café de sauce pimentée douce, le jus et le zeste d'une orange et 2 cuillerées à café de gingembre frais râpé.

Pour environ 32 aiguillettes

Rumaki

NETTOYER 10 foies de poulet et les couper en deux. Les tremper dans de l'eau froide 30 minutes. Dans un bol, mélanger 60 ml de sauce de soja légère, 1 cuillerée à soupe de miel, 2 cuillerées à café de xérès et 1 cuillerée à café de gingembre frais râpé. Incorporer les foies égouttés et laisser mariner 30 minutes. Égoutter 230 g de châtaignes d'eau en conserve. Ôter la couenne de 6 tranches de bacon et les détailler en quartiers. Rouler les foies et les châtaignes dans le bacon et maintenir chaque bouchée à l'aide d'une pique à cocktail. Préchauffer le gril à température moyenne et le couvrir de papier d'aluminium. Y disposer les rumakis et les cuire 10 à 12 minutes, en les retournant fréquemment, jusqu'à ce que le bacon soit croustillant.

Pour environ 24 rumakis

Boulettes de poulet sauce à la diable

MÉLANGER dans un saladier 375 g de chair de poulet hachée, 4 oignons nouveaux hachés, 1 tasse de mie de pain frais, émiettée, 1 œuf battu, ¼ de cuillerée à café de sel et ¼ de tasse de menthe fraîche hachée. Avec les mains humides, former 24 boulettes de la taille d'une noix et les réfrigérer 30 minutes. Remplir à demi une friteuse d'huile et la faire chauffer. Rouler les boulettes dans la farine. Les frire, par petites quantités, 3 à 4 minutes, jusqu'à ce qu'elles soient bien dorées. Les égoutter. Servir chaud accompagné d'une sauce, et avec des piques à cocktail.

POUR PRÉPARER LA SAUCE À LA DIABLE, chauffer 2 cuil. à soupe de beurre, ajouter 2 oignons nouveaux hachés et laisser cuire jusqu'à ce qu'ils soient tendres. Ajouter 1 cuil. à café de poudre de curry, 1 cuil. à soupe de jus de citron et 180 ml de sauce tomate. Laisser mijoter 2 minutes, puis incorporer une cuil. à soupe de persil frais haché et 1 cuil. à soupe de menthe hachée.

Pour environ 24 boulettes

Poulet sauté à la thaïlandaise

3 champignons chinois séchés • 300 g de blancs de poulet • 2 cuil. à soupe d'huile • 2 gousses d'ail, écrasées • 1 cuil. à soupe de gingembre finement émincé • 1 à 2 petits piments rouges, épépinés et finement hachés • 1 oignon, détaillé en quartiers • 150 g de haricots verts, coupés en petits morceaux • ½ poivron rouge, finement émincé • 2 cuil. à soupe de sauce d'huîtres • 2 cuil. à soupe de sauce de poisson • 1 cuil. à café de cassonade • 2 cuil. à soupe de coriandre fraîche ciselée
Pour 4 personnes

FAIRE TREMPER les champignons dans un saladier d'eau tiède pendant 30 minutes. Les sécher, ôter et jeter les pieds et les émincer finement.
DÉCOUPER les blancs de poulet en petites lamelles fines. Chauffer 1 cuillerée à soupe d'huile dans un wok (ou, à défaut, une sauteuse), à feu vif puis moyen. Ajouter l'ail, le gingembre et les piments, et les laisser cuire 30 secondes sans les laisser brunir. Ajouter le poulet détaillé. Augmenter le feu et faire revenir le poulet jusqu'à ce qu'il soit doré.
TRANSFÉRER le poulet dans un plat. Chauffer le reste d'huile dans le wok. Incorporer l'oignon, les haricots, le poivron et les champignons. Les faire revenir 3 à 4 minutes, ajouter le poulet. Napper du mélange de sauce d'huîtres, de sauce de poisson et de cassonade.
FAIRE REVENIR la préparation encore 2 minutes, jusqu'à ce qu'elle soit bien réchauffée. Parsemer de coriandre et servir, éventuellement accompagné de nouilles.

Ballottine de poulet

1 beau poulet (1,8 kg), désossé • 90 g de beurre • 4 oignons nouveaux, finement hachés • 3 tranches de bacon, sans la couenne, finement détaillées • 300 g de chair de poulet, hachée • 200 g de chair à saucisse • 1 tasse de farce à poulet prête à l'emploi • ½ tasse de pistaches décortiquées • 1 œuf, légèrement battu • 1 cuil. à soupe d'huile
Pour 6 à 8 personnes

LAVER le poulet et le sécher avec du papier absorbant. Replier les cuisses et les ailes à l'intérieur. Le disposer, chair en haut, sur un plan de travail.
CHAUFFER 60 g de beurre dans une poêle. Ajouter les oignons, le bacon, et laisser cuire 2 à 3 minutes. Les placer dans un saladier, puis incorporer la chair de poulet, la chair à saucisse, la farce, les pistaches et l'œuf. Bien mélanger. Préchauffer le four à 180 °C.
FARCIR l'intérieur du poulet avec la préparation. Replier les extrémités, puis rouler les côtés pour former un rôti. Maintenir les extrémités et le centre en les cousant. Ficeler la ballottine à 5 cm d'intervalle pour qu'elle garde sa forme durant la cuisson. La placer dans un plat et badigeonner avec l'huile mélangée au reste de beurre.
ENFOURNER 1 heure 15 environ, en arrosant régulièrement la ballottine avec le jus de cuisson. Elle est cuite lorsque, piquée avec une brochette, du jus clair s'en écoule. Ôter la ficelle et les fils avant de servir. Découper la ballottine en tranches et servir chaud ou froid, éventuellement accompagné de salade et de chutney.
NOTE : la ballottine de poulet compose un plat idéal pour un pique-nique ou un buffet. Le poulet peut être désossé par votre boucher.

VIANDE DE BŒUF, DE VEAU, DE PORC ET D'AGNEAU

Réussissez parfaitement vos viandes de bœuf, de veau, de porc ou d'agneau. Ces recettes savent tirer avantage d'une grande variété de pièces de viande. Essayez les sauces rapides, les marinades et les brochettes, ou encore les recettes spéciales qui étonneront vos convives.

QUEL STEAK UTILISER

Il existe une grande variété de découpes de viande permettant d'effectuer ces recettes succulentes. On peut utiliser le filet, le faux-filet, le rumsteck, la pointe de porc, l'escalope de veau, les tranches de gigot d'agneau ou le gîte. Quel est le meilleur morceau ? En fait, tout dépend de la recette et, bien sûr, de vos préférences. Généralement, les tranches de bœuf et d'agneau ont une saveur plus forte et peuvent être servies avec juste un peu de sauce ou de garniture. La viande de bœuf et d'agneau peut être servie bleue, saignante, à point ou bien cuite. Les tranches de porc et les escalopes de veau, coupées très fines, sont toujours servies bien cuites. La viande de veau et de celle de bœuf tendent à être sèches si elles sont coupées trop mince.
Chaque viande produit une variété de découpes. Certaines sont communes à toutes, comme les tranches de filet, que l'on appelle aussi médaillons. Les steaks dans le filet sont des morceaux découpés dans le milieu de l'animal (côtes, filet et faux-filet), et sont épais et très tendres. Les cuisseaux et la noix de veau ou d'agneau sont plus gras, mais souvent plus moelleux que la viande de porc ou de bœuf. Chaque viande a une utilisation particulière, un goût et un temps de cuisson différents. Pour choisir, suivre simplement les recommandations s'appliquant à chaque recette.

ACHAT

Prendre entre 100 g et 200 g de viande désossée par personne (250 g de viande avec os). Choisir des morceaux de même épaisseur, afin que le temps de cuisson soit le même. La bonne viande de bœuf et celle d'agneau doivent être rose vif ou rouges, et avoir un aspect moelleux et légèrement humide, jusqu'aux bords. Le bœuf est souvent plus gras. Dans la plupart des recettes nous vous conseillons de dégraisser la viande, car cette graisse fond pendant la cuisson. Toute graisse doit avoir un aspect crémeux et ne pas être jaune. Les steaks de porcs et de veau doivent être bien roses et très clairs, mais pas laiteux. Attention à la viande de veau trop rouge. Il s'agit certainement d'une viande de bœuf trop jeune, plus dure que le veau. La vraie viande de veau est assez chère, mais elle vaut son prix.
La viande préemballée du supermarché n'est pas nécessairement moins fraîche que celle du boucher, mais l'emballage est inutile et cher. La viande qui a été emballée sous vide, à basse température, peut se conserver plus longtemps. Les steaks baignant dans leur jus, sur un plateau de polystyrène ou à l'étal d'un boucher, sont à éviter. La viande sera sèche et dure à la cuisson. Il faut aussi acheter la viande au dernier moment et la mettre au réfrigérateur immédiatement.

PRÉPARATION

Laisser reposer la viande avant de la faire cuire, c'est-à-dire à peu près 30 minutes hors du réfrigérateur. Ôter l'excédent de graisse et dénerver. Les tranches de viande minces, comme les escalopes de veau, doivent être légèrement entaillées sur les bords afin de ne pas se recourber pendant la cuisson.
Vous pouvez assaisonner la viande avant la cuisson, mais ne la salez pas, cela ferait sortir le jus et durcir la viande.
Si la recette vous conseille d'aplatir et d'attendrir la viande, utiliser un maillet et la recouvrir, au préalable, de film fraîcheur. Cela vous évitera de laver le maillet et de déchirer la viande.
Vous pouvez aussi demander au boucher de l'attendrir. La tranche doit être d'une épaisseur égale. L'escalope de veau est une fine tranche de viande qui a été traitée de cette façon. Ne pas trop attendrir, car si la viande est déchirée et d'épaisseur inégale elle devient peu présentable et dure.

Entailler les bords des steaks fins afin qu'ils ne se recourbent pas lors de la cuisson.

TECHNIQUES DE CUISSON

AU GRIL

Faire préchauffer le gril à feu vif pendant au moins 5 minutes, le brosser légèrement avec de l'huile ou en passer sur la viande. Faire brunir les deux côtés sous le gril, en ne les retournant qu'une seule fois. Continuer jusqu'à la cuisson désirée (voir tableau ci-dessous) et vérifier avec des pinces. Ne pas retourner la viande plus de deux ou trois fois, et ne pas cuire à feu doux pour ne pas la durcir.

Steak attendri par un maillet à viande avant la cuisson.

AU BARBECUE

Suivre les directives comme pour le gril. Poser la viande sur le barbecue, d'abord sur la partie la plus chaude de la plaque, puis la déplacer sur la partie moins chaude pour continuer la cuisson.

À LA POÊLE

Si la poêle est antiadhésive, vous pouvez vous passer de matières grasses. Avec toute autre poêle, n'utiliser qu'une petite quantité d'huile, de margarine ou de beurre pour que la viande ne baigne pas dans son jus. L'huile d'olive est la meilleure pour la cuisson du bœuf et de l'agneau. Le veau et le porc ont tendance à sécher, il faut donc utiliser plus de matières grasses : du beurre ou de la margarine, que l'on mélangera avec de l'huile.

Faire saisir le steak rapidement à feu vif, puis réduire la chaleur jusqu'à ce que la viande soit cuite selon votre goût. La retourner le moins possible. Vérifier sa cuisson (voir tableau ci dessous). Un conseil pour savoir si elle est cuite : lorsque des gouttes de sauce rosée se forment, la viande est à point. Lorsque les gouttes sont transparentes ou qu'elles disparaissent, la viande est bien cuite.

Congeler la viande avant de la couper en fines tranches.

Appuyer les grains de poivre fermement sur la viande avec la main.

TECHNIQUES SPÉCIALES

CARPACCIO : congeler la viande pendant au moins deux heures. Appuyer fortement d'une main et la couper en fines tranches avec un couteau très aiguisé.

STEAK AU POIVRE : écraser les grains de poivre grossièrement. Brosser les morceaux de viande avec de l'huile et les recouvrir de poivre en appuyant fermement avec la main.

STEAK TARTARE : hacher le steak bien maigre avec deux couteaux aiguisés, en alternant comme lorsque l'on tape sur un tambour. Retourner la viande plusieurs fois et continuer à couper les morceaux jusqu'à ce qu'ils deviennent de plus en plus petits.

COMMENT VÉRIFIER LA CUISSON

Pour connaître les cinq degrés classiques de cuisson de la viande, on peut simplement observer son aspect. On peut aussi vérifier sa texture avec une pince. Cela demande un peu de pratique, et le résultat peut varier selon la viande. Généralement l'agneau est plus tendre que le bœuf, par exemple. Ne jamais piquer la viande, car le jus s'échapperait.

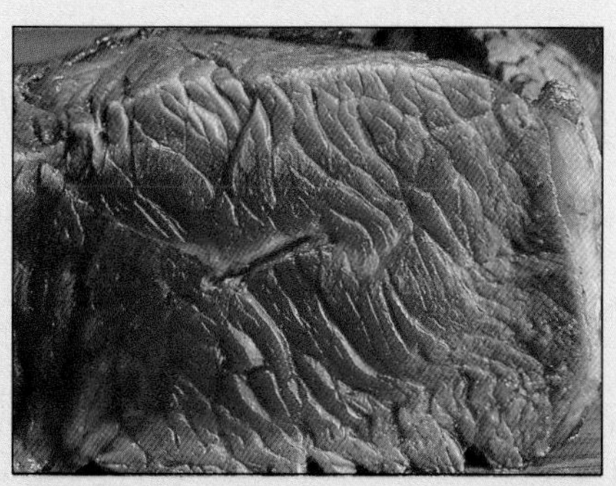

Saignante : molle au toucher, rouge au centre, légèrement cuite en surface.

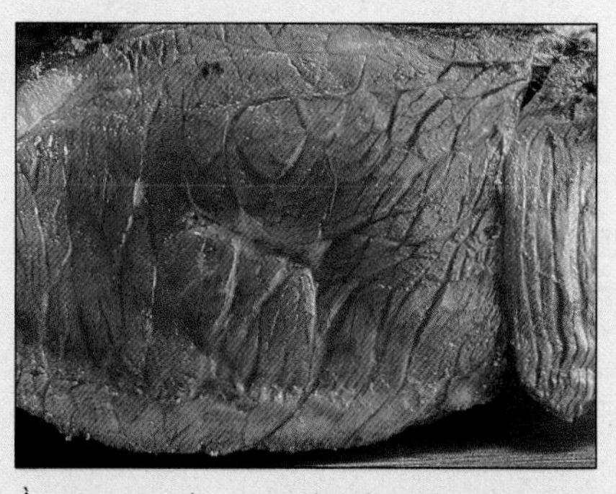

À point : souple au toucher, humide, est rouge pâle au centre.

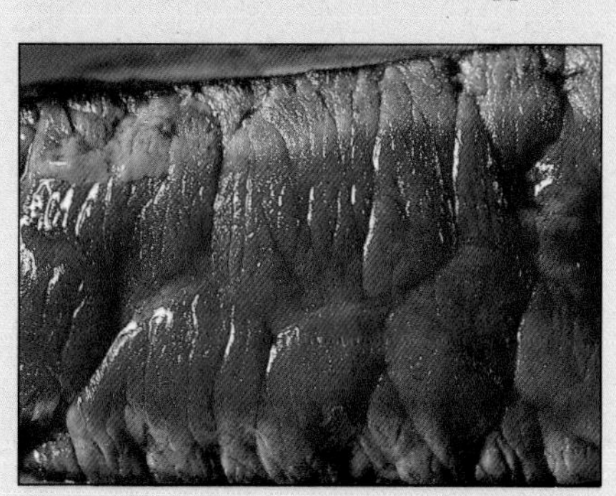

Bleue : très molle au toucher, rouge et crue à l'intérieur, le bord légèrement cuit.

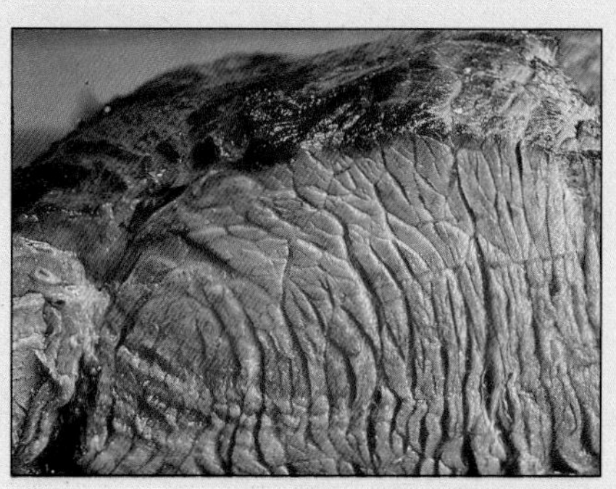

Assez cuite : ferme au toucher, rose au centre, brune et croustillante sur les bords.

Bien cuite : très ferme au toucher, brune à l'intérieur et cuite régulièrement.

DÉCOUPE DE VIANDE

Sur cette double page, vous avez un aperçu des différentes sortes de viande et de découpes. Il est possible que vous ne retrouviez pas la même découpe (cf. illustration ci-contre) dans votre boucherie. Dans ce cas, adressez-vous, lors de l'achat, au boucher et priez-le de découper le morceau choisi comme indiqué dans la recette. Il vous viendra volontiers en aide !

MARINADES

Les marinades sont traditionnellement utilisées pour attendrir la viande plus ferme. Il en existe aujourd'hui de nombreuses recettes. Elles sont appréciées surtout pour leur goût. Les proportions sont prévues pour quatre personnes.

Soja et gingembre

MÉLANGER 60 ml d'huile, ¼ de tasse de cassonade ou de miel, 60 ml de sauce de soja, 2 gousses d'ail écrasées et 2 cuillerées à café de gingembre frais haché ; bien mélanger et faire mariner la viande plusieurs heures ou une nuit au réfrigérateur. Retourner la viande de temps en temps et couvrir.

Vin rouge

MÉLANGER 250 ml de vin rouge, 1 cuillerée à café d'huile, 1 cuillerée à soupe de vinaigre de vin rouge ou de vinaigre balsamique, 1 cuillerée à café de cassonade, 1 cuillerée à soupe de sauce tomate, 1 à 2 gousses d'ail écrasées et ½ cuillerée à café de feuilles d'origan séché ; bien mélanger. Faire mariner la viande plusieurs heures ou une nuit au réfrigérateur. La retourner de temps en temps et couvrir.

Dans le sens des aiguilles d'une montre : soja et gingembre, vin rouge, miel et vin blanc, moutarde, piment et oignon, tomate et herbes aromatiques, orientale, yaourt et épices.

Miel et vin blanc

MÉLANGER 125 ml de vin blanc, ¼ de tasse de miel, 125 ml d'huile d'olive, 1 à 2 gousses d'ail, 1 cuillerée à soupe de menthe fraîche hachée et 1 cuillerée à soupe de thym-citron. Bien mélanger. Faire mariner la viande plusieurs heures ou une nuit au réfrigérateur. La retourner de temps en temps et couvrir.

Yaourt et épices

MÉLANGER 1 tasse de yaourt, 1 cuillerée à soupe d'oignon haché, 1 à 2 gousses d'ail écrasées, 1 cuillerée à café de cassonade, ½ cuillerée à café de garam masala en poudre, 1 cuillerée à café de cumin, 1 cuillerée à café de coriandre et 1 cuillerée à café de safran ; bien mélanger. En enduire la viande et laisser mariner quelques heures ou une nuit au réfrigérateur. Retourner de temps en temps et couvrir.

Moutarde

MÉLANGER 1 cuillerée à soupe de moutarde de Dijon, 1 cuillerée à soupe de moutarde de Meaux, 1 cuillerée à soupe de cassonade, 2 cuillerées à soupe de vinaigre balsamique et 3 cuillerées à soupe de sauce tomate, 60 ml d'huile, 1 à 2 gousses d'ail écrasées et 2 cuillerées à café de sauce Worcestershire; bien mélanger et verser sur les steaks. Faire mariner plusieurs heures au réfrigérateur. Retourner la viande de temps en temps et garder couvert.

Orientale

MÉLANGER 60 ml de sauce de soja, 2 cuillerées à soupe de miel, 1 cuillerée à soupe d'huile, 1 cuillerée à soupe de sauce aux prunes, 1 cuillerée à soupe de sauce d'huîtres, 1 cuillerée à café de gingembre haché et 1 gousse d'ail écrasée. Bien mélanger. Faire mariner la viande plusieurs heures au réfrigérateur. Retourner fréquemment.

Piment et oignon

MÉLANGER 2 cuillerées à soupe de sauce au piment, 1 de miel et 1 de jus de citron, 1 cuillerée à soupe d'oignon haché, 2 cuillerées à café de sauce Worcestershire, 1 de moutarde de Dijon et ¼ de cuillerée à café de cumin; mélanger. Couvrir, laisser mariner plusieurs heures au réfrigérateur. Retourner de temps en temps. Pour un goût plus relevé, ajouter des tranches de piment frais.

Tomate et herbes aromatiques

MÉLANGER 125 ml de sauce tomate, 60 ml de vin blanc ou rouge, 2 cuillerées à soupe d'huile, 1 de jus de citron et 1 de sauce Worcestershire, 2 gousses d'ail écrasées et 1 cuillerée à café d'herbes aromatiques séchées. Bien mélanger, verser sur la viande. Couvrir, laisser mariner plusieurs heures au réfrigérateur. Retourner de temps en temps.

SAUCES

Les sauces sont un moyen facile et savoureux d'agrémenter la viande. Certaines sont crémeuses, d'autres relevées. Elles sont très diverses. Voici une sélection de sauces vite faites et délicieuses, qui agrémenteront la viande et en feront un repas de choix. Les proportions données sont valables pour 4 morceaux de viande.

Béarnaise

METTRE 125 ml de vinaigre à l'estragon, 2 feuilles de laurier, 1 cuillerée à café de poivre en grains et 4 oignons nouveaux hachés dans une petite casserole. Porter à ébullition puis laisser mijoter couvert à feu doux. Laisser réduire à deux cuillerées à soupe de sauce. Filtrer et garder le liquide. Le verser dans un mixeur avec cinq jaunes d'œufs et battre pendant 30 secondes. Tout en continuant à battre, ajouter progressivement 250 g de beurre fondu. Transférer dans un bol ou un pot. Poser au-dessus d'un bol d'eau chaude pour le garder tiède jusqu'à ce que la viande soit prête.

Sauce aux champignons

FAIRE FRIRE la viande, la mettre sur une assiette et recouvrir d'une feuille d'aluminium pour garder au chaud. Dans la poêle, ajouter 30 g de beurre, 1 tasse de champignons de Paris, 1 oignon nouveau haché et ½ cuillerée à café de thym séché. Faire cuire 5 minutes ou jusqu'à ce que les champignons soient ramollis. Ajouter 60 ml de vin blanc et ⅓ de tasse de crème, faire bouillir 2 minutes jusqu'à ce que la sauce réduise et épaississe. Ajouter du sel et du poivre moulu. Verser sur la viande et servir.

Oignons et vin rouge

FAIRE FRIRE la viande, la mettre sur une assiette et recouvrir d'une feuille d'aluminium pour garder au chaud. Dans la poêle, ajouter 30 g de beurre au jus de viande, et 1 petit oignon coupé en tranches fines. Faire cuire en remuant jusqu'à ce que l'oignon soit ramolli. Ajouter 1 cuillerée à café de farine et 2 cuillerées à café de cassonade. Faire cuire 1 minute. Ajouter 180 ml de vin rouge. Faire bouillir puis laisser mijoter à feu doux en remuant jusqu'à ce que le mélange réduise de moitié. Ajouter du sel et du poivre noir fraîchement moulu. Verser sur la viande, saupoudrer de 2 cuillerées à soupe de persil haché et servir.

Tomates fraîches

FAIRE FRIRE la viande, la mettre sur une assiette et recouvrir d'une feuille d'aluminium pour garder au chaud. Ajouter au jus de viande 1 cuillerée à soupe d'huile et 1 petit oignon rouge haché, 3 tomates pelées, épépinées et concassées, 60 ml de sauce barbecue, 1 cuillerée à café de sucre et 1 cuillerée à soupe de vinaigre balsamique. Faire cuire 5 à 7 minutes jusqu'à ce que la tomate ramollisse, en remuant. Ajouter du sel, du poivre et 2 cuillerées à soupe de basilic haché, ou du persil. Verser sur la viande et servir.

Moutarde

Faire frire la viande, la mettre sur une assiette et recouvrir d'une feuille d'aluminium pour garder au chaud. Ajouter au jus de viande 85 ml de bouillon, 1 cuillerée à soupe de sauce tomate et 1 de cassonade, 2 cuillerées à café de vinaigre de vin rouge et ½ de sauce Worcestershire, 1 à 2 gousses d'ail écrasées et 2 cuillerées à soupe de moutarde de Meaux. Faire bouillir et remuer 2 à 3 minutes jusqu'à ce que le mélange épaississe et réduise. Ajouter 60 ml de crème liquide, verser sur la viande et servir.

Teriyaki

Faire frire la viande, la mettre sur une assiette et recouvrir d'aluminium pour garder au chaud. Ajouter au jus de viande ¼ de sauce teriyaki, 2 cuillerées à soupe de xérès, 2 cuillerées à café de bouillon ou d'eau et 1 de miel, 1 cuillerée à café de gingembre vert râpé et 1 gousse d'ail écrasée. Remuer pour bien mélanger et faire cuire quelques minutes. Verser le mélange sur la viande, saupoudrer 1 cuillerée à soupe de graines de sésame grillées et servir.

Citron et herbes aromatiques

Faire frire la viande, la mettre sur une assiette et recouvrir d'une feuille d'aluminium pour garder au chaud. Ajouter au jus de viande 50 g de beurre, 60 ml de jus de citron, 1 cuillerée à café de zeste de citron râpé, 1 de cassonade. Faire bouillir et laisser mijoter 1 à 2 minutes. Ajouter 1 cuillerée à soupe de persil haché, de ciboulette et de thym. Remuer. Verser sur les steaks et servir.

Barbecue

Faire frire la viande, la mettre sur une assiette et recouvrir d'une feuille d'aluminium pour garder au chaud. Ajouter au jus de viande 1 cuillerée à soupe d'huile et 1 oignon haché. Faire cuire 5 minutes jusqu'à ce qu'il soit ramolli. Ajouter 1 cuillerée à soupe de vinaigre balsamique et 1 de cassonade, 85 ml de sauce tomate, 2 cuillerées à café de sauce de soja. Faire bouillir et laisser mijoter 5 minutes ou jusqu'à ce que le mélange épaississe. Verser sur la viande et parsemer de persil haché.

À la diable

Faire frire la viande, la mettre sur une assiette et recouvrir d'une feuille d'aluminium pour garder chaud. Ajouter au jus de viande 30 g de beurre, 2 oignons nouveaux hachés et 1 gousse d'ail écrasée. Faire cuire 2 minutes. Ajouter 125 ml de sauce tomate, 1 cuillerée à soupe de vinaigre de vin et 1 cuillerée à café de sauce Worcestershire. Mélanger. Ajouter 1 cuillerée à soupe de ciboulette hachée ou de persil. Verser sur la viande et servir.

De gauche à droite : béarnaise, champignons, oignon et vin rouge, tomate fraîche, moutarde, teriyaki, citron et herbes aromatiques, barbecue et à la diable.

BEURRES AROMATISÉS POUR ACCOMPAGNER LES VIANDES

Les beurres aromatisés sont le moyen le plus rapide d'agrémenter un simple steak. On peut le mélanger avec des herbes aromatiques, de la moutarde, du vin, des légumes, ou tout autre ingrédient. Une tranche de beurre aromatisé donne à la viande un aspect élégant et appétissant. Les proportions données dans ces recettes sont prévues pour environ huit personnes.

Tranche de viande farcie

UTILISER un couteau aiguisé pour découper une poche sur le côté de la tranche de viande. Garnir de 1 à 2 cuillerées à café de beurre aromatisé. Passer au gril ou faire frire en enduisant la viande fréquemment avec le reste du beurre pendant la cuisson.

Beurre à la moutarde

BATTRE 125 g de beurre jusqu'à obtention d'une consistance crémeuse. Ajouter 2 à 3 cuillerées à soupe de moutarde de Dijon ou de Meaux, 1 cuillerée à café de jus de citron, 1 de zeste de citron et 1 cuillerée à soupe de ciboulette hachée. Battre à nouveau, placer dans du film alimentaire en formant une bûche et réfrigérer.

Beurre au raifort

BATTRE 125 g de beurre jusqu'à ce qu'il prenne une consistance crémeuse. Ajouter 1 cuillerée à soupe de crème de raifort, 2 de persil finement haché, 1 cuillerée à café de moutarde de Dijon. Battre à nouveau, placer le mélange dans un bol pour l'affermir.

Beurre aux herbes aromatiques

BATTRE 125 g de beurre jusqu'à ce qu'il prenne une consistance crémeuse. Ajouter 1 cuillerée à soupe de persil haché, de la ciboulette et de l'estragon, 1 cuillerée à café de zeste de citron, du sel et du poivre noir. Battre à nouveau puis placer le beurre dans du film alimentaire en formant une bûche et réfrigérer.

Beurre au poivron et à la ciboulette

COUPER un poivron rouge en deux, enlever les graines. Badigeonner d'huile. Faire cuire sous le gril préchauffé jusqu'à ce que la peau soit boursouflée et noircisse. Ôter la peau et hacher en gros morceaux. Battre 125 g de beurre coupé en morceaux, le poivron, et 1 cuillerée à soupe de ciboulette hachée pendant 1 minute. Verser dans un bol et réfrigérer.

À gauche : beurre à la moutarde. Rangée du bas, à partir de la gauche : beurre au raifort, beurre aux herbes aromatiques, beurre au persil et beurre au citron.

Piment et coriandre

BATTRE 125 g de beurre jusqu'à obtenir une consistance crémeuse. Ajouter 1 petit piment rouge haché, 1 cuillerée à soupe de coriandre fraîche hachée, 2 cuillerées à café de jus de citron. Battre le mélange pour obtenir une consistance onctueuse. Placer le beurre dans du film alimentaire, former une bûche et réfrigérer.

Ail et romarin

BATTRE 125 g de beurre jusqu'à ce qu'il prenne une consistance crémeuse. Ajouter 4 gousses d'ail écrasées, 1 cuillerée à soupe de romarin fraîchement haché, 1 cuillerée à soupe de jus de citron, du sel et du poivre noir fraîchement moulu. Battre le mélange. Verser dans un bol, couvrir et réfrigérer.

Persil et citron

BATTRE 125 g de beurre jusqu'à ce qu'il prenne une consistance crémeuse. Ajouter 2 cuillerées à soupe de persil haché, 1 cuillerée à café de zeste de citron râpé et 2 de jus de citron, du sel et du poivre noir moulu. Battre le mélange. Le placer dans du film alimentaire, former une bûche et réfrigérer.

Beurre au piment et à la coriandre (à droite), au poivron et à la ciboulette (en bas, à gauche), à l'ail et au romarin (en bas, à droite).

Filet poêlé au vin rouge

2 steaks de bœuf dans le filet • 30 g de beurre • 1 cuil. à soupe d'huile • 60 ml de vin rouge • 1 à 2 cuil. à café de moutarde de Dijon • 85 ml de crème fleurette • persil frais haché ou ciboulette pour servir

Pour 2 personnes

DÉGRAISSER et dénerver la viande. Faire chauffer le beurre et l'huile dans une grande poêle à fond épais. Lorsqu'il commence à mousser, ajouter la viande. Faire cuire à feu vif pendant 2 minutes de chaque côté. Pour une viande saignante, faire cuire 1 minute de plus de chaque côté. Pour une viande à point ou assez cuite, laisser 2 à 3 minutes et pour une viande bien cuite, ajouter 4 à 6 minutes. Ôter de la poêle et garder au chaud.

VERSER le vin dans la poêle. Faire bouillir et remuer pour la dégraisser. Faire mijoter 1 minute, puis continuer à remuer à feu doux et ajouter la moutarde et la crème. Faire mijoter la sauce de 1 à 3 minutes, jusqu'à ce que la sauce soit liée. Remettre la viande et laisser chauffer pendant 1 minute dans la sauce.

SERVIR la viande dans les assiettes, la recouvrir de sauce et saupoudrer de persil et de ciboulette.

NOTE : on peut utiliser du vin blanc à la place du vin rouge. On peut remplacer la moutarde de Dijon par une autre.

Filet poêlé au vin rouge (ci-dessous), steak grillé aux légumes (centre), entrecôtes barbecue et son beurre au bleu.

Faux-filet grillé aux légumes

2 steaks de faux-filet • 1 cuil. à soupe de jus de citron • 2 cuil. à café de thym-citron haché • ***Légumes :*** *1 cuil. à soupe d'huile d'olive • 20 g de beurre • 1 oignon, finement haché • 1 gousse d'ail, écrasée • 1 tomate, concassée • 1 petit poivron rouge, finement haché • 3 cuil. à café de cassonade • 1 cuil. à soupe de vin rouge ou de vinaigre balsamique • 2 cuil. à soupe de raisins secs*
Pour 2 personnes

DÉGRAISSER et dénerver la viande. Poser les entrecôtes sur un plat en métal (éviter l'aluminium). Arroser de jus de citron et saupoudrer d'herbes aromatiques. Couvrir et laisser reposer 15 minutes.
METTRE la viande sur une plaque huilée. Faire préchauffer le gril 1 à 2 minutes puis saisir chaque côté, en la retournant une seule fois. Pour une viande saignante, faire cuire 1 minute de plus de chaque côté, pour une viande à point de 2 à 3 minutes et de 3 à 5 minutes supplémentaires pour une viande bien cuite.
POUR PRÉPARER le condiment, faire chauffer l'huile et le beurre dans une poêle, ajouter l'oignon et l'ail, et cuire à feu moyen jusqu'à ce qu'ils ramollissent. Ajouter la tomate et remuer 1 minute. Ajouter ensuite le poivron, le sucre, le vinaigre et les raisins secs. Remuer à feu moyen 2 minutes. Faire bouillir puis laisser mijoter à feu doux de 5 à 10 minutes, en remuant de temps en temps. Servir avec la viande et garnir de légumes au choix. Parsemer de branches de thym-citron.

Entrecôtes barbecue et leur beurre au bleu

2 belles entrecôtes • ***Beurre au bleu :*** *125 g de beurre • 100 g de bleu • 1 cuil. à soupe de ciboulette fraîchement hachée, ou de thym-citron*
Pour 2 personnes

DÉGRAISSER et dénerver la viande. Poser les entrecôtes sur la grille du barbecue légèrement huilée, ou sur une plaque. Les saisir à feu vif 2 minutes de chaque côté. Pour une viande saignante faire cuire 1 à 2 minutes de plus de chaque côté, pour une viande à point de 2 à 3 minutes et de 3 à 5 minutes pour une viande bien cuite. Poser des tranches de beurre au bleu sur les entrecôtes et servir avec des asperges et des quartiers de pommes de terre. Saupoudrer d'estragon.
POUR PRÉPARER LE BEURRE, battre le beurre avec le fromage, ajouter la ciboulette et le thym. Battre jusqu'à obtenir un mélange crémeux. Placer le beurre dans du film alimentaire en formant une bûche. La mettre au réfrigérateur jusqu'à ce qu'elle soit bien ferme.
NOTE : le beurre au bleu peut aussi être utilisé avec une poche à pâtisserie. Placer au réfrigérateur pour l'affermir ou servir aussitôt sur les entrecôtes.

Bœuf sauté

400 g de rumsteck • 1 cuil. à soupe de sauce de soja • 1 cuil. à soupe de xérès • 1 cuil. à café de Maïzena • 1 cuil. à soupe d'huile • 1 gousse d'ail, écrasée • 1 cuil. à café de gingembre frais râpé • 2 cuil. à café d'huile • 300 g de têtes de brocolis • 1 poivron rouge, coupé en tranches • 125 ml de bouillon ou d'eau • 1 à 2 cuil. à soupe de sauce hoisin, à volonté • ¼ de tasse d'amandes grillées ou de noix de cajou, facultatif
Pour 2 personnes

TRANCHER la viande de bœuf en travers, en fines lamelles. Mélanger la sauce de soja, le xérès et la Maïzena dans un bol. Ajouter la viande et bien remuer. Faire chauffer l'huile dans un wok, ajouter l'ail, le gingembre et la viande. Faire sauter à feu vif 2 à 3 minutes, jusqu'à ce que la viande soit cuite. Ôter la viande et garder au chaud.
FAIRE CHAUFFER l'huile, ajouter les brocolis et le poivron. Faire sauter deux minutes à feu vif. Ajouter le bouillon ou l'eau sur le bord du wok. Couvrir et laisser cuire 2 minutes. Ajouter la viande et la sauce hoisin. Saupoudrer d'amandes et de noix de cajou avant de servir avec des pâtes, au choix. Garnir d'estragon frais.
NOTE : la viande et les légumes peuvent être préparés et réfrigérés plusieurs heures avant la préparation. Faire cuire les ingrédients juste avant de servir. On peut utiliser toutes sortes de sauces asiatiques à la place de la sauce hoisin. On peut remplacer les brocolis et le poivron par des asperges, des haricots verts et un oignon.

Sandwich au filet

750 g de filet de bœuf d'un seul morceau • 1 focaccia (pain italien) • tomates séchées ou poivrons • concombres
*• **Beurre à l'ail :** 125 g de beurre • 3 gousses d'ail, écrasées • 3 cuil. à soupe de ciboulette fraîche hachée*
*• **Beurre d'anchois :** 125 g de beurre • 1 cuil. à soupe d'anchois hachés • 2 cuil. à soupe de persil haché*
Pour 2 à 4 personnes

PRÉCHAUFFER le four à 210 °C (190 °C au gaz). Disposer la viande sur un plat. Faire cuire 30 minutes pour obtenir une viande saignante, 40 pour une viande à point et de 45 à 50 pour une viande bien cuite. Laisser couvert pendant 10 minutes.

COUPER le pain en 4 morceaux, puis couper les parts en deux. Les toaster légèrement. Tartiner de beurre à l'ail ou à l'anchois. Couper la viande en tranches de 5 mm d'épaisseur. Disposer sur le pain, ajouter les tomates et les concombres, ou une sauce de votre choix. Recouvrir le pain. Servir avec une salade verte et des piments. Garnir de ciboulette.

POUR PRÉPARER LE BEURRE À L'AIL, battre le beurre, l'ail et la ciboulette jusqu'à ce qu'il soit onctueux.

POUR LE BEURRE AUX ANCHOIS, battre le beurre, les anchois et le persil jusqu'à ce qu'il soit onctueux.

NOTE : utiliser des tranches de pain toastées ou un pain parisien au lieu de la focaccia. Les beurres peuvent être préparés plusieurs heures à l'avance. Faire cuire le steak et toaster le pain juste avant de servir.

Steak minute

4 noix d'entrecôte • 60 g de beurre, ramolli • 1 cuil. à café de ciboulette et 1 cuil. à café de persil, finement hachés • 30 g de beurre pour la cuisson • 2 oignons, coupés en tranches fines • 60 ml de brandy • 2 cuil. à soupe de xérès
Pour 2 à 4 personnes

DÉGRAISSER la viande, dénerver. Aplatir la viande avec un maillet, à 1 cm d'épaisseur. Entailler les bords et essuyer avec un papier absorbant. Mélanger le beurre et les herbes aromatiques puis réfrigérer pour le durcir.
FAIRE FONDRE le reste du beurre dans une poêle à fond épais. Ajouter les oignons et les faire dorer à feu vif 3 à 4 minutes. Retirer.
FAIRE CHAUFFER la poêle et y saisir les tranches de viande (par 2 si la poêle n'est pas assez large) 30 secondes à feu vif de chaque côté. Les disposer sur 4 assiettes, garnir d'oignons, couvrir et garder au chaud.
ENLEVER la poêle du feu. Ajouter le brandy et flamber. Remuer la poêle jusqu'à ce que les flammes s'éteignent, ajouter le xérès. Réchauffer 1 minute. Poser ¼ du beurre sur la viande et arroser de sauce. Servir garni de salade, de pâtissons et de courgettes.

Steak au poivre

4 noix d'entrecôte de 2 cm d'épaisseur • 1 gousse d'ail, épluchée et coupée en deux • 1 cuil. à soupe d'huile • 2 cuil. à soupe de poivre noir en grains • 1 cuil. à soupe de poivre blanc en grains (facultatif) • 50 g de beurre • 60 ml de brandy • 125 ml de crème fleurette

Pour 4 personnes

DÉGRAISSER la viande et la dénerver. Aplatir avec un maillet à viande à 1 cm d'épaisseur. Frotter les steaks d'ail et badigeonner d'huile. Écraser grossièrement le poivre. En recouvrir les steaks et appuyer fortement. Laisser reposer 30 minutes pour que la saveur du poivre imprègne la viande.

FAIRE FONDRE le beurre dans une poêle à fond épais. Cuire les steaks à feu vif 2 minutes de chaque côté. Pour une viande saignante, cuire 1 minute de plus, pour une viande à point, 2 à 3 minutes, et de 4 à 6 minutes pour une viande bien cuite.

ENLEVER la poêle du feu. Ajouter le brandy. Faire flamber la sauce avec une longue allumette. Remuer la poêle jusqu'à ce que les flammes s'éteignent. Disposer les steaks dans les assiettes et couvrir pour garder au chaud. Ajouter la crème et remuer pour l'incorporer à la sauce. Faire chauffer en remuant 1 à 2 minutes pour réchauffer le mélange. Verser sur les steaks et servir aussitôt. Garnir avec des petits épis de maïs, des endives et des rondelles de pommes de terre sautées, puis saupoudrer de paprika selon votre goût.

NOTE : vous pouvez recouvrir les steaks de poivre en grains (voir page 5). Utiliser du filet ou une entrecôte au choix. Pour la sauce, remplacer le brandy et la crème par une cuillerée à soupe de jus de citron. Réchauffer en remuant pour faire mousser la sauce. Verser sur les steaks.

Steak Diane

4 côtes de porc dans le filet de 150 g chacun • 2 gousses d'ail, écrasées • 1 cuil. à café de poivre noir moulu • 30 g de beurre • 20 g de beurre pour la cuisson • 4 oignons nouveaux, finement hachés • 2 cuil. à café de moutarde de Dijon • 2 cuil. à soupe de sauce Worcestershire • 1 cuil. à soupe de brandy • 85 ml de crème fleurette • 2 cuil. à soupe de persil finement haché

Pour 4 personnes

DÉGRAISSER la viande et la dénerver. Aplatir les côtes avec un maillet, à 1 cm d'épaisseur. Frotter avec de l'ail de chaque côté. Poivrer.

FAIRE FONDRE le beurre dans une poêle à fond épais. Faire saisir les côtes à feu vif 2 minutes sur chaque face. Pour une viande saignante, faire cuire 1 minute de plus de chaque côté, pour une viande à point 2 à 3 minutes et pour une viande bien cuite 4 à 6 minutes. Retirer les côtes de la poêle et garder au chaud.

FAIRE FONDRE 20 g de beurre dans la poêle. Ajouter les oignons et cuire 2 minutes. Ajouter la moutarde, la sauce Worcestershire et le brandy. Remuer pour décoller les petits morceaux de viande grillée. Ajouter la crème et laisser mijoter 5 minutes. Remettre les côtes pour les réchauffer, et ajouter le persil. Servir aussitôt garni de tranches d'épis de maïs frais et de fèves fraîches. Garnir avec de la ciboulette.

NOTE : préparer ce plat juste avant de servir. Pour varier, remplacer la crème par ½ cuillerée à café de jus de citron et 85 ml de bouillon de poulet.

Œufs et jambon aux abricots

4 tranches de jambon à l'os, d'environ 1 à 1,5 cm d'épaisseur • 30 g de beurre, fondu • poivre noir, fraîchement moulu • ½ cuil. à café de moutarde en poudre • 440 g de moitiés d'abricots en boîte, égouttés • 2 cuil. à soupe de miel • 1 cuil. à soupe de jus de citron • 30 g de beurre pour la cuisson • 4 œufs • cresson pour la garniture
Pour 4 personnes

DÉGRAISSER le jambon et entailler les bords. Mélanger le beurre, le poivre et la moutarde. Badigeonner les deux côtés des tranches de jambon avec ce mélange. Les faire dorer à feu moyen 3 minutes de chaque côté. Enlever de la poêle et couvrir pour garder au chaud.
RECOUVRIR les abricots avec un mélange de miel et de jus de citron. Verser dans la poêle et faire chauffer 1 à 2 minutes. Badigeonner plusieurs fois le jambon avec ce glaçage.
FAIRE FONDRE le beurre dans une poêle. Faire frire les œufs. Les ôter et les égoutter. Servir avec le jambon, les abricots et des tranches de pain de seigle toastées ou du pain noir. Garnir avec des feuilles de cresson.
NOTE : préparer ce plat juste avant de servir. On peut remplacer les abricots par des pêches.

BROCHETTES

Les brochettes offrent une agréable alternative aux steaks traditionnels. Enfiler des morceaux de viande sur les brochettes et les faire griller au barbecue. On peut aussi les faire mariner ou les servir accompagnées d'une sauce relevée. Les proportions sont prévues pour 2 à 4 personnes.

Bœuf satay

COUPER 740 g de rumsteck en longues lamelles assez larges. Les enfiler sur des piques en bois ou en métal et poser sur un plat peu profond. Mélanger 85 ml de sauce aux prunes, 2 cuillerées à soupe de sauce de soja, 1 cuillerée à soupe d'huile, 2 gousses d'ail écrasées et 1 cuillerée à café de gingembre râpé. Verser sur la viande et laisser mariner au réfrigérateur pendant quelques heures, en retournant de temps en temps.
POUR LES CUIRE, poser les brochettes sur une plaque de gril huilée et préchauffée ou sur un barbecue, en les arrosant et en les retournant fréquemment. Faire cuire de 8 à 10 minutes. Servir avec de la sauce satay.

Brochettes de porc et de poivrons

COUPER 750 g de filet de porc en cubes de 2,5 cm. Couper un poivron rouge et un vert en carrés de 3 cm. Égoutter une boîte de 425 g d'ananas en conservant 125 ml de jus. Enfiler la viande sur les brochettes de bois ou de métal, en alternant avec les poivrons et les morceaux d'ananas. Les poser sur un plat (non métallique). Mélanger le reste du jus, 2 cuillerées à soupe d'huile, 125 ml de vinaigre balsamique ou de vinaigre de vin rouge, 2 cuillerées à soupe de cassonade et 1 à 2 cuillerées à soupe de sauce au piment. Verser sur les brochettes et laisser mariner plusieurs heures au réfrigérateur. Égoutter et réserver la marinade.
MÉLANGER la marinade avec 2 cuillerées café de Maïzena dans une petite casserole. Remuer en faisant bouillir à feu moyen pour épaissir. Poser les brochettes sur une plaque de gril préalablement huilée ou sur le barbecue. Arroser d'huile pendant la cuisson. Faire cuire 15 minutes et servir avec la sauce.

Brochettes de bœuf et de légumes

COUPER 750 g de rumsteck maigre en cubes de 2,5 cm. Mélanger 2 cuillerées à soupe d'huile, 2 cuillerées à café de jus de citron, 1 cuillerée à café de zeste de citron râpé, 125 ml de vin rouge, 2 gousses d'ail écrasées, 1 cuillerée à café de feuilles d'origan et ½ cuillerée à café de cumin moulu. Faire mariner la viande plusieurs heures au réfrigérateur. Couper 2 petits oignons rouges en quartiers, 1 poivron jaune en carrés de 2 cm et couper en deux 200 g de petits champignons de Paris. Enfiler la viande sur les brochettes de bois ou de métal en alternant avec les légumes.
FAIRE CUIRE les brochettes sur la plaque du gril huilée ou sur le barbecue 6 à 8 minutes. Arroser de marinade et retourner fréquemment.

Bœuf satay (à droite), porc et poivrons (ci-dessous), brochettes de bœuf et de légumes (en bas), porc et poivrons marinés (en bas à droite)
Page opposée, à partir de la gauche : sauce satay, teriyaki, porc au miel, kofta et bœuf au curry

Brochettes de bœuf au Teriyaki

Couper 750 g de rumsteck en tranches de 1 cm d'épaisseur et 15 cm de long. Les enfiler sur des brochettes. Les faire mariner dans un mélange de 125 ml de sauce de soja, 125 ml de xérès ou de saké, 1 gousse d'ail et 1 cuillerée à café de gingembre moulu et de sucre. Poser les brochettes dans un plat non métallique, et laisser reposer au moins 1 heure au réfrigérateur. Égoutter.
Faire cuire les brochettes 30 secondes de chaque côté, sur une plaque de gril ou de barbecue préchauffée et huilée.

Brochettes de porc au miel

Couper 750 g de filet de porc en cubes de 2,5 cm. Dégraisser 4 tranches de bacon et les couper en lamelles de 2 cm de large. Enfiler la viande sur les brochettes, en alternant avec des tomates cerises. Les faire mariner dans un mélange de ⅓ de tasse de miel, 85 ml d'huile, 2 cuillerées à soupe de sauce Worcestershire, le jus et l'écorce râpée d'une orange et 2 gousses d'ail, au moins 1 heure au réfrigérateur. Égoutter.
Faire cuire les brochettes 10 à 15 minutes sur une plaque de gril ou de barbecue, préalablement huilée et préchauffée. Arroser avec la marinade et retourner fréquemment.

Kofta

Mélanger 750 g de bifteck haché, 1 petit oignon râpé, ½ tasse de persil frais haché, 2 cuillerées à soupe de coriandre fraîche, hachée, ½ cuillerée à café de cumin en poudre, de noix de muscade, de cardamome, d'origan et de menthe. Laisser reposer 1 heure. Avec les mains mouillées, former 24 saucisses que vous enfilez par paires sur les brochettes entre des quartiers de citron vert.
Faire cuire les brochettes sur une plaque de gril ou de barbecue huilée et préchauffée, 10 à 12 minutes, en les retournant fréquemment.

Brochettes de bœuf au curry

Couper 750 g de rumsteck bien maigre coupé en cubes de 2,5 cm. Mélanger 1 cuillerée à café de coriandre, de cumin, de poudre de curry et de garam masala avec 1 gousse d'ail écrasée, 2 cuillerées à soupe de jus de citron et 2 cuillerées à soupe d'huile. Faire mariner au moins 1 heure au réfrigérateur. Enfiler la viande sur des brochettes, en alternant avec des courgettes.
Faire cuire les brochettes 6 à 8 minutes sur une plaque de gril ou de barbecue. Arroser avec la marinade et retourner.

Steak à la sauce béarnaise

6 noix d'entrecôte de 200 g • 30 g de beurre • 2 cuil. à café d'huile • 1 gousse d'ail, écrasée
Pour 4 à 6 personnes

PRÉPARER une sauce béarnaise (voir page 20). Verser dans un petit bol ou un pot et placer au-dessus d'un grand bol d'eau chaude pendant la préparation des steaks.
DÉGRAISSER et dénerver la viande. Aplatir les steaks à 1,5 cm d'épaisseur. Entailler les bords, puis faire chauffer le beurre, l'huile et l'ail dans une poêle à fond épais. Ajouter la viande. Faire saisir à feu vif 2 minutes de chaque côté. Pour une viande saignante, continuer la cuisson 1 minute de plus, 2 à 3 minutes supplémentaires pour une viande à point et de 4 à 6 minutes pour une viande bien cuite. Servir avec la sauce béarnaise, quelques feuilles de salade, des tranches d'avocat, des pousses de luzerne et des germes de soja, selon votre goût. Garnir avec des feuilles de sauge fraîche.
NOTE : la sauce béarnaise peut se préparer quelques heures à l'avance sans le beurre fondu. Ajouter celui-ci seulement avant la cuisson des steaks. On peut remplacer les noix d'entrecôte par du filet, au choix.

Steaks farcis

4 noix d'entrecôte de 4 cm d'épaisseur • 8 huîtres, sans la coquille • 1 cuil. à café de persil frais haché • 2 cuil. à café de jus de citron • poivre noir, fraîchement moulu • 2 cuil. à soupe d'huile • 250 ml de bouillon • 2 cuil. à café de sauce Worcestershire • 60 g de beurre
Pour 4 personnes

DÉGRAISSER et dénerver la viande. Avec un couteau bien aiguisé, découper une poche sur le côté de chaque steak. Mélanger les huîtres, le persil, le jus de citron et le poivre dans un bol. Farcir la poche et fermer à l'aide de bâtonnets.
FAIRE CHAUFFER l'huile dans une poêle et saisir les steaks 2 minutes de chaque côté. Pour des steaks saignants, continuer la cuisson une minute de plus, pour des steaks à point ajouter 2 à 3 minutes et de 4 à 6 minutes pour des steaks bien cuits. Égoutter sur un papier absorbant, couvrir et garder au chaud.
FAIRE BOUILLIR le bouillon et la sauce dans une casserole. Continuer la cuisson à feu doux, faire fondre le beurre en morceaux et verser le mélange sur les steaks. Servir avec des pois gourmands et des choux de Bruxelles. Saupoudrer de poivrons rouges coupés très finement ou de piments. Garnir avec du thym.

Bœuf Wellington (bœuf en croûte)

4 noix d'entrecôte de 4 cm d'épaisseur • 20 g de beurre • 1 cuil. à café d'huile • 100 g de pâté • 4 feuilles de pâte feuilletée surgelée, décongelée • 1 jaune d'œuf • 2 cuil. à café d'eau • ***Farce Duxelle :*** *50 g de beurre • 4 oignons nouveaux, finement hachés • 1 tranche de bacon, finement hachée • 150 g de champignons, finement hachés • 3 cuil. à café de farine • 1 cuil. à soupe de brandy ou de xérès • 1 cuil. à soupe d'estragon frais • poivre noir moulu*
Pour 4 personnes

DÉGRAISSER et dénerver la viande. Faire chauffer le beurre et l'huile dans une poêle à fond épais. Saisir les steaks à feu vif, 2 minutes de chaque côté. Pour des steaks saignants, continuer la cuisson 1 minute de plus, pour des steaks à point continuer à feu moyen 2 à 3 minutes et de 4 à 6 minutes pour des steaks bien cuits. Retirer du feu, couvrir et laisser refroidir.
POUR FAIRE LA FARCE, faire fondre du beurre dans une poêle, ajouter les oignons et le bacon. Faire cuire 3 minutes en remuant et ajouter les champignons. Continuer la cuisson 2 minutes et saupoudrer de farine. Laisser 2 minutes de plus, ajouter le brandy ou le xérès. Retirer du feu. Ajouter l'estragon et le poivre, puis laisser refroidir.
TARTINER une couche de pâté sur un côté des steaks. Diviser la farce en 4 portions. L'étaler sur le pâté. Poser chaque steak sur la pâte feuilletée, la farce du côté de la pâte. Former une enveloppe de pâte en la repliant sous la viande. Fermer avec le mélange de jaune d'œuf et d'eau. Garder le reste du mélange. Utiliser le restant de pâte pour décorer. Faire 2 encoches sur la croûte afin que la vapeur puisse s'échapper. Préchauffer le four à 210 °C (190 °C au gaz).
METTRE les chaussons au réfrigérateur afin de raffermir la pâte avant la cuisson. Badigeonner le dessus et les côtés avec le restant d'œuf et d'eau. Faire cuire au four 5 minutes. Continuer la cuisson à 180 °C, puis laisser cuire 10 à 12 minutes, jusqu'à ce que la pâte soit cuite. Servir aussitôt accompagné de pointes d'asperges et de pommes de terre sautées, selon votre goût. Garnir d'estragon frais.
NOTE : le bœuf en croûte peut être préparé à l'avance et cuit avant de servir. Traditionnellement, on utilise du pâté de foie de poulet au Grand Marnier pour le bœuf en croûte, mais on peut aussi utiliser toute autre sorte de pâté. Les steaks doivent être de très bonne qualité, et très maigres.

Steak à la sauce béarnaise (à gauche), steaks farcis (au centre), bœuf Wellington (à droite).

Surf and turf

2 cuil. à soupe d'huile • 1 grosse queue de langouste (ou deux petites), décortiquée • 4 morceaux de filet de porc • 1 boîte de crabe de 170 g • ***Sauce à la moutarde et au citron :*** *30 g de beurre • 1 oignon, finement haché • 1 gousse d'ail, écrasée • 1 cuil. à soupe de farine • 250 ml de lait • 2 cuil. à soupe de crème fleurette • 1 cuil. à soupe de jus de citron • 2 cuil. à café de moutarde de Dijon*
Pour 4 personnes

Faire chauffer l'huile dans une poêle. Faire cuire la queue de langouste à feu moyen 3 minutes de chaque côté, jusqu'à ce que la chair soit bien cuite. Enlever de la poêle et garder au chaud.
Faire saisir la viande dans la poêle à feu vif, 2 minutes de chaque côté. Pour une viande saignante continuer la cuisson 1 minute. Pour une viande à point, 2 à 3 minutes et de 4 à 6 pour une viande bien cuite. Égoutter sur du papier absorbant.
Pour faire la sauce, chauffer le beurre dans une casserole de taille moyenne. Ajouter l'oignon et l'ail. Remuer et faire cuire 1 minute, jusqu'à ce que l'oignon ramollisse. Ajouter la farine en remuant à feu doux. Ajouter le lait graduellement, en continuant à remuer jusqu'à ce que le mélange épaississe. Laisser mijoter 1 minute. Retirer du feu puis ajouter la crème, le jus de citron et la moutarde.
Pour servir, disposer les morceaux de filet sur des assiettes et recouvrir avec la langouste et le crabe. Verser la sauce et servir avec des feuilles de salades et des fleurs. Saupoudrer d'aneth.

Filet mignon

4 morceaux de filet mignon de porc de 3 à 4 cm d'épaisseur • 4 tranches de bacon, sans la couenne • 30 g de beurre • 2 cuil. à café d'huile • 20 g de beurre • 1 gousse d'ail, écrasée • 1 cuil. à soupe de romarin frais • 60 ml de brandy • 1 cuil. à soupe de moutarde de Dijon • 2 cuil. à soupe de crème fleurette • sel et poivre, fraîchement moulu
Pour 4 personnes

Dégraisser et dénerver la viande. Aplatir les morceaux à 1,5 cm d'épaisseur. Les envelopper dans des tranches de bacon et attacher avec un bâtonnet.
Faire chauffer le beurre dans une poêle et saisir la viande 2 minutes à feu vif. Retourner une fois. Pour une viande saignante cuire 1 minute de plus de chaque côté. Pour une viande à point, continuer la cuisson à feu moyen 2 à 3 minutes et de 4 à 6 minutes pour une viande bien cuite. Enlever les bâtonnets, couvrir et garder au chaud.
Mélanger dans une casserole 20 g de beurre, l'ail, le romarin, le brandy, la moutarde et la crème. Faire mijoter doucement et remuer jusqu'à ce que la sauce ait légèrement réduit et épaissi. Servir avec des torsades et saupoudrer de poivre grossièrement moulu. Garnir avec des feuilles de salades ou des fleurs.
Note : faire cuire ce plat juste avant de servir.

Filet à la sauce au poivre vert

4 tranches de filet de bœuf de 150 g chacune • 30 g de beurre • 2 cuil. à café d'huile • 250 ml de bouillon de bœuf • 180 ml de crème fleurette • 2 cuil. à café de Maïzena • 2 cuil. à soupe de poivre vert en saumure, rincé et égoutté • 2 cuil. à soupe de brandy

Pour 4 personnes

DÉGRAISSER et dénerver la viande. L'aplatir avec un maillet à viande pour obtenir une épaisseur de 1,5 cm. Entailler les bords pour les empêcher de rouler.

FAIRE CHAUFFER le beurre et l'huile dans une poêle. Saisir la viande à feu vif 2 minutes de chaque côté, en la retournant une fois. Pour une viande saignante, cuire 1 minute de plus de chaque côté. Pour une viande à point, continuer la cuisson à feu moyen 2 à 3 minutes et de 4 à 6 minutes pour une viande bien cuite.

AJOUTER le bouillon au jus de viande. Remuer à feu doux et porter à ébullition. Mélanger la crème et la Maïzena. Ajouter ce mélange au bouillon, remuer constamment pendant 2 à 3 minutes et faire épaissir. Ajouter les grains de poivre vert et le brandy ou le xérès, à volonté. Faire bouillir 1 minute de plus puis enlever du feu. Verser quelques cuillerées de ce mélange sur la viande. Servir avec des pâtes au poivre et de la salade feuilles de chêne.

NOTE : faire cuire la viande et préparer la sauce juste avant de servir. Prendre des noix d'entrecôte ou du faux-filet, au choix.

Surf and turf (à gauche), filet mignon (à droite), filet à la sauce au poivre vert (en haut, à droite).

Scotch Collops

4 côtes de porc dans le filet de 2 cm d'épaisseur • 50 g de beurre • 2 oignons de taille moyenne, coupés en tranches • 125 g de champignons, coupés en tranches • 2 cuil. à café de farine • 60 ml de vin blanc • 170 ml de bouillon de poulet • 1 cuil. à soupe de sauce d'huîtres • sel et poivre noir, moulu
Pour 4 personnes

DÉGRAISSER et dénerver la viande. Aplatir les steaks et les essuyer avec un papier absorbant. Faire chauffer la moitié du beurre dans une poêle. Saisir les steaks 2 minutes de chaque côté. Pour des steaks saignants, faire cuire 1 minute de plus de chaque côté. Pour des steaks à point, continuer la cuisson à feu moyen 2 à 3 minutes et de 4 à 6 pour des steaks bien cuits. Disposer sur une assiette chaude et couvrir de papier d'aluminium.
FAIRE FONDRE le reste du beurre, ajouter l'oignon et cuire à feu moyen 5 minutes. Ajouter les champignons et remuer 5 minutes de plus. Saupoudrer la farine, remuer 1 à 2 minutes. Ajouter le vin, le bouillon et la sauce d'huîtres. Remuer 2 minutes, pour porter à ébullition. Assaisonner de sel et de poivre et verser la sauce sur les steaks.
Servir avec des fettucine ou des tagliatelle. Garnir avec de la sauge.

Escalopes viennoises

4 minces escalopes de veau • ⅓ de tasse de farine • sel et poivre, moulu • 1 œuf, légèrement battu • 1 tasse de chapelure • 60 ml d'huile • 30 g de beurre • 1 citron, coupé en tranches • 2 cuil. à soupe de câpres, égouttées • 2 cornichons, coupés en tranches
Pour 4 personnes

DÉGRAISSER et dénerver la viande. L'aplatir à 5 mm d'épaisseur. Entailler les bords pour les empêcher de rouler. Sécher la viande avec un papier absorbant. Recouvrir les escalopes du mélange de farine, de sel, de poivre. Les tremper dans l'œuf, puis dans la chapelure. Disposer sur la plaque du gril recouverte d'une feuille d'aluminium. Couvrir et réfrigérer au moins 30 minutes.
FAIRE CHAUFFER l'huile et le beurre dans une poêle. Faire cuire les escalopes à feu moyen 3 à 4 minutes. Retourner et faire dorer 2 à 3 minutes. Servir avec le citron, les câpres, les cornichons, les carottes et les pommes de terre cuites à la vapeur. On peut arroser de beurre fondu et ajouter des herbes aromatiques.
NOTE : préparer les escalopes plusieurs heures à l'avance, couvrir et réfrigérer. Faire cuire juste avant de servir.

Steak tartare

250 g de filet, dégraissé et dénervé • 2 jaunes d'œufs • sel et poivre noir fraîchement moulu • 2 cuil. à soupe de câpres • 2 cuil. à soupe d'oignons finement hachés • 4 filets d'anchois, égouttés et écrasés • pain de seigle
Pour 2 personnes

HACHER la viande très finement ou la passer au mixeur juste avant de composer ce plat. Former 2 boulettes et les placer au centre du plat. Faire un puits et y placer le jaune d'œuf.
SERVIR le sel, le poivre, les câpres, l'oignon et les anchois séparément pour accompagner la viande et l'œuf. Mélanger la viande et les autres ingrédients à volonté. Servir avec du pain.
NOTE : préparer ce plat juste avant de servir. La viande utilisée pour le steak tartare doit être d'excellente qualité et très fraîche. Traditionnellement, elle doit être hachée finement à la main (voir technique page 127).

Scotch collops (à gauche), escalopes viennoises (ci-dessous), steak tartare (à droite)

Tourte à la viande et aux rognons

750 g de rumsteck • 4 rognons d'agneau • 2 cuil. à soupe de farine • 1 cuil. à soupe d'huile • 1 oignon moyen, haché • 30 g de beurre • 125 g de petits champignons de Paris, coupés en quatre • 1 cuil. de sauce Worcestershire • 1 cuil. à soupe de concentré de tomates • 125 ml de vin • 250 ml de bouillon de bœuf • ½ cuil. à café de thym séché • ⅓ de tasse de persil haché • sel et poivre noir, fraîchement moulu • 375 g de pâte feuilletée surgelée • 1 œuf, battu

Pour 4 à 6 personnes

DÉGRAISSER et dénerver la viande. La couper en cubes de 2 cm. Ôter la peau des rognons. Les couper en 4, dégraisser et dénerver. Passer la viande et les rognons dans la farine. Faire chauffer l'huile dans une poêle. Ajouter l'oignon, cuire 5 minutes puis enlever avec une écumoire. Faire fondre le beurre et brunir la viande et les rognons par petites quantités, à feu moyen.

PORTER à ébullition l'oignon, la viande et les rognons dans une poêle avec les champignons, la sauce Worcestershire, le concentré de tomates, le vin, le bouillon, le thym et le persil. Cuire à feu moyen, couvrir et laisser mijoter 1 heure, jusqu'à ce que la viande soit tendre, en remuant. Ajouter le sel et le poivre. Laisser refroidir. Étaler la pâte dans la tourtière et placer un coquetier en faïence au milieu. Verser le mélange autour.

PRÉCHAUFFER le four à 210 °C (190 °C au gaz). Étaler la pâte feuilletée sur une surface farinée, 4 cm plus large que le dessus de la tourtière. Badigeonner le tour du plat avec l'œuf. Couper des lamelles de 2 cm de pâte et les poser sur le pourtour de la tourtière. Avec un rouleau à pâtisserie, soulever le reste de la pâte et le poser sur le dessus de la tarte. Enlever le surplus de pâte autour des bords et faire des entailles pour laisser passer la vapeur. Décorer avec le restant de pâte puis badigeonner d'œuf. Cuire au four 35 à 45 minutes, jusqu'à ce que la pâte se soulève et soit dorée. Cuire 10 minutes à 190 °C.

NOTE : la tourte à la viande et aux rognons peut être préparée un jour à l'avance et réfrigérée. La faire cuire juste avant de servir.

Escalopes au parmesan

4 escalopes de veau, très minces • 1 tasse de chapelure • sel et poivre noir, fraîchement moulu • ½ cuil. à café de basilic séché • ¼ de tasse de parmesan frais râpé • farine, pour paner • 1 cuil. à soupe de lait ou de crème fleurette • 125 ml d'huile d'olive • ½ tasse de parmesan frais râpé, en supplément • 100 g de mozzarella coupée en tranches, ou de cheddar râpé • ***Sauce tomate :*** *1 cuil. à soupe d'huile • 1 oignon, finement haché • ½ branche de céleri, finement hachée • 1 carotte, écrasée • 1 cuil. à soupe de concentré de tomates • 1 cuil. à café de basilic séché • 1 cuil. à café de sucre*

Pour 4 personnes

PRÉCHAUFFER le four à 180 °C. Dégraisser et dénerver la viande. Aplatir les escalopes à 5 mm d'épaisseur et entailler les bords. Les essuyer avec un papier absorbant. Mélanger la chapelure, le sel, le poivre, le basilic et le parmesan, et étaler ce mélange sur un papier sulfurisé. Passer les escalopes dans la farine, puis dans un mélange de lait ou de crème et d'œuf, puis rouler dans le mélange de chapelure. Laisser reposer 30 minutes au réfrigérateur pour affermir.

FAIRE CHAUFFER l'huile dans une poêle de taille moyenne, à fond épais. Verser l'oignon, le céleri, la carotte, le poivron et l'ail. Faire cuire à feu doux 10 minutes, en remuant fréquemment. Ajouter les tomates, le concentré de tomates, le basilic et le sucre. Faire cuire pendant 30 minutes, en remuant pour empêcher la sauce d'attacher, puis laisser refroidir.

ÉTALER une couche de sauce tomate dans un plat allant au four. Disposer les escalopes de veau en une seule couche sur la sauce. Verser le reste de la sauce sur la viande. Saupoudrer de parmesan et couvrir avec la mozzarella ou le cheddar. Faire cuire de 20 à 30 minutes pour faire fondre le fromage et le dorer. Servir avec des feuilles de salade. Garnir avec des feuilles de basilic.

NOTE : la sauce peut être préparée 2 jours à l'avance ou congelée pendant un mois. Ce plat peut aussi se préparer quelques heures à l'avance et être réfrigéré. Ajouter le fromage juste avant la cuisson.

Bœuf teriyaki

4 steaks de faux-filet, de 200 g chacun • 60 ml de sauce de soja • 125 ml de sauce teriyaki • 2 cuil. à soupe de xérès ou de mirin (vin de riz japonais) • 2 cuil. à soupe de miel • 1 à 2 gousses d'ail • 2 cuil. à soupe de gingembre râpé • 4 oignons nouveaux, finement hachés, pour garnir

Pour 4 personnes

DÉGRAISSER et dénerver la viande. Mélanger le soja, le teriyaki, le xérès, le miel, l'ail et le gingembre dans un plat en verre. Ajouter la viande. Couvrir, réfrigérer et laisser mariner deux heures ou toute la nuit. Égoutter et conserver la marinade.
METTRE les steaks au gril sur une plaque huilée, ou dans une poêle à fond épais. Saisir à feu vif 2 minutes de chaque côté. Pour des steaks saignants, faire cuire 1 minute de plus. Pour des steaks à point, continuer la cuisson à feu moyen 2 à 3 minutes de chaque côté et de 4 à 6 minutes pour des steaks bien cuits. Badigeonner de marinade pendant les dernières minutes de cuisson.
SERVIR arrosé d'une cuillerée à café de marinade chaude. Garnir avec les oignons.
NOTE : réchauffer légèrement la marinade avant de la verser sur les steaks. Ils auront plus de goût si on les laisse mariner plus longtemps. Les faire cuire juste avant de servir. Le mirin est un vin de riz japonais. Utiliser des noix d'entrecôte, des T-bones ou du filet, au choix.

Carpaccio au parmesan

400 g de filet de bœuf en un seul morceau • 2 cuil. à soupe de jus de citron • sel et poivre noir, fraîchement moulu • 60 ml d'huile d'olive vierge • 1 œuf dur, passé au tamis • ½ branche de céleri, coupée en julienne • 50 g de parmesan, finement râpé
Pour 2 à 4 personnes

Mettre la viande au congélateur deux heures pour l'affermir, sans la congeler. Couper le filet en tranches très fines.
Disposer les tranches sur une assiette, en fines couches. Arroser de citron, de sel, de poivre et d'huile. Émietter le jaune d'œuf et disposer le céleri et le parmesan sur la viande. Servir aussitôt, garni de feuilles de pissenlit.
Note : la viande doit être très fraîche et de la meilleure qualité (voir technique, page 127).

Veau cordon bleu

8 escalopes de veau • 4 tranches fines de jambon fumé ou de prosciutto • 4 tranches fines de gruyère ou d'emmental • farine pour paner • sel et poivre fraîchement moulu • 2 œufs, légèrement battus • 2 tasses de chapelure • 30 g de beurre • 60 ml d'huile d'olive
Pour 4 personnes

DÉGRAISSER et dénerver la viande. Aplatir les escalopes à 5 mm d'épaisseur. Elles doivent être de taille égale. Disposer une tranche de jambon ou de prosciutto et une tranche de fromage sur quatre tranches de viande. Les recouvrir avec les quatre autres. Mélanger la farine, le sel, le poivre, et en recouvrir la viande, puis la plonger dans l'œuf et dans la chapelure. Appuyer fortement, couvrir et réfrigérer au moins 30 minutes
FAIRE CHAUFFER le beurre et l'huile dans une grande poêle à fond épais. Faire cuire les escalopes 3 à 4 minutes à feu moyen. Les retourner avec soin et faire dorer 3 à 4 minutes de plus. Égoutter sur un papier absorbant. Servir avec des pois gourmands sautés, des tranches fines d'oignon rouge et des moitiés de tomates cerises. Saupoudrer de poivre noir, grossièrement moulu. Garnir de feuilles de menthe.
NOTE : les escalopes doivent être préparées quelques heures à l'avance et placées au réfrigérateur. Les faire cuire juste avant de servir. On peut utiliser une biscotte émiettée à la place de la chapelure.

Steak et oignons braisés

750 g de rond de gîte de bœuf d'un seul morceau • 60 ml d'huile • 4 oignons, coupés en tranches fines • 2 cuil. à soupe de cassonade • 2 cuil. à soupe de farine • 375 ml de bière • 2 feuilles de laurier • 1 cuil. à soupe d'origan fraîchement haché • 2 cuil. à soupe de concentré de tomates

Pour 4 personnes

DÉGRAISSER et dénerver la viande. La couper en 8 steaks. Les aplatir avec un maillet à viande pour obtenir 1 cm d'épaisseur. Les essuyer avec un papier absorbant. Faire chauffer l'huile dans une poêle à fond épais. Faire cuire l'oignon à feu doux en remuant régulièrement, pendant 30 minutes, jusqu'à ce qu'il ramollisse. Enlever l'oignon de la poêle, égoutter et conserver l'huile en la filtrant.

FAIRE CHAUFFER l'huile à nouveau et en ajouter afin d'en obtenir une cuillerée à soupe. Faire saisir la viande à feu moyen et laisser dorer 1 minute de chaque côté. Enlever les steaks de la poêle et les disposer dans une autre poêle de taille moyenne.

RÉDUIRE la température, remettre l'oignon dans la poêle, ajouter le sucre et la farine, remuer 2 minutes. Ajouter la bière, remuer jusqu'à ce que le mélange soit onctueux. Faire bouillir 2 à 3 minutes. Ajouter les feuilles de laurier, l'origan et le concentré de tomates. Verser la sauce sur les steaks pour les recouvrir. Laisser mijoter à couvert 1 heure 15 minutes, en remuant de temps en temps. Disposer sur un plat et garnir de feuilles d'origan.

NOTE : ce plat est bien meilleur lorsqu'il est préparé la veille et réfrigéré. Faire réchauffer à basse température pour faire mijoter. Si la sauce réduit trop, ajouter un peu de bouillon ou d'eau.

Veau au marsala

4 fines escalopes de veau • 2 cuil. à soupe de farine • sel et poivre noir, fraîchement moulu • 60 g de beurre • 85 ml de marsala • 125 ml de bouillon de poulet • 30 g de beurre
Pour 4 personnes

DÉGRAISSER et dénerver la viande. Aplatir les escalopes à 5 mm d'épaisseur. Les essuyer. Entailler les bords pour les empêcher de rouler. Passer les tranches dans la farine assaisonnée de sel et de poivre. Chauffer le beurre dans une poêle et cuire les escalopes à feu moyen 1 minute de chaque côté, en les retournant une fois. Enlever de la poêle.
VERSER le marsala et le bouillon dans la poêle. Faire bouillir 3 minutes sans couvrir, en remuant constamment. Ajouter la viande et cuire à feu doux, couvrir et laisser mijoter 10 minutes. Arroser de temps en temps. Disposer les escalopes sur un plat. Faire bouillir la sauce rapidement, 2 ou 3 minutes. Ajouter 30 g de beurre, et en arroser les tranches de veau. Servir avec des pâtes et de la salade. Garnir d'estragon.
NOTE : le marsala est un vin fortifiant.

Bœuf Stroganov

750 g de rumsteck • 2 cuil. à soupe de farine • ¼ de cuil. à café de poivre noir moulu • 1 cuil. à café de paprika • 50 g de beurre • 2 cuil. à soupe d'huile • 1 gros oignon, coupé en tranches • 250 g de petits champignons de Paris, coupés en quatre • 2 cuil. à soupe de concentré de tomates • 60 ml de vin blanc • 125 ml de bouillon de bœuf • ¾ de tasse de crème fraîche • 2 cuil. à soupe de persil, finement haché

Pour 2 à 4 personnes

DÉGRAISSER et dénerver la viande. La couper en tranches fines. Mélanger la farine, le poivre et le paprika sur une feuille de papier sulfurisé. Retourner la viande dedans. Chauffer la moitié du beurre et l'huile dans une poêle. Cuire la viande en 2 ou 3 fois à feu vif. Enlever de la poêle.

FAIRE FONDRE le reste du beurre. Ajouter l'oignon et cuire à feu moyen 3 minutes. Ajouter les champignons, remuer à feu moyen 5 minutes. Ajouter le concentré de tomates, la moutarde, le vin blanc et le bouillon de bœuf. Faire bouillir et cuire à feu moyen. Laisser mijoter 5 minutes, sans couvercle, en remuant de temps en temps. Réchauffer la viande 2 à 3 minutes. Ajouter la crème fraîche, remuer et faire chauffer, sans bouillir. Saupoudrer de persil et servir avec des feuilles de salade et des fettucine ou des tagliatelle. Ajoutez des graines de pavot et garnir avec de la ciboulette.

NOTE : préparer quelques heures à l'avance, sans ajouter la crème ni le persil. Couvrir et réfrigérer. Réchauffer et ajouter les ingrédients en dernier. Le steak est plus facile à couper lorsqu'il est un peu congelé. L'envelopper dans du film alimentaire et laisser au congélateur 30 minutes. Ôter le film et couper la viande en fines tranches.

Saltimbocca a la romana (escalopes de veau au prosciutto)

4 escalopes de veau • 2 gousses d'ail, écrasées • ¼ de cuil. à café de sel • ½ cuil. à café de poivre noir, fraîchement moulu • 4 feuilles de sauge • 4 tranches de prosciutto • 30 g de beurre • 170 ml de marsala

Pour 4 personnes

DÉGRAISSER et dénerver la viande. Aplatir les escalopes à 5 mm d'épaisseur. Entailler les bords. Essuyer la viande. Frotter un côté des escalopes avec un mélange d'ail, de sel et de poivre. Mettre du prosciutto sur chaque tranche et poser une feuille de sauge. (Le prosciutto doit couvrir les escalopes sans déborder).

FAIRE CHAUFFER le beurre dans une poêle. Cuire la viande à feu moyen 5 minutes, jusqu'à ce que le dessous soit brun doré. Ne pas la retourner.

AJOUTER le marsala, sans mouiller le dessus des tranches. Réduire la température. Faire mijoter 20 minutes. Ôter du feu et servir. Faire bouillir la sauce 2 à 3 minutes, jusqu'à ce qu'elle soit sirupeuse, en arroser les escalopes. Servir avec des spaghetti aux épinards et des tranches de citron. Garnir de sauge.

NOTE : cuire ce plat juste avant de servir. Le marsala est un vin fortifiant. On peut aussi utiliser du xérès.

Bœuf sauté à la crème et aux champignons

4 steaks de bœuf dans le filet de 200 g chacun • 1 cuil. à soupe d'huile • 30 g de beurre • 200 g de petits champignons de Paris, coupés en tranches fines • 2 oignons nouveaux, finement hachés • 1 gousse d'ail, écrasée • 60 ml de xérès • 170 ml de bouillon de bœuf • 2 cuil. à café de Maïzena • 125 ml de crème fleurette • sel et poivre noir fraîchement moulu

Pour 4 personnes

DÉGRAISSER et dénerver la viande. Faire chauffer l'huile dans une poêle à fond épais. Faire cuire les steaks une minute de chaque côté. Pour des steaks saignants ajouter 1 minute de plus. Pour des steaks à point, continuer à feu moyen 2 à 3 minutes de chaque côté et de 4 à 6 minutes pour des steaks bien cuits. Enlever de la poêle, égoutter sur un papier absorbant. Couvrir d'aluminium et garder au chaud.

FAIRE CHAUFFER le beurre dans une poêle. Ajouter les champignons, les oignons et l'ail. Faire bouillir, sans couvrir, 4 minutes ou jusqu'à ce que la sauce épaississe légèrement, en remuant constamment. Ajouter la crème, le sel et le poivre. Faire chauffer sans bouillir. Verser la sauce sur les steaks. Servir avec des haricots sautés et des tomates cerises saupoudrées de paprika, des fleurs comestibles et des feuilles de laitue au choix. Garnir de basilic.

NOTE : préparer ce plat juste avant de le servir.

TOURNEDOS ET CHATEAUBRIAND

Les tournedos sont des tranches de filet de bœuf très épaisses, servis habituellement sur des tranches de pain toastées ou sur un lit de champignons. Ils peuvent aussi être servis sur des tranches d'aubergines, et sont souvent arrosés de sauces crémeuses et assortis de garnitures de toutes sortes. Il existe de nombreuses sauces pour les tournedos, souvent plus simples à préparer qu'elles ne le paraissent. Bien que les tournedos demandent un peu plus de temps de préparation que la plupart des steaks, ils sont très appréciés. Les proportions données dans ces recettes sont prévues pour quatre personnes.

Tournedos chasseur (à droite), tournedos Henri IV (à droite).

Tournedos

Essuyer les quatre tournedos avec un papier absorbant, chacun de 3 cm d'épaisseur. Assaisonner de poivre noir fraîchement moulu. Faire chauffer 30 g de beurre et 1 gousse d'ail dans une petite casserole. Couper 4 tranches de pain de 2 cm d'épaisseur, de la même taille que les tournedos. Brosser légèrement les deux côtés du pain avec le mélange de beurre et d'ail. Les disposer sur une plaque et cuire au four à 180 °C pendant 20 minutes, pour dorer le pain.

Faire chauffer 30 g de beurre et 1 cuillerée à soupe d'huile dans une poêle à fond épais. Ajouter les tournedos et les saisir à feu vif pendant 2 minutes. Pour des tournedos saignants, faire cuire 1 minute de plus de chaque côté. Pour des tournedos à point, continuer la cuisson à feu moyen pendant 2 à 3 minutes et de 4 à 6 minutes pour des tournedos bien cuits. Couvrir et garder au chaud pendant que l'on prépare la sauce.

Tournedos chasseur (aux champignons et au madère)

FAIRE FONDRE 50 g de beurre dans une poêle à fond épais. Ajouter 4 oignons nouveaux finement hachés. Faire cuire 2 minutes. Ajouter 200 g de petits champignons coupés en deux et cuire 5 minutes. Assaisonner de sel et de poivre et mettre de côté. Disposer les steaks sur le pain toasté.
AJOUTER 170 ml de bouillon de bœuf et 2 cuillerées de concentré de tomates à la sauce de la viande, puis faire bouillir rapidement jusqu'à obtenir 85 ml de sauce. Ajouter 60 ml de madère ou de vin blanc mélangé à 3 cuillerées à café de Maïzena. Faire bouillir en remuant jusqu'à ce que la sauce épaississe, ajouter les champignons et 2 cuillerées à soupe de persil haché. Verser sur les steaks et servir avec des pâtissons à la vapeur et des pommes dauphine selon votre goût. Garnir de coriandre.

Tournedos Henri IV (avec des cœurs d'artichauts et une sauce béarnaise)

POSER les steaks sur des rondelles de pain. Garder au chaud. Ajouter à la sauce de la viande 85 ml de madère ou de vin blanc, et 85 ml de bouillon de bœuf. Faire bouillir rapidement en remuant, jusqu'à ce que la sauce réduise à 60 ml. Verser sur les steaks et servir avec des cœurs d'artichauts réchauffés, de la sauce béarnaise et des petits pâtissons sautés. Assaisonner de thym et de basilic selon votre goût.
POUR PRÉPARER les artichauts, égoutter 400 g de cœurs d'artichauts en boîte, les réchauffer dans 30 g de beurre en remuant bien. Arroser de sauce béarnaise.
NOTE : pour faire la sauce béarnaise, vous reporter à la recette de la page 142.

Tournedos à la provençale (en haut), tournedos Rossini (ci-dessus), tournedos aux champignons à la sauce bordelaise (en haut, à droite) et chateaubriand.

Tournedos à la provençale (aubergines et coulis de tomates)

POUR PRÉPARER le coulis de tomates, cuire 5 minutes un oignon finement haché dans une cuillerée à soupe d'huile d'olive. Ajouter une boîte de 425 g de tomates concassées, ½ cuillerée à café de sucre, du basilic séché, du thym et de la coriandre. Ajouter une pincée de sel et du poivre noir moulu, 1 feuille de laurier et 2 cm de zeste d'orange. Laisser mijoter sans couvrir, 30 minutes. Enlever le laurier et l'orange. Mixer et laisser refroidir.

POUR PRÉPARER les aubergines, les couper dans la longueur. Chauffer 30 g de beurre et 1 cuillerée à soupe d'huile d'olive dans une poêle. Ajouter 1 gousse d'ail et cuire l'aubergine 5 à 6 minutes en retournant souvent pour qu'elle ramollisse. Égoutter.

POSER les steaks sur les aubergines. Arroser de coulis de tomates chaud et servir avec du riz et des poivrons jaunes coupés finement, selon votre goût. Garnir de basilic frais.

Tournedos Rossini (cœurs d'artichauts, pâté et sauce madère)

ÉGOUTTER une boîte de 400 g de cœurs d'artichauts. Les couper en deux. Faire fondre 30 g de beurre 2 à 3 minutes en remuant. Couvrir et garder au chaud. Couper 4 tranches de pâté de 2 cm d'épaisseur, puis les poser sur les steaks cuits. Couper et garder au chaud. Ajouter 170 ml de bouillon de bœuf à la sauce de la viande. Faire bouillir pour la réduire de moitié. Ajouter 1 cuillerée à café de Maïzena et 1 cuillerée à soupe de madère ou de xérès. Remuer jusqu'à ce que la sauce épaississe. Ajouter 2 cuillerées à soupe de crème et verser sur les steaks. Garnir de cresson. Servir avec les cœurs d'artichauts et des pommes noisettes.

Tournedos aux champignons et à la sauce bordelaise

POUR PRÉPARER LA SAUCE BORDELAISE, mélanger 250 ml de bouillon de bœuf, 250 ml d'eau, 125 ml de vin rouge, 1 cuillerée à soupe de concentré de tomates, 2 oignons nouveaux hachés, 1 feuille de laurier et 1 brin de persil dans une casserole. Faire bouillir puis laisser mijoter jusqu'à ce que la sauce réduise à 180 ml et filtrer.
POUR PRÉPARER les champignons, faire fondre 30 g de beurre dans une poêle. Ajouter 4 gros champignons, cuire 2 à 4 minutes et ôter de la poêle. Ajouter le jus à la sauce.
FAIRE CUIRE les steaks et les poser sur les champignons. Ajouter 2 cuillerées à café de farine au jus de viande, remuer 1 minute. Ajouter à la sauce bordelaise, faire bouillir en remuant constamment. Ajouter 30 g de beurre par petits morceaux. Servir avec des haricots verts et des pâtissons. Garnir avec du thym.

Chateaubriand

DÉGRAISSER et dénerver un morceau de 500 g de noix d'entrecôte. Essuyer avec un papier absorbant, attacher avec une ficelle pour garder la forme du morceau de viande et couvrir légèrement de poivre noir fraîchement moulu. Faire fondre 60 g de beurre dans une poêle à fond épais. Ajouter la viande et faire brunir sur tous les côtés pendant 2 à 3 minutes. Continuer la cuisson à feu moyen 20 à 25 minutes. Retourner fréquemment. La viande doit être brune à l'extérieur et saignante au centre. Enlever de la poêle, couvrir et garder chaud pendant la préparation de la sauce.
POUR PRÉPARER LA SAUCE, ajouter 250 ml de vin blanc au jus de viande, faire bouillir et réduire la sauce à 85 ml. Faire fondre 15 g de beurre dans une petite poêle, ajouter 6 oignons nouveaux finement hachés et cuire 2 à 3 minutes. Enlever du feu. Ajouter 15 g de beurre et 1 cuillerée à café d'estragon et de persil.
POUR SERVIR, couper le filet en grosses tranches. Ajouter la sauce, des pommes de terre épicées, des asperges et du cresson.

Médaillons de porc aux mandarines

4 médaillons de porc de 125 g chacun • sel et poivre noir fraîchement moulu • 45 g de beurre doux • 1 cuil. à soupe d'huile d'olive • 2 gousses d'ail, finement hachées • 1 cuil. à soupe de romarin frais haché • ½ cuil. à café de cannelle • 1 pincée de clous de girofle en poudre • 2 cuil. à soupe de cassonade • 1 cuil. à café de zeste d'orange râpé • 180 ml de marsala • 60 g de canneberges, surgelées ou fraîches • ½ tasse de mandarines en boîte, égouttées
Pour 2 à 4 personnes

ASSAISONNER les médaillons. Chauffer 30 g de beurre et l'huile dans une poêle, à feu moyen. Cuire les steaks 3 à 4 minutes de chaque côté, jusqu'à ce qu'ils soient légèrement cuits. Enlever de la poêle et garder au chaud.

ESSUYER la poêle et chauffer le reste du beurre. Ajouter l'ail, le romarin, la cannelle, les clous de girofle, le sucre et le zeste d'orange. Remuer. Ajouter le marsala puis faire bouillir pour que la sauce épaississe. Ajouter les canneberges et les mandarines. Cuire 1 minute. Verser la sauce et garnir avec le romarin.

Médaillons de porc aux mandarines (en haut, à gauche), filet mignon aux trois poivres (à gauche), Teppan Yaki (à droite).

Filet mignon aux trois poivres

2 cuil. à soupe de poivre rose en grains • 2 cuil. à soupe de poivre vert en grains • 3 cuil. à soupe de poivre noir en grains • 2 cuil. à soupe de gros sel • 2 cuil. à soupe d'huile d'olive • 4 steaks de filet mignon, de 250 g chacun, dégraissés • 6 gousses d'ail, écrasées • 2 cuil. à soupe de brandy • 1 tasse de crème fraîche épaisse
Pour 4 personnes

ÉCRASER le poivre dans un mortier. Mélanger le sel et l'huile d'olive. Badigeonner la viande de ce mélange en appuyant fermement. Faire chauffer une poêle antiadhésive à fond épais et cuire les steaks 2 à 3 minutes. Retourner avec précaution et faire cuire l'autre côté. Les steaks doivent être à point. Disposer sur une grande assiette et garder au chaud pendant la préparation de la sauce.
ESSUYER la poêle et faire chauffer. Ajouter l'ail et le brandy et couvrir en faisant chauffer à feu vif pendant 1 minute. Verser la crème et continuer la cuisson à feu moyen en remuant constamment, jusqu'à ce que la sauce épaississe, pendant 3 ou 4 minutes. Verser la sauce en filet sur les steaks. Servir avec du mesclun, selon votre goût.

Teppan Yaki

500 g de filet de bœuf, dégraissé • 2 oignons rouges moyens • 1 cuil. à soupe d'huile végétale • 2 tasses de pousses de soja • poivre noir, fraîchement moulu • **Accompagnement :** *¼ de tasse d'oignons nouveaux, hachés • 1 tasse de radis blancs, râpés • 85 ml de sauce de soja • poivre noir, grossièrement moulu*
Pour 2 à 4 personnes

COUPER la viande en fines lamelles. Couper les oignons en quatre, puis en tranches. Faire chauffer quelques gouttes d'huile dans un wok ou une poêle. Cuire le bœuf, l'oignon et les pousses de soja en remuant jusqu'à ce qu'ils soient cuits, ou jusqu'à ce que la viande change de couleur et que l'oignon devienne transparent. Ajouter beaucoup de poivre pendant la cuisson.
SERVIR le steak, les oignons et les radis sur une assiette, et les pousses de soja, l'oignon et le poivre noir dans des bols séparés.

Faux-filet au cumin et au gros sel

1 cuil. à soupe de graines de cumin • 2 cuil. à soupe de poivre noir en grains • 1 cuil. à soupe de cumin en poudre • 4 gousses d'ail, écrasées • 2 cuil. à soupe d'huile d'olive • 2 cuil. à soupe de gros sel • 1 kg de faux-filet, sans os • ***Légumes :*** *2 poivrons jaunes • 4 aubergines, coupées en long • 8 petites betteraves avec leurs fanes de 4 cm • huile d'olive • gros sel • poivre noir en grains, écrasé*

Pour 4 à 6 personnes

MOUDRE les graines de cumin et le poivre grossièrement. Ajouter la poudre de cumin, l'ail, l'huile et le sel. Faire une pâte et l'étaler sur la viande. Mettre la viande sur une plaque huilée ou dans un plat allant au four. Faire rôtir à feu moyen (180 °C) 35 à 45 minutes. Laisser reposer 10 minutes et la couper en tranches.

COUPER les poivrons dans la longueur, épépiner et ôter la membrane. Les disposer dans un plat allant au four, couper les aubergines en diagonales et les poser sur le plat avec les betteraves. Badigeonner d'huile et faire rôtir 30 à 40 minutes.

ENLEVER le poivron lorsque la peau est boursouflée et noircie. Le couper en larges lamelles. Enlever les betteraves quand elles sont tendres et les peler. Retourner souvent les aubergines, jusqu'à ce qu'elles brunissent. Saupoudrer les légumes de gros sel et de poivre avant de servir. Garnir de fanes de betteraves.

Faux-filet au cumin et au gros sel (ci-dessous), steak Fajitas (à droite), escalope de veau, sauce teriyaki (en haut, à droite).

Steak Fajitas

500 g de rumsteck maigre • jus de 2 oranges • jus de 2 citrons verts • 60 ml d'huile d'olive • 1 cuil. ½ à café de poivre Sichuan moulu • ½ cuil. à café de poivre noir moulu • 2 gousses d'ail, écrasées • 1 cuil. à café de gingembre râpé • 2 oignons nouveaux, hachés • 1 cuil. à soupe de coriandre moulue • 1 cuil. à café de gros sel • 60 ml de sauce teriyaki • ½ cuil. à café de graines de cumin, légèrement grillées à sec dans une poêle • ½ cuil. à café de flocons de piments séchés • 2 petits piments rouges, épépinés et coupés en lamelles • 1 poivron rouge moyen, épépiné et coupé en lamelles • 1 poivron jaune, épépiné et coupé en lamelles • 1 oignon rouge, coupé en tranches • 4 tortillas • 250 g de guacamole

Pour 2 à 4 personnes

COUPER la viande en fines tranches. Mélanger les jus, l'huile, le poivre Sichuan et le poivre noir, l'ail, le gingembre, les oignons nouveaux, la coriandre, le sel, la sauce, les graines de cumin et les flocons de piment dans un grand bol. Battre pour bien mélanger. Placer les lamelles de viande pour la marinade, mélanger et couvrir. Laisser au réfrigérateur une heure ½.

AJOUTER piment, poivrons et oignon à la marinade. Remuer. Couvrir et réfrigérer 30 minutes. Égoutter la viande et les légumes et cuire 2 à 3 minutes dans un wok ou une poêle. Faire chauffer les tortillas 5 à 6 minutes au four (150 °C). Y poser les lamelles de bœuf, les légumes et le guacamole, et rouler celles-ci.

Escalopes de veau, sauce teriyaki

500 g de noix de veau • 60 ml de sauce de soja • 2 cuil. à soupe de mirin (vin de riz japonais) ou de xérès • 1 cuil. à café de gingembre, fraîchement haché • 3 gousses d'ail, écrasées • 1 cuil. à café de cassonade • 2 cuil. à soupe d'huile de sésame • 375 ml de bouillon de poulet • 1 oignon nouveau, finement haché
Pour 2 à 4 personnes

COUPER le veau en 4 escalopes. Les poser dans un plat. Battre la sauce de soja, le mirin ou le xérès, le gingembre, l'ail et le sucre. Verser sur les steaks et bien les enrober. Couvrir et laisser mariner au réfrigérateur 2 à 3 heures, en les retournant de temps en temps.
ENLEVER la viande de la marinade. Réserver la marinade. Badigeonner les escalopes d'huile. Les faire griller sur une plaque, à feu vif, 3 à 4 minutes de chaque côté.
VERSER la marinade dans une casserole, ajouter le bouillon. Faire bouillir et laisser mijoter 3 à 4 minutes. Verser sur les escalopes. Garnir avec des oignons nouveaux et servir avec du riz au jasmin et des champignons sautés.

Veau à la vinaigrette de framboises

650 g de noix de veau • 2 cuil. à soupe d'huile d'olive • 150 g de tomates séchées au soleil, coupées en lamelles • 200 g de framboises • 125 ml d'huile d'olive • 125 ml de vinaigre de framboises • poivre noir, fraîchement moulu • cresson, pour garnir

Pour 2 à 4 personnes

PRÉCHAUFFER le four à 210 °C (190 °C au gaz). Badigeonner la viande avec de l'huile d'olive et faire rôtir 1 heure 10 minutes. La viande doit être légèrement rosée au centre. Sortir du four, couvrir et laisser refroidir. Couper en tranches fines.

DISPOSER les tranches de veau sur des assiettes. Poser les lamelles de tomates et les framboises sur la viande. Battre l'huile d'olive et le vinaigre de framboises et verser sur la viande en filet. Assaisonner de poivre et servir. Garnir de cresson.

Salade d'agneau au pistou

*2 cuil. à soupe d'huile • 350 g de rôti d'agneau • 200 g de poivrons séchés, coupés en lamelles • 4 cœurs d'artichauts marinés, égouttés et coupés en deux • ¼ de tasse d'olives noires • 1 bouquet de salade mizuna, lavé et séché • ½ tasse de fines lamelles de parmesan • poivre, fraîchement écrasé • **Pistou :** 1 tasse de feuilles de basilic frais • 3 gousses d'ail, écrasées • 2 cuil. à soupe de pignons • ¼ de tasse de parmesan râpé • 170 ml d'huile d'olive*
Pour 2 personnes

BADIGEONNER le gril ou le barbecue d'huile. Y faire cuire la viande. Elle doit être saignante à l'intérieur et brune à l'extérieur. Sortir du gril et laisser refroidir.
DÉGRAISSER la viande et la couper en fines tranches. Servir sur des assiettes avec les poivrons séchés, les artichauts, les olives, la salade et les lamelles de parmesan. Assaisonner de poivre écrasé. Servir avec le pistou.
POUR L'ASSAISONNEMENT, mixer le basilic, les pignons et le fromage dans 60 ml d'huile d'olive pour obtenir un mélange onctueux. Ajouter le reste d'huile en filet, en continuant à mixer.
NOTE : vous pouvez remplacer la mizuna par une endive ou une salade feuilles de chêne.

Agneau à l'houmous et au couscous

12 côtes d'agneau • 2 cuil. à café de menthe séchée • poivre de Cayenne • 2 cuil. à soupe d'huile d'olive • **Houmous :** *425 g de pois chiches, rincés et égouttés • ¼ de tasse de tahini • 85 ml de jus de citron vert • 2 gousses d'ail, écrasées • 60 à 85 ml d'eau • paprika •* **Couscous :** *1 tasse ½ de semoule • 300 ml d'eau bouillante • 30 g de beurre • 1 petit poivron rouge, finement haché • 2 cuil. à soupe de persil finement haché*

Pour 6 personnes

PARER la viande et l'assaisonner de menthe et de Cayenne. Faire chauffer l'huile à feu moyen dans une poêle. Faire frire l'agneau en tournant fréquemment 4 à 5 minutes. Servir avec l'houmous et le couscous. Garnir de feuilles de menthe.

POUR PRÉPARER L'HOUMOUS, mixer les pois chiches, le tahini, le citron vert et l'ail pour obtenir un mélange onctueux, puis ajouter de l'eau.

POUR LE COUSCOUS, mettre la semoule dans un bol, ajouter de l'eau bouillante et laisser reposer 2 minutes. Faire chauffer le beurre dans une poêle à feu moyen. Faire frire le poivron 1 minute. Ajouter le couscous et le persil et mélanger.

Carpaccio thaï à la sauce à l'orange et au citron vert

350 g de filet de bœuf • zeste de 2 citrons, coupés en longues lamelles fines • feuilles de coriandre fraîche, pour la garniture • 1 piment vert, grillé, pelé, épépiné et coupé en lamelles • ***Sauce à l'orange et au citron vert :*** *60 ml de jus d'orange pressée • 60 ml de jus de citron vert • 60 ml de sauce de nuoc-mâm • 1 cuil. à café de flocons de piment séché • 2 gousses d'ail, hachées • 1 cuil. à café de concentré de tomates • 1 cuil. à soupe d'huile d'olive • 1 pincée de poivre de Cayenne • 1 pincée de sel*

Pour 2 à 4 personnes

CONGELER la viande pendant au moins 2 heures. La couper en tranches fines, en travers des fibres. Disposer les tranches entre deux feuilles de papier sulfurisé pour les garder séparées pendant que l'on prépare la sauce.

POUR PRÉPARER LA SAUCE, mélanger le jus d'orange, le jus de citron, le nuoc-mâm, le piment, l'ail, le concentré de tomates, l'huile, le poivre de Cayenne et le sel dans un mixeur.

DISPOSER une fine couche de bœuf sur des assiettes. Verser la sauce en filet sur la viande et garnir avec le zeste de citron, la coriandre et le piment en lamelles. Servir avec des tranches de pain, selon votre goût.

Salade thaï à la viande de bœuf au gingembre (servie chaude)

350 g de filet de bœuf, coupé en tranches de 1 cm • 2 gousses d'ail, coupées en tranches • 1 morceau de gingembre de 3 cm, coupés en lamelles • 1 brin de citronnelle, hachée • 4 petits piments rouges, épépinés et coupés en lamelles • 2 cuil. à soupe de nuoc-mâm • 2 cuil. à soupe de sauce de soja • 2 cuil. à café de sucre • 2 cuil. à soupe d'huile d'arachide • 1 cœur de laitue • 1 petit oignon rouge, coupé en tranches • ¼ de tasse de coriandre fraîche • ¼ de tasse de feuilles de menthe fraîche • ¼ de tasse de cacahuètes grillées et hachées • ***Assaisonnement :*** *60 ml de jus de citron vert • 60 ml d'huile d'arachide • 2 cuil. à soupe de sauce tamarin • 1 cuil. à café de racines de coriandre hachées*
Pour 2 à 4 personnes

DISPOSER la viande dans un bol avec ail, gingembre, citron, citronnelle et piments. Battre nuoc-mâm, sauce de soja et sucre et verser sur la viande. Réfrigérer 1 à 2 heures.
FAIRE CHAUFFER l'huile d'arachide dans un wok. Faire cuire la viande à feu moyen de 2 à 4 minutes. Enlever de la poêle et laisser refroidir.
POUR PRÉPARER L'ASSAISONNEMENT, battre le jus de citron vert avec un filet d'huile. Ajouter la sauce de tamarin et la racine de coriandre.
COUPER la viande en fines tranches et ajouter l'assaisonnement. Bien mélanger et disposer sur la laitue avec l'oignon, la coriandre et la menthe. Ajouter les cacahuètes.

Salade de porc et de haricots noirs

Assaisonnement au piment et au gingembre : *125 ml d'huile d'arachide • 4 piments rouges séchés, écrasés • 1 morceau de 2 cm de gingembre frais, coupé finement • 2 gousses d'ail, coupées en tranches fines • 2 cuil. à soupe d'huile de sésame • 2 cuil. à soupe de sauce de soja • 2 cuil. à soupe d'huile d'arachide •* ***Salade :*** *500 g de filet de porc, coupé en tranches de 2 cm d'épaisseur • 2 cuil. à soupe de haricots noirs en conserve • 60 ml de xérès • 1 petit poivron rouge, épépiné et coupé en petites lamelles • 1 tasse de petites feuilles d'épinards*

Pour 2 à 4 personnes

POUR PRÉPARER L'ASSAISONNEMENT, chauffer de l'huile dans une casserole. Cuire les piments, le gingembre et l'ail à feu moyen, en remuant pendant 2 minutes, jusqu'à ce que le mélange commence à frire. Ajouter l'huile de sésame et la sauce de soja. Continuer la cuisson 2 minutes. Laisser tiédir. Égoutter et verser dans un bol.

FAIRE CHAUFFER le reste d'huile. Cuire le porc 3 minutes de chaque côté. Ajouter les haricots noirs, le xérès et le poivron, remuer. Disposer sur une assiette avec les épinards. Ajouter un filet d'assaisonnement et servir.

Chaussons d'agneau à la thaï

Pâte épicée : *2 cuil. à soupe d'huile d'arachide • 4 petits piments rouges, épépinés et finement hachés • 1 branche de citronnelle • 2 oignons nouveaux, finement hachés • 2 gousses d'ail, hachées • 1 morceau de gingembre frais de 2 cm, râpé • 1 cuil. à soupe de racines de coriandre, finement hachées • 4 feuilles de citron kaffir, hachées • 4 côtes d'agneau, sans os, de 200 g chacune • 4 feuilles de riz • 2 cuil. à soupe d'huile végétale • 1 cuil. à soupe d'huile de sésame • 6 à 8 feuilles d'épinard, lavées et séchées • ½ tasse de feuilles de basilic rouge frais • ¼ de tasse de feuilles de coriandre fraîche •* ***Sauce au gingembre :*** *85 ml de nuoc-mâm • ¼ de tasse de sucre de palme ou de cassonade • 1 morceau de 4 cm de gingembre frais, épluché et coupé en tranches fines • 2 cuil. à café de sauce hoisin*

Pour 4 personnes

POUR PRÉPARER LA PÂTE, chauffer l'huile dans un grand wok. Cuire piments, citronnelle, oignon nouveau, ail, gingembre et racine de coriandre à feu doux 1 à 2 minutes. Ajouter les feuilles de citron kaffir et ôter du feu. Laisser refroidir 5 minutes. Mixer. Dégraisser la viande, recouvrir de la pâte et laisser au réfrigérateur 1 à 2 heures.

ÉTENDRE les feuilles de riz, badigeonner d'huile. Poser la viande au centre et disposer dessus 3 ou 4 feuilles d'épinard en coupant ce qui dépasse. Former un paquet, en repliant les feuilles de riz et en fermant avec un pinceau huilé. Badigeonner avec de l'huile de sésame, les poser sur une plaque et faire cuire au four préchauffé à 180 °C pendant 10 à 12 minutes. Sortir du four et laisser refroidir.

POUR PRÉPARER LA SAUCE, faire chauffer le nuoc-mâm et la cassonade ou le sucre de palme à feu doux, jusqu'à ce que le sucre fonde. Ajouter le gingembre ou la sauce hoisin. Laisser mijoter 10 à 15 minutes. Ne pas faire réduire la sauce. Disposer les paquets sur des assiettes. Arroser de sauce, saupoudrer de coriandre et de basilic. Servir avec des nouilles de riz ou des petits haricots mung, au choix.

NOTE : les feuilles de citron kaffir sont en vente dans les boutiques asiatiques.

Salade aux bocconcini et à la noix d'entrecôte

350 g de noix d'entrecôte • 2 cuil. à café de poivre concassé • 1 cuil. à soupe d'huile d'olive • 2 poivrons rouges moyens • 250 g de bocconcini, coupés en tranches • salade de mâche, lavée • ***Vinaigrette :*** *60 ml de jus d'orange • 1 cuil. à café de stigmates de safran • ¼ de tasse de grains de poivre rose • 125 ml d'huile de noix • 1 gousse d'ail, écrasée • 2 cuil. à soupe de vinaigre de vin blanc • sel et poivre noir fraîchement moulu*

Pour 2 à 4 personnes

ASSAISONNER les deux côtés de la viande de poivre. Faire chauffer l'huile dans une poêle. Saisir la viande à feu vif 1 minute de chaque côté. Cuire 2 à 3 minutes de chaque côté pour une viande saignante, 4 minutes de plus pour une viande à point. Couvrir et laisser refroidir. La couper en tranches.

COUPER les poivrons en quatre, épépiner et enlever la membrane. Les faire griller, à plat, jusqu'à ce que la peau soit boursouflée et noire. Les peler et les couper en fines lamelles. Disposer la viande, les lamelles de poivrons et les tranches de fromage sur un lit de mâche. Arroser de vinaigrette et servir.

POUR PRÉPARER LA VINAIGRETTE, verser le jus d'orange dans une casserole et ajouter le safran et les grains de poivre. Remuer constamment à feu moyen 4 à 5 minutes. Laisser refroidir. Mettre l'huile de noix et l'ail dans un bol puis ajouter le vinaigre de vin, en battant. Verser en filet le mélange de jus d'orange, en continuant de battre. Saler et poivrer à volonté.

Agneau épicé aux vermicelles

*3 oignons nouveaux, hachés • 2 gousses d'ail, hachées • 1 morceau de gingembre frais de 2 cm, râpé • 1 morceau de galanga, haché • 2 petits piments rouges, épépinés et hachés • 1 cuil. à soupe de sucre de palme • 2 cuil. à soupe d'huile d'arachide • 2 cuil. à soupe de nuoc-mâm • 2 cuil. à soupe de sauce hoisin • 4 côtes d'agneau de 200 g chacune • **Assaisonnement :** 1 cuil. à soupe d'huile d'arachide • 1 cuil. à soupe de pâte d'épices • 85 ml de jus de citron vert • 2 cuil. à soupe de nuoc-mâm • 2 cuil. à soupe de sucre de palme ou de cassonade • **Salade** : 1 oignon rouge, haché • 5 feuilles de citron kaffir, finement coupées • 2 gros piments rouges, épépinés et coupés en fines rondelles • 50 g de vermicelles • 1 tasse de feuilles de coriandre fraîche • 1 tasse de feuilles de basilic frais*
Pour 4 à 6 personnes

MIXER oignons nouveaux, ail, gingembre, galanga, piment, sucre, huile, nuoc-mâm et sauce hoisin pour obtenir une pâte. Conserver une cuillerée de pâte d'épices. Parer la viande. Badigeonner chaque tranche, couvrir et laisser au réfrigérateur toute une nuit.
POUR PRÉPARER L'ASSAISONNEMENT, faire chauffer l'huile dans un wok, ajouter la pâte épicée et faire frire pour en dégager la saveur. Mélanger le jus d'orange, le nuoc-mâm et le sucre dans un bol puis verser ce mélange dans le wok.
POSER la viande dans un plat. Préchauffer le four à 180 °C et cuire de 8 à 10 minutes. Sortir du four, couvrir et laisser reposer 10 minutes, puis couper en fines tranches. Mélanger l'oignon, les feuilles de citron et le piment. Ajouter la viande et l'assaisonnement. Pour servir, disposer la viande sur les vermicelles préalablement cuits. Garnir de coriandre et de basilic.
NOTE : on peut remplacer ½ cuillerée à café de galanga séché par ¼ de cuillerée à café de galanga moulu, si on n'en trouve pas du frais.

Bœuf au sirop d'érable

1 cuil. à soupe d'huile d'olive • 4 steaks dans le filet • 30 g de beurre • 1 cuil. à café de gingembre frais râpé • 2 cuil. à soupe de sirop d'érable • 1 cuil. à soupe de miel • ¼ de cuil. à café de cumin en poudre • ***Purée de patates douces :*** *500 g de pommes de terre, épluchées et hachées • 500 g de patates douces oranges, épluchées et hachées • 30 g de beurre • 1 poireau, finement haché • 125 ml de crème fleurette • poivre noir fraîchement moulu*
Pour 2 à 4 personnes

FAIRE CHAUFFER l'huile. Saisir la viande 2 minutes de chaque côté et retourner une seule fois. Pour des steaks bleus, continuer la cuisson 1 minute de chaque côté. Réduire la température et cuire 2 à 3 minutes de plus pour une viande saignante, 4 minutes pour une viande à point. Retirer de la poêle, couvrir et garder au chaud.
FAIRE FONDRE le beurre avec le gingembre et faire cuire 1 minute. Ajouter le sirop d'érable, le miel et le cumin en poudre puis remuer jusqu'à ébullition. Verser sur la viande. Servir avec la purée de patates douces et des haricots verts, selon votre goût.
POUR PRÉPARER LA PURÉE, faire bouillir les pommes de terre et les patates douces ou les mettre au four à micro-ondes. Égoutter et mixer. Faire chauffer le beurre dans une petite casserole, ajouter le poireau et faire cuire 1 à 2 minutes. Enlever du feu, verser sur la purée, ajouter de la crème et poivrer.

Agneau rôti aux myrtilles

1 cuil. à soupe de graines de coriandre • 1 cuil. à soupe de baies de genièvre • 1 cuil. à soupe d'huile d'olive • 2 gousses d'ail, écrasées • 350 g de selle d'agneau, en 1 seul morceau, sans os • 125 ml de vin blanc sec • 250 ml de bouillon de bœuf • 1 à 2 cuil. à soupe de pignons • 1 tasse de myrtilles fraîches • 1 cuil. à café de feuilles de menthe finement hachées

Pour 2 à 4 personnes

MOUDRE la coriandre, les baies de genièvre et le poivre en grains. Ajouter l'huile et l'ail et badigeonner la viande dégraissée de ce mélange. Poser sur une plaque et faire rôtir à feu moyen (180 °C) 25 à 30 minutes, jusqu'à ce qu'elle soit à point. Sortir de la plaque et couvrir.

FAIRE BOUILLIR le vin dans la plaque et le réduire de moitié, en remuant. Ajouter le bouillon. Cuire à feu moyen, ajouter les pignons, les myrtilles et la menthe. Verser sur l'agneau. Servir avec des pâtes et garnir de feuilles de menthe.

Porc au pamplemousse et ses nouilles au piment

4 côtes de porc dans le filet, de 125 g chacun • 60 ml de sauce de soja • 1 cuil. à soupe de miel • 125 ml de jus de citron • 1 cuil. à soupe de xérès sec • ¼ de cuil. à café de cinq épices en poudre • 1 gousse d'ail, écrasée • 1 cuil. à café de gingembre frais râpé • 1 à 2 pamplemousses, avec la peau, coupés en tranches de 1 cm d'épaisseur • 200 g de nouilles chinoises fraîches aux œufs • 1 cuil. à soupe d'huile de sésame • 1 à 2 cuil. à café de sauce au piment

Pour 4 personnes

DISPOSER les côtes dans un plat creux. Mélanger la sauce de soja, le miel, le jus de citron, le xérès, les cinq épices, l'ail, le gingembre, et verser sur la viande. Couvrir et laisser mariner au réfrigérateur 1 heure ou 2.

ÉGOUTTER la viande et conserver la marinade. Faire cuire la viande et les tranches de pamplemousse sur la grille du barbecue ou au gril 8 à 10 minutes. Les retourner et arroser la viande avec le restant de marinade, tout en continuant la cuisson. (Les pamplemousses demandent moins de cuisson).

JETER les nouilles dans de l'eau bouillante. Laisser 2 minutes puis égoutter. Faire chauffer l'huile de sésame dans une poêle. Ajouter les nouilles et la sauce au piment. Saisir 1 à 2 minutes. Servir ce plat avec de la salade.

NOTE : vous pouvez remplacer les nouilles fraîches par des nouilles en sachet.

Veau garni d'oignons à la sauce aigre-douce

4 escalopes de veau, de 200 g chacune • 100 ml de pistou préparé • 2 cuil. à soupe d'huile d'olive • ***Oignons à la sauce aigre-douce :*** *30 g de beurre • 2 oignons moyens, coupés en tranches • 2 cuil. à soupe d'eau • ⅓ de tasse de cassonade • 125 ml de vinaigre • 2 cuil. à soupe de raisins secs • 1 cuil. à café de zeste d'orange coupé en fines lamelles •* ***Purée de panais :*** *500 g de panais, épluchés • ½ tasse de crème fraîche épaisse • ½ cuil. à café de noix de muscade en poudre*

Pour 4 personnes

RECOUVRIR les escalopes de pistou. Chauffer l'huile dans une poêle, à feu moyen. Cuire les escalopes en les retournant souvent, 4 à 5 minutes. Enlever et garder au chaud.
POUR PRÉPARER LES OIGNONS, faire fondre le beurre dans la poêle, ajouter les oignons. Cuire 2 à 3 minutes. Ajouter de l'eau, couvrir et cuire à feu doux pendant 10 minutes, en remuant de temps en temps. Ajouter le sucre, le vinaigre et les raisins secs. Cuire 4 à 5 minutes pour réduire la sauce. Ajouter le zeste d'orange.
POUR PRÉPARER LA PURÉE, couper les panais en tranches et les cuire à la vapeur, ou les faire bouillir. Lorsqu'ils sont tendres, les mixer avec la crème et la noix de muscade. Garnir de feuilles de sauge et de tranches de piment et servir.

Veau enrobé de prosciutto et d'épinards

1 botte d'épinards • 4 escalopes de veau de 200 g chacune, légèrement aplaties • 2 cuil. à soupe de moutarde de Meaux • 16 tranches de prosciutto • 2 cuil. à soupe d'huile d'olive • 2 gousses d'ail, écrasées • 125 ml de vin blanc sec • 250 ml de bouillon de poulet • 1 cuil. à soupe de moutarde de Dijon • 1 cuil. à café de Maïzena, mélangée à 2 cuil. à soupe d'eau froide • 1 cuil. à soupe de cerfeuil frais • ***Riz sauvage au miel :*** *1 tasse de riz sauvage • ½ tasse de rizon • 30 g de beurre • 1 oignon moyen, finement haché • 1 gousse d'ail, écrasée • 1 cuil. à soupe de miel • 1 cuil. à soupe de sauce de soja*

Pour 4 à 6 personnes

FAIRE CUIRE les épinards à la vapeur pour les ramollir; rincer à l'eau froide, égoutter et sécher. Poser les feuilles sur une planche et former des carrés un peu plus grands que les escalopes. Poser celles-ci sur les épinards et tartiner de moutarde. Rouler le tout pour former une petite bûche. En roulant, poser 2 tranches de prosciutto sur la planche. Poser la viande et les feuilles d'épinards sur le prosciutto et former un petit paquet.

FAIRE CHAUFFER l'huile à feu moyen dans une poêle. Faire cuire les petits rouleaux jusqu'à ce qu'ils brunissent, en les retournant fréquemment. Enlever de la poêle et disposer dans un plat en métal allant au four. Mettre au four préchauffé à 180 °C pendant 10 à 15 minutes. Sortir du four, couvrir et garder au chaud.

POSER le plat sur le feu moyen, ajouter l'ail et le vin. Cuire 2 minutes. Ajouter la moutarde, le bouillon et la Maïzena. Porter à ébullition tout en remuant. Lorsque la sauce est épaisse, filtrer. Couper les rouleaux en tranches, couvrir de sauce et saupoudrer de cerfeuil. Servir avec le riz sauvage au miel.

POUR PRÉPARER LE RIZ, le cuire dans une casserole d'eau bouillante pendant 25 minutes, sans couvercle. Cuire le rizon dans de l'eau bouillante 10 minutes. Égoutter. Faire chauffer le beurre dans une casserole. Ajouter l'oignon et l'ail. Cuire jusqu'à ce que l'oignon ramollisse. Mélanger le riz et le rizon, le miel et la sauce de soja.

CÔTES ET CÔTELETTES

Les côtes et les côtelettes font partie des pièces de viande les plus appréciées. Faciles à cuire et à préparer, elles peuvent également donner lieu à des plats très exotiques et appétissants.
Ce chapitre rassemble des recettes délicieuses du monde entier.

CÔTES ET CÔTELETTES

Les côtes et les côtelettes font partie des découpes de viande les plus utilisées. Elles sont simples à préparer, relativement bon marché, et très agréables à manger.
Elles peuvent également être consommées régulièrement, car elles sont moins grasses que beaucoup d'autres morceaux.
Les côtes sont idéales pour les pique-niques et les barbecues. Marinées et grillées, au four ou au barbecue, elles peuvent être mangées avec les doigts et sont très avantageuses.
Les côtelettes d'agneau, de veau ou de porc offrent un grand choix de préparations. Elles peuvent être la base de repas quotidiens ou de repas plus élaborés, selon la façon dont on les accommode : en carré, en couronnes ou en rôtis.
Pages 188 et 189, vous trouverez une illustration des différents morceaux, avec divers modes de cuisson.

CÔTELETTES

AGNEAU

Les côtes et côtelettes d'agneau peuvent être braisées ou cuites en cocotte, mais il faut les saisir et les faire cuire jusqu'à ce qu'elles soient tendres et légèrement roses à l'intérieur. Il est préférable de les dégraisser avant la cuisson.
Côtes coupées dans l'épaule : braisées ou cuites au four

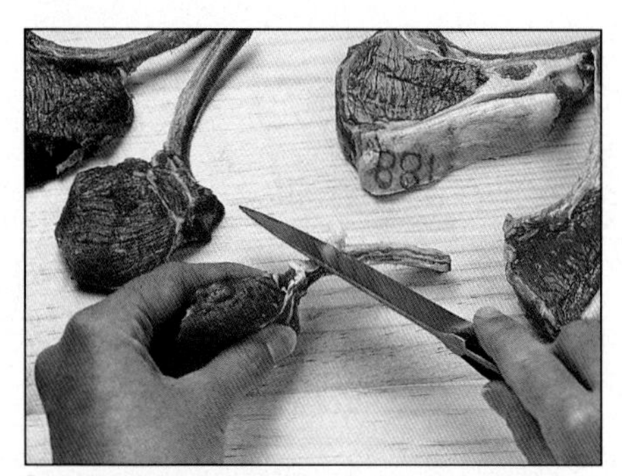

Pour les dégraisser, grattez la viande, le gras et les nerfs de l'os avec un couteau.

Côtes découvertes : braisées ou cuites en cocotte
Côtes dans le filet : grillées, cuites au barbecue ou au four
Côtelettes : sont cuites à la poêle, au barbecue ou au gril
Carré d'agneau : (généralement composé de six côtelettes) est cuit au four
Couronne d'agneau : farcie et cuite au four

LE VEAU

Le veau a une saveur plus douce et est moins gras. Il demande une bonne cuisson à la poêle pour rester tendre et moelleux.
Côtelettes : sur le gril ou à la poêle
Carré de veau : (composé en général de quatre côtelettes) cuit au four
Côtes dans le filet : cuites à la poêle, au barbecue, au gril, braisées ou cuites au four

PORC

Les côtes de porc doivent être très cuites, jusqu'à ce que le jus soit clair. Pourtant, on admet aujourd'hui qu'il n'est plus obligatoire de les faire trop cuire.
Côtes dans le filet : à la poêle, marinées et grillées, au barbecue, ou au four
Côtes premières de porc : à la poêle ou grillées
Échine : braisée ou en cocotte

CÔTES

CÔTES DE BŒUF

Les côtes de bœuf peuvent être servies en un seul morceau ou en parts. Si vous les servez séparément, demandez à votre boucher de les détacher. Sinon, faites cuire le morceau entier et séparez-les vous-même ensuite. Il est plus facile de les séparer lorsque la viande est cuite.
Plat de côtes et travers de bœuf : à la poêle, au barbecue ou au four.

Découennez et dégraissez le travers de porc.

Découpez en portions de 3 ou 4 côtes, ou en côtes uniques.

CÔTES DE PORC

Travers : morceau long et mince beaucoup moins fourni en viande.
Il demande moins de temps de cuisson. Il se présente en quatre ou six sections. Faites-le mariner, puis griller ou cuire au barbecue ou au four. Séparez les côtes : on peut facilement les manger avec les doigts en les trempant dans une sauce. Si au préalable vous le braisez, le faites bouillir ou cuire à la cocotte, il sera moins gras et la viande sera plus tendre.
Plat de côte : (épais et fourni en viande, sans os mais avec une bande de gras qu'il faut retirer) : laissez mariner et faites cuire au barbecue ou au gril, ou badigeonnez de sauce et passez au four jusqu'à ce qu'il soit croustillant.
ACHAT demandez les côtes et côtelettes de meilleure qualité et les moins grasses possible (sinon vous payez pour ce que

vous ne mangez pas). La viande doit être moelleuse et humide. Elle doit être d'un rose vif ou rouge, sans taches grises et l'odeur doit être agréable. La viande préemballée ne doit pas baigner dans son jus et doit porter la date du jour d'achat.

CONSERVATION : dès l'achat, vous devez réfrigérer la viande, car la chaleur favorise le développement de bactéries. Si vous utilisez la viande le jour même de votre achat, gardez-la au réfrigérateur jusqu'à ce que vous la prépariez. Sinon, il est préférable de l'enlever de son conditionnement et de la poser sur une grille au-dessus d'un plat pour recueillir le jus, afin de ne pas contaminer les autres aliments de votre réfrigérateur. Couvrez légèrement avec une feuille d'aluminium ou de papier sulfurisé. N'utilisez pas de plastique qui ferait suinter la viande. Placez-la dans la partie la plus froide de votre réfrigérateur.
Deux ou trois jours de réfrigération permettent à la viande de développer ses enzymes naturels et de la rendre plus tendre. La viande surgelée doit être solide et hermétiquement conditionnée. Ne touchez pas la viande cuite ou crue avec les doigts afin de ne pas transmettre de bactéries. Grattez la planche à découper, lavez vos mains et tous les ustensiles après avoir coupé de la viande crue. Laissez refroidir la viande cuite avant de la mettre au réfrigérateur.

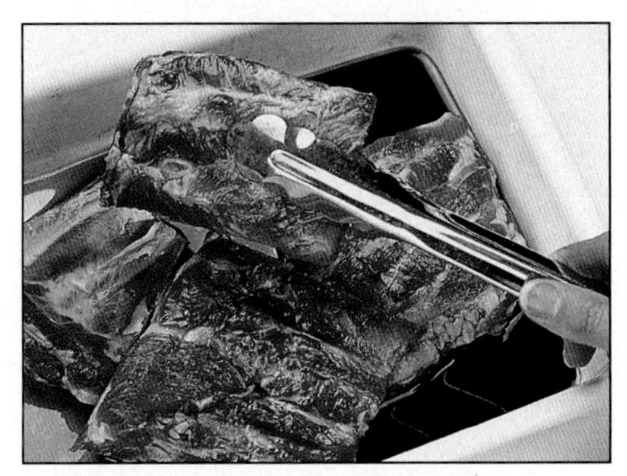

Faites mariner la viande dans un plat non métallique.

Entaillez les bords des côtelettes pour les empêcher de rouler pendant la cuisson.

MARINADES : la plupart des recettes de ce livre suggèrent de faire mariner la viande avant de la faire cuire, pour la rendre plus savoureuse et tendre. Le vin, les herbes aromatiques, le vinaigre, la sauce de soja, le jus de citron ou l'huile font partie des ingrédients les plus utilisés. Une marinade à base d'huile ou de vinaigre peut être arrosée pendant la cuisson pour empêcher la viande de sécher. N'utilisez que des plats non métalliques pour la marinade afin que la viande ne prenne pas un goût de métal. Si vous êtes pressé, et qu'il fait frais, laissez mariner deux heures à température ambiante, car la viande absorbera plus rapidement les saveurs de la marinade. S'il fait chaud, les bactéries se développent trop rapidement, et il vaut mieux la mettre au réfrigérateur.

CUISSON : les côtes et les côtelettes doivent être à température ambiante avant la cuisson, puis dégraissées et dénervées. Les bords doivent être entaillés pour les empêcher de rouler. Faites égoutter la viande marinée avant de la faire cuire. Salez seulement après la cuisson pour garder le jus. La cuisson au barbecue est idéale pour les petits morceaux de viande, car elle les garde tendres.
Les côtelettes et les côtes d'agneau doivent être saisies avant d'être cuites, et garder une teinte rosée au centre.
Le porc, au contraire, doit être bien cuit, et donner un jus transparent. Cuites à la

Vérifiez que la viande est cuite à l'aide de pinces, en appuyant légèrement.

poêle, la viande de veau et celle de porc nécessitent davantage de beurre ou d'huile, car ce sont des viandes sèches. Utilisez une poêle assez large pour que la viande ne baigne pas dans son jus. La cuisson au gril permet à la viande de perdre son gras. Assurez-vous que le feu n'est pas trop doux car elle pourrait durcir. Utilisez des pinces pour la retourner afin d'éviter de la percer et de perdre le jus. Elles vous permettent aussi de vérifier si elle est cuite en appuyant légèrement dessus : si sa consistance est souple, elle est saignante, si vous constatez une légère résistance, elle est à point.

CONGÉLATION : déballez la viande et enveloppez chaque côtelette séparément dans un emballage en plastique, en veillant à ce qu'il ne reste pas d'air. Enveloppez les os dans un papier d'aluminium afin qu'ils ne déchirent pas le plastique. Placer le tout dans un sac en plastique pour la congélation, en expulsant l'air, et fermez hermétiquement. Sur chaque sac, indiquez la date de la congélation et le nom de la viande. Bien qu'elle puisse être congelée pendant plus de six mois, il est préférable de la consommer avant cette échéance; passée cette date, son goût et sa texture se détérioreraient.
La viande décongelée ne doit pas être recongelée. Laissez décongeler dans le réfrigérateur (ou au micro-ondes), et non à température ambiante ou à l'eau chaude, car cela favorise le développement des bactéries.

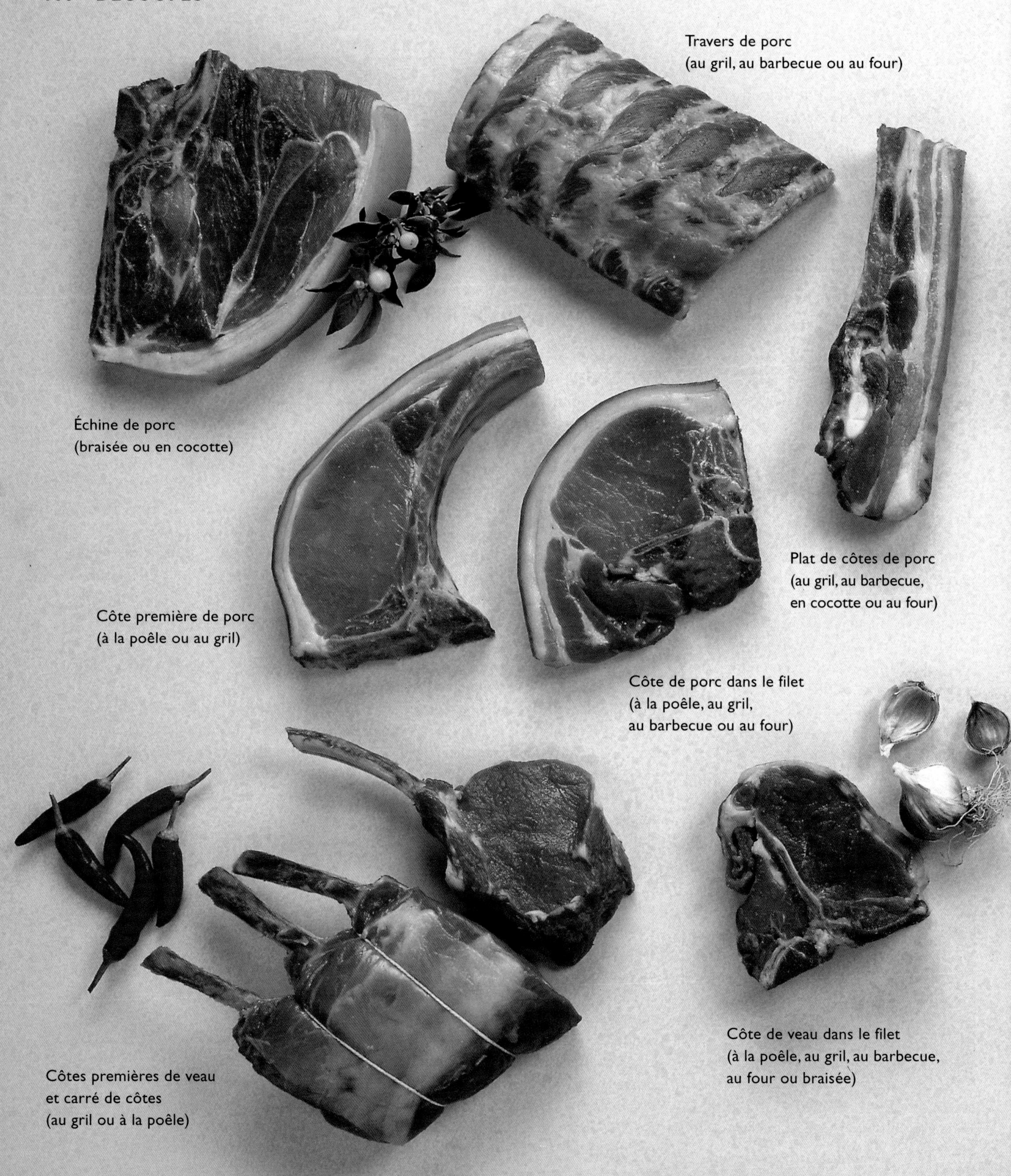
Travers de porc
(au gril, au barbecue ou au four)
Échine de porc
(braisée ou en cocotte)
Plat de côtes de porc
(au gril, au barbecue,
en cocotte ou au four)
Côte première de porc
(à la poêle ou au gril)
Côte de porc dans le filet
(à la poêle, au gril,
au barbecue ou au four)
Côte de veau dans le filet
(à la poêle, au gril, au barbecue,
au four ou braisée)
Côtes premières de veau
et carré de côtes
(au gril ou à la poêle)

Couronne d'agneau
(farcie et cuite au four)
Côte première d'agneau
et carré d'agneau (à la poêle,
au barbecue ou au gril)
Côte d'agneau dans le filet
(au gril, au barbecue ou au four)
Côte découverte d'agneau
(braisée ou en cocotte)
Côte dans l'épaule
(au four ou braisée)
Plat de côtes de bœuf
(à la poêle, au barbecue,
au four)
Train de côtes
(au four)

Plat de côtes de porc mariné au barbecue

1 kg de plat de côtes • 125 ml de sauce à la prune • 2 cuil. à soupe de sauce de soja • 2 cuil. à soupe de miel • 2 cuil. à soupe de gingembre râpé • 2 gousses d'ail, écrasées
Pour 6 personnes

ENLEVER la couenne et dégraisser la viande. La poser sur un plat creux en verre ou en céramique.
MÉLANGER la sauce à la prune, la sauce de soja, le miel, le gingembre et l'ail dans un petit bol et bien remuer. Verser la marinade sur la viande, en la retournant bien. Couvrir de film alimentaire et réfrigérer pendant au moins 2 heures mais pas plus de 8 heures, en retournant la viande de temps en temps.
PRÉCHAUFFER la plaque du barbecue ou du gril et l'enduire d'huile. Égoutter la viande et cuire à feu moyen pendant environ 20 minutes ou jusqu'à ce que la viande soit tendre, en la retournant de temps en temps.

Quelques marinades

Marinade barbecue : *250 ml de sauce tomate • ½ cuil. à café d'oignon en poudre • ½ cuil. à café d'ail en poudre • 2 cuil. à soupe de vinaigre brun • 2 cuil. à soupe de cassonade • 2 cuil. à soupe de sauce Worcestershire*

Marinade au piment : *½ tasse de purée de tomates • 2 cuil. à soupe de miel • 2 cuil. à soupe de sauce de piment (ou à volonté) • 1 cuil. à soupe de sauce hoisin • 2 gousses d'ail, écrasées*

Marinade au gingembre : *2 cuil. à soupe de gingembre frais râpé • ½ cuil. à café de poivre moulu • 1 cuil. à café d'huile de sésame • 1 cuil. à soupe de jus de citron • 1 petit oignon, râpé • sel et poivre*

De gauche à droite : Plat de côtes de porc mariné, au barbecue, au piment et au gingembre.

Côtes de porc poêlées, à la compote de pommes

4 côtes de porc dans le filet • 1 cuil. à soupe d'huile • 25 g de beurre • **Compote de pommes :** *3 pommes vertes • 60 ml d'eau • 2 cuil. à café de jus de citron • 1 cuil. à café de sucre • ½ cuil. à café de zeste de citron finement râpé • une pincée de cannelle*

Pour 4 personnes

DÉGRAISSER et dénerver les côtes de porc. Faire chauffer l'huile et le beurre dans une large poêle à fond épais et ajouter la viande. Cuire à feu moyen pendant environ 6 minutes de chaque côté jusqu'à ce que la viande soit tendre. Servir avec la compote de pomme. Accompagner de frites et de maïs ou de légumes, selon votre goût.

POUR PRÉPARER LA COMPOTE éplucher les pommes et les couper en gros morceaux. Les mettre dans une casserole avec l'eau et le jus de citron. Faire bouillir, couvrir et laisser cuire pendant 15 minutes ou jusqu'à ce que les pommes soient molles. Ajouter le sucre, le zeste de citron et la cannelle. Mixer et servir chaud ou à température ambiante.

Côtes de veau grillées, au beurre d'herbes aromatiques

6 côtes de veau • ***Beurre aux herbes :*** *80 g de beurre, ramolli* • *2 cuil. à café de persil finement haché* • *2 cuil. à café de sauge finement hachée* • *1 cuil. à café de zeste de citron finement haché*
Pour 6 personnes

DÉGRAISSER et dénerver la viande. La poser sur le gril huilé. La saisir à feu vif 2 minutes de chaque côté en ne la tournant qu'une fois. Faire cuire 2 minutes de plus de chaque côté pour qu'elle soit à point. Servir avec le beurre aromatisé. Ce plat peut être accompagné de pommes de terre sautées et d'asperges cuites à la vapeur.
POUR PRÉPARER LE BEURRE battre le beurre avec un fouet jusqu'à ce qu'il soit crémeux et léger. Ajouter le persil, la sauge et le citron. Bien mélanger. Verser dans un film alimentaire et former une bûche. Réfrigérer avant de le couper en tranches et servir.

Côtelettes d'agneau à la poêle, arrosées de sauce à la menthe

*8 côtelettes d'agneau • 1 cuil. à soupe d'huile d'olive • **Sauce à la menthe :** 60 ml d'eau • ⅓ de tasse de sucre blanc • 2 cuil. à soupe de vinaigre de malt • ⅓ de tasse de menthe fraîche hachée*

Pour 4 personnes

DÉGRAISSER et dénerver la viande avec un couteau aiguisé. Nettoyer l'os en grattant jusqu'à ce qu'il soit propre et arranger la viande en rond.

FAIRE CHAUFFER l'huile dans une poêle. Saisir les côtelettes à feu vif pendant 2 minutes de chaque côté puis encore une minute de chaque côté. Servir avec de la sauce à la menthe. Accompagner de pommes de terre à l'eau, de pâtissons et de courgettes.

POUR PRÉPARER LA SAUCE, mélanger l'eau et le sucre dans une petite casserole. Remuer à feu doux sans faire bouillir. Laisser mijoter à feu très doux pendant 3 minutes. Hors du feu, ajouter le vinaigre et la menthe. Servir à température ambiante.

Carré d'agneau avec pommes de terre au romarin et épinards à la crème.

2 carrés d'agneau (de 6 côtelettes chacun) • 1 cuil. à soupe d'huile d'olive • poivre noir fraîchement moulu • ***Pommes de terre au romarin :*** *4 ou 5 grosses pommes de terre (environ 1,5 kg) • 85 ml d'huile d'olive • 1 cuil. à soupe de romarin frais haché • 1 gousse d'ail, écrasée • sel et poivre noir •* ***Épinards à la crème :*** *un bouquet d'épinards • 20 g de beurre • ½ cuil. à café de noix de muscade • 60 ml de crème liquide*
Pour 4 personnes

PRÉCHAUFFER le four à 180 °C. Dégraisser et dénerver la viande. La badigeonner d'huile et poivrer. Envelopper le bout des os avec du papier d'aluminium pour les empêcher de brûler. Cuire au four pendant 40 minutes. Lorsque la viande est cuite, la poser sur une assiette, recouverte de papier d'aluminium et laisser reposer 5 minutes. Couper les côtelettes par trois et disposer sur des assiettes. Accompagner avec des pommes de terre au romarin et des épinards à la crème.
POUR PRÉPARER LES POMMES DE TERRE, les couper en gros cubes, les rincer à l'eau froide et les sécher dans un torchon. Faire chauffer l'huile dans une grande poêle à fond épais. Ajouter les pommes de terre et laisser cuire lentement pendant 20 minutes jusqu'à ce qu'elles soient dorées et tendres. Retourner fréquemment pour qu'elles n'attachent pas. Couvrir la poêle à moitié pendant la cuisson pour qu'elles soient entièrement cuites. Ajouter le romarin et l'ail et assaisonner selon votre goût pendant les dernières minutes de cuisson.
POUR PRÉPARER LES ÉPINARDS, les laver et les mettre dans une grande casserole. Couvrir et faire cuire à feu doux jusqu'à ce que les feuilles soient ramollies. Laisser refroidir, égoutter et les couper en lamelles. Faire fondre le beurre dans une poêle, ajouter les épinards et remuer pendant 1 minute. Mélanger avec la noix de muscade et la crème et assaisonner selon votre goût.

Travers de porc épicés au barbecue

1 kg de travers de porc • 500 ml de sauce tomate • 60 ml de sauce Worcestershire • 60 ml de xérès • ¼ de tasse de cassonade • sauce tabasco

Pour 4 à 6 personnes

COUPER la viande par 3 ou 4 côtes. Mélanger les sauces, le xérès, l'ail et le sucre dans une grande poêle et ajouter le tabasco, à volonté.

AJOUTER les travers de porc et faire bouillir. Réduire le feu et laisser mijoter, à couvert, pendant 15 minutes, en les retournant de temps en temps.

VERSER les travers et la sauce dans un plat creux non métallique et laisser refroidir. Couvrir le plat avec un film alimentaire et réfrigérer pendant quelques heures ou toute une nuit. Sortir la viande du réfrigérateur 30 minutes avant de la passer au barbecue.

POSER les travers de porc sur la grille du barbecue légèrement huilée et cuire à feu vif pendant environ 15 minutes. Les retourner et les badigeonner avec le reste de marinade. Ce plat est délicieux lorsqu'il est accompagné de pommes de terre en quartiers et d'une salade verte.

Plat de côtes de porc à la sauce aigre-douce

1 kg de plat de côtes de porc • 1 cuil. à soupe d'huile végétale • 2 gousses d'ail, écrasées • 1 oignon moyen, finement haché • 1 cuil. à soupe de cassonade • 60 ml de jus de citron vert • 60 ml de jus d'ananas non sucré • 2 cuil. à soupe de sauce d'huîtres • 85 ml de sauce tomate • 2 cuil. à soupe de sauce de piment • 2 cuil. à soupe de sauce de soja • 1 cuil. à soupe de vinaigre de vin blanc • 1 boîte de 440 g d'ananas en petits morceaux, égouttés • 1 boîte de 230 g de pousses de bambous égouttées et coupées en tranches fines • 2 oignons nouveaux, coupés en tranches très fines

Pour 4 personnes

PRÉCHAUFFER le four à 200 °C. Enlever la couenne du plat de côtes et dégraisser la viande. Faire chauffer l'huile dans une poêle de taille moyenne, mettre l'ail et l'oignon et faire cuire en remuant pendant 2 à 3 minutes, jusqu'à ce qu'ils ramollissent.

MÉLANGER le sucre, les jus, la sauce d'huîtres, la sauce tomate, la sauce de piment, la sauce de soja et le vinaigre. Faire bouillir et laisser mijoter, sans couvercle, pendant 2 minutes ou jusqu'à ce que la sauce épaississe légèrement.

POSER le plat de côtes sur une plaque huilée et badigeonner généreusement la viande avec la sauce. Faire cuire, au four préchauffé, pendant 10 minutes. Continuer la cuisson à 180 °C pendant 15 minutes ou jusqu'à ce que la viande soit croustillante. Retourner et arroser fréquemment pendant la cuisson.

AJOUTER l'ananas et les pousses de bambou 10 minutes avant la fin de la cuisson. Garnir avec des oignons nouveaux et accompagner le plat d'une salade de riz.

Côtelettes d'agneau au curry

1 kg de côtes découvertes • 60 ml d'huile • 1 gousse d'ail, écrasée • 1 cuil. à soupe de gingembre frais râpé • 1 cuil. à café de garam masala • 1 cuil. à café de piment en poudre • 2 cuil. à soupe de curry en poudre • 500 ml de bouillon de poulet • 1 cuil. à soupe de cassonade • 1 cuil. à soupe de concentré de tomates • 2 clous de girofle
Pour 4 personnes

DÉGRAISSER et dénerver la viande. Faire chauffer 2 cuillerées à soupe d'huile dans une poêle à fond épais. Faire brunir la viande par petites quantités, à feu moyen. L'égoutter sur du papier absorbant.
FAIRE CHAUFFER le reste de l'huile dans la poêle. Ajouter l'ail, le gingembre et l'oignon et remuer à feu moyen pendant 3 minutes, jusqu'à ce qu'ils ramollissent. Ajouter le garam masala, le piment et la poudre de curry. Cuire en remuant constamment à feu moyen, pendant 2 minutes.
REMETTRE la viande dans la poêle et ajouter le bouillon, le sucre, le concentré de tomates et les clous de girofle. Faire bouillir et laisser mijoter, couvert, pendant 1 heure 30, en remuant de temps en temps. Ôter le couvercle et poursuivre la cuisson 30 minutes. Servir avec du riz.

Côtelettes de veau panées garnies d'un condiment de tomates

12 côtelettes de veau • ¼ de tasse de farine • sel et poivre • 2 œufs, légèrement battus • 1 tasse ½ de chapelure • ⅓ de tasse de parmesan râpé • 60 ml d'huile • **Condiment de tomates :** *3 tomates moyennes • 2 cuil. à café d'huile • 1 petit oignon, finement haché • 1 gousse d'ail, écrasée • 2 cuil. à café de cassonade • 1 cuil. à café de vinaigre de vin rouge*

Pour 6 à 8 personnes

DÉGRAISSER et dénerver la viande. Mélanger la farine, le sel et le poivre à volonté, sur un papier sulfurisé. Y rouler les côtelettes et ôter l'excès de farine.
PLONGER chaque côtelette dans l'œuf, et les rouler dans la chapelure mélangée au fromage râpé. Appuyer fermement sur la viande et ôter l'excès de chapelure. Poser les côtelettes sur une plaque, couvrir et réfrigérer 30 minutes.
POUR PRÉPARER LE CONDIMENT, faire une petite croix avec un couteau sur le dessus de chaque tomate puis les plonger dans de l'eau chaude 3 minutes. Égoutter et laisser tiédir. Ôter la peau, les couper en deux et presser pour faire sortir les graines. Enlever le reste des graines avec une cuillère à café. Hacher les tomates finement. Faire chauffer l'huile dans une petite casserole et faire ramollir l'oignon à feu moyen 3 minutes. Ajouter l'ail et laisser cuire 1 minute de plus. Ajouter la tomate, le sucre, le vinaigre, et faire bouillir. Laisser mijoter à feu doux 10 minutes, en remuant de temps en temps. Servir chaud ou à température ambiante.
FAIRE CHAUFFER l'huile dans une poêle à fond épais et mettre les côtelettes à frire pendant 4 minutes de chaque côté pour les dorer. Servir avec le condiment et une salade verte.

Côtes de bœuf aux légumes rôtis

1 train de côtes de bœuf de 1,5 kg • 1 cuil. à soupe d'huile • poivre noir, fraîchement moulu • 85 ml d'huile, en plus • 8 pommes de terre moyennes, épluchées • 8 petits oignons, épluchés • 850 g de citrouille, épluchée et coupée en 8 morceaux • 2 cuil. à soupe d'huile, extra • paprika • 2 cuil. à soupe de farine • 250 ml de bouillon de bœuf
Pour 8 personnes

PRÉCHAUFFER le four à 240 °C. Dégraisser et dénerver la viande. La ficeler à intervalle régulier pour garder sa forme. La frotter avec de l'huile et du poivre. Poser la viande, côté os, dans un plat allant au four, pour permettre au jus de s'écouler. Laisser rôtir pendant 15 minutes. Continuer la cuisson à 180 °C pendant 1 heure ½ pour obtenir une viande saignante. Arroser la viande de temps en temps avec le jus. Préparer les légumes.

VERSER de l'huile dans un autre plat et faire chauffer au four. Coupe les pommes de terre en deux et les poser à plat sur une planche. Couper chaque moitié en fines tranches jusqu'à environ la moitié de la pomme de terre. Disposer les pommes de terre, les oignons et la citrouille dans le plat, sur l'huile très chaude et cuire au four pendant 1 heure ou jusqu'à ce que les pommes de terre soient croustillantes et dorées. Arroser les légumes de temps en temps avec l'huile chaude. Lorsqu'ils sont cuits, saupoudrer de paprika.

ÔTER la viande du four, la poser sur un plat chaud, couvrir avec un papier d'aluminium, laisser reposer 10 minutes et enlever la ficelle. Dégager la viande des os et la couper en tranches. Servir avec les légumes et la sauce.

POUR PRÉPARER LA SAUCE, verser la farine dans le plat du rôti et faire chauffer à feu moyen. Remuer 1 minute, jusqu'à ce que le mélange commence à frémir. Ajouter le bouillon peu à peu, en remuant constamment, jusqu'à ce que le mélange épaississe. Laisser cuire, en remuant, 1 minute de plus. Servir immédiatement.

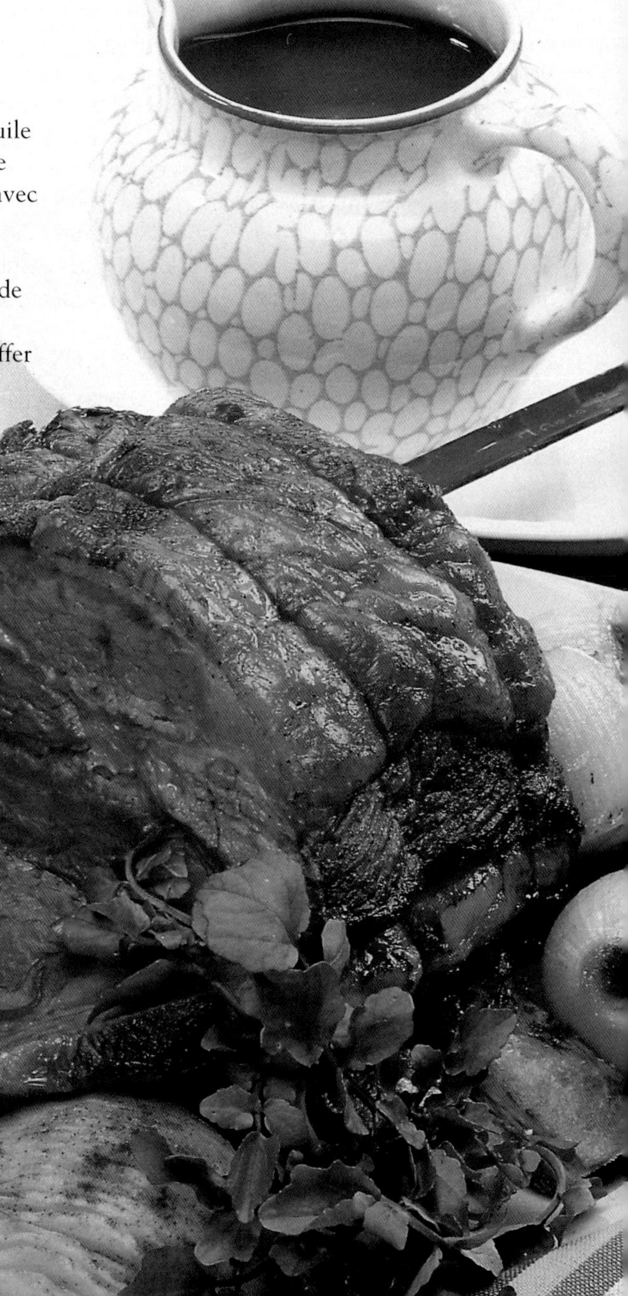

Côtes de porc au citron et à la sauge

4 côtes de porc dans le filet • 1 cuil. à soupe d'huile • 30 g de beurre • 60 ml de bouillon de poulet • 60 ml de jus de citron • 1 cuil. à café de zeste de citron finement râpé • 1 cuil. à café de sucre • 1 cuil. à soupe de feuilles de sauge fraîche finement hachées
Pour 4 personnes

DÉGRAISSER et dénerver la viande. Faire chauffer l'huile dans une poêle et faire cuire les côtes de porc 5 à 6 minutes de chaque côté, à feu moyen. Égoutter sur du papier absorbant et laisser reposer en gardant au chaud sur un plat couvert de papier d'aluminium.

AJOUTER le beurre, le bouillon, le jus de citron et le sucre dans la poêle et faire bouillir. Continuer la cuisson à feu doux 3 minutes. Ajouter la sauge et verser sur les côtes de porc. Servir aussitôt, accompagné de nouilles et de haricots verts.

Côtelettes d'agneau panées

12 côtelettes d'agneau • ¼ de tasse de farine • sel et poivre • 2 œufs • 1 tasse ½ de chapelure • 60 ml d'huile

Pour 4 personnes

DÉGRAISSER et dénerver la viande. Mélanger la farine, le sel et le poivre, à volonté, sur une grande feuille de papier sulfurisé. Rouler les côtelettes dans la farine assaisonnée et enlever l'excédent.

BATTRE légèrement les œufs avec une fourchette. Plonger chaque côtelette dans l'œuf, égoutter et rouler dans la chapelure. Les presser avec les doigts et enlever l'excès de chapelure.

POSER les côtelettes sur une plaque, couvrir et mettre au réfrigérateur pendant 30 minutes. Faire chauffer l'huile dans la poêle et mettre quelques côtelettes à cuire pendant environ 3 minutes de chaque côté, jusqu'à ce qu'elles soient brunes et tendres. Ne pas faire trop chauffer l'huile car la chapelure brûlerait avant que les côtelettes ne soient cuites. Égoutter sur du papier absorbant et servir immédiatement.

Côtes de veau à l'italienne

4 côtes de veau • 2 cuil. à soupe de farine • poivre fraîchement moulu • 2 cuil. à soupe d'huile • 1 gros oignon, haché • 1 gousse d'ail, écrasée • 125 ml de bouillon de poulet • 125 ml de vin blanc • 1 boîte de 440 g de tomates • 1 cuil. à soupe de concentré de tomates • 2 cuil. à café de basilic séché • 2 cuil. à café d'origan séché • basilic frais, pour la garniture

Pour 4 personnes

PRÉCHAUFFER le four à 150 °C et huiler un plat allant au four. Dégraisser et dénerver la viande. Mélanger la farine et le poivre sur un papier sulfurisé. Rouler la viande dans le mélange et enlever l'excès de farine.

FAIRE CHAUFFER l'huile dans une grande poêle à fond épais. Ajouter la viande et faire dorer 2 à 3 minutes de chaque côté. Égoutter la viande sur du papier absorbant et disposer sur un plat allant au four.

METTRE l'oignon et l'ail dans la poêle et cuire 5 minutes pour les brunir. Ajouter le bouillon, le vin, les tomates, le concentré de tomates, le basilic et l'origan. Faire bouillir puis laisser mijoter à feu doux pendant 5 minutes.

ARROSER la viande de sauce. Couvrir le plat avec du papier aluminium et faire cuire au four pendant 1 heure ou jusqu'à ce que la viande soit tendre. On peut accompagner ce plat de petites pâtes et de courgettes.

Irish stew (ragoût irlandais)

1 kg de côtes d'agneau découvertes • ¼ de tasse de farine • 4 oignons moyens, coupés en tranches • 500 ml d'eau • 8 pommes de terre moyennes (2 kg), coupées en quatre • ¼ de tasse de persil frais haché

Pour 4 personnes

PRÉCHAUFFER le four à 160 °C. Dégraisser et dénerver la viande, la rouler dans la farine et ôter l'excédent.

DISPOSER les côtelettes dans un plat allant au four (d'une capacité de 2 l). Ajouter les oignons et l'eau. Couvrir et laisser cuire pendant 30 minutes.

AJOUTER les pommes de terre, couvrir et faire cuire pendant encore une heure, jusqu'à ce que la viande soit cuite et que les pommes de terre soient tendres. Ajouter le persil et remuer avant de servir.

Couronne d'agneau rôtie

1 couronne d'agneau (12 côtelettes) • 1 cuil. à soupe d'huile • 1 petit oignon, finement haché • 3 tasses de chapelure • ¼ de tasse de persil frais haché • 2 cuil. à café de romarin frais • 2 gousses d'ail, écrasées • 2 cuil. à café de zeste de citron finement râpé • 40 g de beurre, en copeaux • 2 œufs, battus • sel et poivre
Pour 6 personnes

PRÉCHAUFFER le four à 180 °C. Dégraisser et dénerver la viande. Disposer dans un plat allant au four et faire rôtir pendant 15 minutes. Pendant ce temps, faire chauffer l'huile dans la poêle et dorer l'oignon à feu moyen pendant 5 minutes.
METTRE l'oignon dans un bol et laisser tiédir. Ajouter la chapelure, le persil, le romarin, l'ail et le zeste de citron et remuer pour bien mélanger. Ajouter le beurre et les œufs et assaisonner généreusement. Mélanger le tout.
SORTIR le plat du four et ôter l'excès de gras. Huiler légèrement une petite feuille d'aluminium et la placer dans le centre de la couronne pour servir de base à la farce. Disposer la farce dans cet espace et remettre le plat au four pendant 30 minutes. Laisser reposer 15 minutes et découper la viande. Servir avec des haricots et des pommes dauphines ou des légumes de votre choix.

Côtes de veau grillées aux haricots blancs

8 côtes de veau • 1 gros poireau • 85 ml d'huile d'olive • 4 gousses d'ail, non épluchées • 6 feuilles de sauge fraîche • 2 boîtes de 400 g de haricots blancs, égouttés et rincés • 125 ml de bouillon de poulet • sel et poivre

Pour 4 à 6 personnes

DÉGRAISSER et dénerver la viande. Ôter le bout vert du poireau et couper le blanc en long, en quatre puis en fines lamelles de 10 cm de longueur. Rincer les lamelles et bien égoutter. Faire chauffer l'huile dans une casserole à fond épais. Ajouter le poireau et le cuire pendant 3 minutes, jusqu'à ce qu'il ramollisse. Ajouter la sauge et l'ail puis mélanger avec les haricots.

VERSER le bouillon et saler le mélange. Couvrir et laisser cuire à feu moyen pendant 20 minutes, en remuant de temps en temps. Ajouter le bouillon ou de l'eau si nécessaire. Écraser quelques haricots pour épaissir la sauce, garder au chaud jusqu'au moment de servir.

POSER la viande sur une plaque légèrement huilée. La saisir à feu vif 2 minutes de chaque côté puis à feu moyen encore 2 minutes de chaque côté.

Poivrer abondamment les haricots juste avant de servir et remuer. Ajouter quelques feuilles de salades.

Agneau braisé à la Guinness

8 côtes d'agneau dans l'épaule • 2 cuil. à soupe d'huile • 1 cuil. à soupe de beurre • 2 gros oignons, coupés en tranches fines • 375 ml de Guinness • 1 cuil. à soupe de cassonade • 1 cuil. à café de Maïzena

Pour 4 à 6 personnes

PRÉCHAUFFER le four à 150 °C. Dégraisser et dénerver la viande. Faire chauffer la moitié de l'huile dans une poêle à fond épais. Cuire la viande rapidement des deux côtés à feu moyen à vif, jusqu'à ce qu'elle soit bien dorée. Déposer sur du papier absorbant avant de transférer dans un plat allant au four.
FAIRE FONDRE le beurre dans une poêle et ajouter l'huile restante. Y faire revenir les oignons jusqu'à ce qu'ils ramollissent et aient réduit de moitié.
MÉLANGER la Guinness avec le sucre brun dans un petit bol et ajouter ce mélange aux oignons, dans la poêle. Faire bouillir, puis laisser mijoter à feu moyen pendant 5 minutes. Pendant ce temps, mélanger la Maïzena avec un peu d'eau dans un petit bol. Ôter du feu la poêle contenant les oignons et verser la Maïzena. Remettre sur le feu et porter à ébullition jusqu'à ce que le mélange épaississe.
VERSER la sauce sur les côtelettes. Couvrir le plat avec un papier d'aluminium et laisser cuire pendant 1 heure 30 dans le four. Servir avec de la purée de pommes de terre et des légumes verts.

Côtes de veau garnies de purée de céleri

8 côtes de veau • 1 kg de céleri-rave, épluché • 2 cuil. à café de jus de citron • 2 gousses d'ail, hachées • 125 ml d'huile d'olive vierge • sel et poivre
Pour 4 à 6 personnes

DÉGRAISSER la viande. Éplucher le céleri-rave et le couper en cubes. Le faire cuire dans de l'eau bouillante salée avec le jus de citron et l'ail pendant 8 minutes ou jusqu'à ce qu'il soit tendre.

ÉGOUTTER et remettre dans la casserole. Le faire cuire à la vapeur, sans couvercle, à feu moyen pendant quelques minutes pour que l'excédent d'eau s'évapore. L'écraser et ajouter l'huile d'olive en battant pour obtenir la consistance désirée. Assaisonner et garder au chaud.

METTRE la viande sur une plaque de gril légèrement huilée, la saisir à feu vif pendant 2 minutes de chaque côté, en ne la retournant qu'une fois. Continuer à feu moyen 2 minutes de chaque côté. Servir immédiatement avec la purée de céleri. On peut accompagner ce plat de poivrons cuits en cocotte.

NOTE : vous pouvez aussi servir la purée et la viande grillée en l'arrosant d'un filet d'huile d'olive vierge de qualité supérieure et de jus de citron.

Côtelettes de porc aux légumes à la thaï

4 côtelettes de porc épaisses • 2 cuil. à café de poivre noir en grains • 8 gousses d'ail • ½ bouquet de coriandre avec les tiges et les racines • 2 poireaux moyens • 50 g de pois gourmands • 1 cuil. à soupe d'huile • 60 g de pousses de pois gourmands • ¼ de tasse de basilic thaïlandais finement haché • 1 cuil. à soupe de sauce de poisson
Pour 4 personnes

DÉGRAISSER et dénerver la viande. Mettre les grains de poivre, l'ail et la coriandre dans un mixeur et faire une pâte. Enduire les côtes de cette pâte et les poser sur un plat non métallique. Couvrir d'un film alimentaire et réfrigérer pendant 4 heures.
FAIRE CUIRE les côtes sur un gril chaud, 5 minutes de chaque côté, ou davantage si l'on préfère plus cuit. Servir avec les légumes.
PRÉPARER les légumes. Enlever la partie vert foncé des poireaux et couper le blanc en longues lamelles fines. Équeuter les pois gourmands. Faire chauffer l'huile dans un wok ou dans une poêle et faire frire les poireaux et les pois gourmands pendant 2 minutes pour les ramollir. Ajouter les pousses, le basilic et la sauce de poisson en dernière minute et mélanger. Si vous ne trouvez pas de basilic thaï, utiliser du basilic ordinaire. Garnir de nouilles sautées.

Côtes de porc avec pommes au beurre et au cognac

4 côtes de porc dans le filet • 85 ml de cognac • 50 g de beurre • 1 cuil. à café de zeste de citron râpé • 2 cuil. à café de thym frais • 2 pommes acidulées, épluchées • zeste de citron ou brandy

Pour 4 personnes

DÉGRAISSER et dénerver la viande, l'arroser de la moitié du cognac et laisser reposer au frais pendant au moins 1 heure.

FAIRE FONDRE le beurre dans une poêle à fond épais. Ajouter le reste du cognac, le zeste de citron et le thym. Couper les pommes en 8 quartiers et les ajouter à la préparation. Faire cuire doucement jusqu'à ce que les pommes soient tendres. Continuer à feu vif en les retournant doucement, jusqu'à ce qu'elles soient légèrement caramélisées. Ajouter un peu de brandy ou de zeste de citron, selon votre goût, au moment de servir.

FAIRE FRIRE les côtes de porc à la poêle, à feu assez vif pendant 4 à 5 minutes de chaque côté pour qu'elles soient bien cuites. Servir immédiatement avec les pommes chaudes. On peut accompagner ce plat de petites carottes, et garnir de citron coupé en fines lamelles.

NOTE : on peut remplacer le cognac par du calvados ou de l'armagnac.

Travers de porc aux patates douces et aux poivrons

1 kg de travers de porc • 1 boîte de 400 g de tomates concassées • 875 ml de bouillon de poulet • 2 cuil. à café de paprika • 1 kg de patates douces • 1 tasse de poivrons rouges et de poivrons verts, hachés • paprika • riz, pour servir

Pour 4 personnes

COUPER les travers par 2, les mettre dans un poêlon et ajouter les tomates égouttées, le bouillon et le paprika. Ne pas saler. Faire bouillir et laisser mijoter, à couvert, pendant 35 à 40 minutes ou jusqu'à ce que la viande soit tendre.

ÉPLUCHER la patate douce et la couper en cubes de 5 cm. Ajouter dans la poêle et laisser cuire pendant 10 minutes, jusqu'à ce qu'elle soit tendre.

AJOUTER les poivrons hachés et faire bouillir à nouveau. Ôter du feu. Servir dans un saladier avec une pincée de paprika et de poivre noir, sur le riz.

NOTE : si on fait cuire ce plat un peu plus longtemps, les patates douces se défont et donnent une soupe épaisse délicieuse. Ce ragoût ou cette soupe peuvent être servis en entrée ou comme plat principal.

Côtes d'agneau à l'orge et au pilaf

2 côtes d'agneau dans le filet par personne • 1 tasse d'orge perlé • 30 g de beurre • 1 litre de bouillon de poulet ou de veau • 50 g de carottes, hachées finement • 50 g de céleri, haché finement • 2 cuil. à soupe de feuilles de céleri finement hachées • 85 ml de malt ou de whisky écossais
Pour 4 à 6 personnes

DÉGRAISSER et dénerver la viande. Faire fondre le beurre dans une grande poêle. Faire brunir l'orge dans le beurre et ajouter le bouillon, les carottes et le céleri. Laisser mijoter doucement, sans couvercle, pendant 1 heure environ, ou jusqu'à ce qu'il soit tendre, en remuant de temps en temps. Couvrir et garder au chaud, lorsqu'il est prêt.
POSER les côtes sur la plaque du gril légèrement huilée. Saisir à feu vif pendant 2 minutes de chaque côté, en ne les retournant qu'une seule fois. Cuire 2 minutes de plus de chaque côté pour que la viande soit à point. Saler et poivrer.
SALER ET POIVRER le mélange d'orge et de pilaf et ajouter les côtes de céleri hachées. À l'aide d'une tasse, former un petit tas de ce mélange et disposer sur l'assiette à côté de la viande. Faire chauffer le whisky dans une petite casserole, le flamber et verser avec les flammes sur l'orge et les côtes. On peut accompagner ce plat de courgettes coupées en lamelles.

Côtes de porc au beurre Bloody Mary

4 côtes de porc dans le filet • 8 grosses tomates olivettes• 2 cuil. à café de vinaigre balsamique • 1 cuil. à soupe d'huile • sel de mer • poivre noir concassé • 25 g de beurre, ramolli • 1 cuil. à soupe de concentré de tomates • 1 cuil. à café de sauce Worcestershire • 1 cuil. à soupe de vodka • quelques gouttes de tabasco • poivre noir fraîchement moulu
Pour 4 personnes

PRÉCHAUFFER le four à 120 °C. Dégraisser et dénerver les côtes de porc. Couper les tomates en deux dans le sens de la longueur et les épépiner. Les disposer sur une plaque, arroser d'un mélange de vinaigre, d'huile, de sel et de poivre. Faire cuire au four pendant 45 minutes.
MÉLANGER le beurre, le concentré de tomates, la sauce Worcestershire, la vodka, le tabasco et le poivre noir dans un mixeur. Envelopper la pâte de film alimentaire et former une bûche. Réfrigérer pour l'affermir.
DISPOSER les côtes de porc sur une plaque légèrement huilée. Cuire au gril, à feu vif, 3 minutes de chaque côté. Servir avec les tomates et des tranches minces de beurre.

Côtelettes d'agneau aux légumes d'hiver

4 côtes d'agneau dans le filet, épaisses • 2 gousses d'ail • 1 cuil. à soupe de romarin frais haché • 60 ml d'huile d'olive • 1 grosse pomme de terre • 2 carottes moyennes • 2 panais moyens • 1 gros céleri-rave • sel • quelques branches de romarin frais
Pour 4 personnes

DÉGRAISSER les côtes. Couper les gousses d'ail en deux et mélanger avec de l'huile et le romarin, dans un bol. Couper tous les légumes en bâtonnets épais et faire cuire dans une grande casserole d'eau bouillante pendant 2 à 3 minutes. Égoutter.
DISPOSER les côtelettes sur une plaque légèrement huilée. Cuire 4 minutes de chaque côté, ou plus, selon votre goût. Mettre la viande sur une assiette, couvrir avec du papier d'aluminium et laisser reposer pendant que les légumes cuisent.
DISPOSER les légumes en une seule couche sur une plaque et passer sous le gril. Arroser d'huile et saler. Faire cuire au gril 3 à 5 minutes jusqu'à ce qu'ils soient légèrement bruns. Servir aussitôt avec les côtes et garnir de romarin.

Côtes de veau aux cèpes à la crème

1 à 2 côtes de veau par personne • 15 à 20 g de cèpes séchés • 2 cuil. à soupe de crème de xérès • 300 ml de crème liquide • 50 g de prosciutto, coupé en lamelles ou en dés • sel et poivre • quartiers de citron

Pour 2 personnes

DÉGRAISSER et dénerver les côtes de veau. Rincer les champignons à l'eau froide. Les mettre dans une petite casserole avec le xérès et laisser cuire doucement jusqu'à ce que le xérès soit absorbé.

AJOUTER la crème et laisser mijoter, sans couvercle, pendant 10 ou 15 minutes, jusqu'à ce que les champignons aient gonflé et que la sauce ait pris une bonne consistance. Couvrir et garder au chaud pendant la cuisson de la viande.

DISPOSER la viande sur une plaque légèrement huilée, ou sur un gril, et cuire à feu vif 2 minutes de chaque côté, pour la saisir. Ajouter 2 minutes de cuisson de chaque côté pour qu'elle soit à point, et 3 minutes de plus pour qu'elle soit bien cuite.

RÉCHAUFFER la sauce pendant que les côtes de veau cuisent et ajouter le prosciutto. Assaisonner et servir immédiatement avec les quartiers de citron. Accompagner de torsades et garnir d'aneth, selon votre goût.

NOTE : on peut accompagner ce plat d'épinards passés à la poêle avec de l'huile et de l'ail. C'est un plat succulent qui peut être servi à l'occasion d'un repas de fête pour deux personnes. Plus les champignons sont secs, plus le goût et la saveur sont développés.

Côtes de porc à l'ananas au poivre et au gin

4 grandes côtes premières de porc • 8 fines tranches d'ananas frais • 50 g de beurre • poivre noir fraîchement moulu • 1 cuil. à soupe de gin

Pour 4 personnes

DÉGRAISSER et dénerver les côtes de porc. Faire fondre le beurre dans une grande poêle à feu doux. Ajouter les tranches d'ananas et cuire d'un côté jusqu'à ce qu'elles soient légèrement brunes. Retourner et faire brunir l'autre côté. Garder l'ananas au chaud dans la poêle pendant la cuisson de la viande.

DISPOSER la viande sur une plaque légèrement huilée. Cuire à feu vif sous le gril pendant 5 minutes de chaque côté pour une cuisson à point. Lorsque les côtes sont presque cuites, verser abondamment le poivre fraîchement moulu, sur les tranches d'ananas, et reprendre la cuisson à feu vif pour les réchauffer, pas plus de 5 minutes pour ne pas affadir la saveur du poivre. Arroser de gin et servir immédiatement avec les côtes. On peut accompagner ce plat de nouilles.

NOTE : le poivre et le gin perdent leur saveur après quelques minutes de cuisson.

Côtes de veau au barbecue, légumes et polenta

85 ml d'huile d'olive • 1 gousse d'ail, écrasée • quelques brins de thym frais • 335 ml de bouillon de poulet • 250 ml d'eau • 1 tasse de polenta • ½ tasse de parmesan râpé • 2 courgettes moyennes • 2 petites aubergines • 1 gros poivron rouge • 1 gros poivron vert • 6 côtes de veau

Pour 6 personnes

MÉLANGER l'huile, l'ail et le thym dans un petit bol et laisser infuser. Mélanger le bouillon et l'eau dans une casserole et faire bouillir. Verser la polenta en filet et continuer de mélanger pendant 10 minutes, jusqu'à ce que la polenta épaississe et ait absorbé le liquide. Ajouter le parmesan, et étaler sur un moule à gâteau de 20 cm de diamètre, recouvert de papier d'aluminium. Aplatir la surface et réfrigérer pendant environ 2 heures, jusqu'à ce que la polenta soit ferme.

COUPER les courgettes et les aubergines en longues lamelles fines et les poivrons en larges lamelles. Enduire les légumes d'huile aromatisée, et les faire cuire sur la grille du barbecue de 3 à 5 minutes, en les retournant de temps en temps et en les arrosant d'huile.

COUPER la polenta en quartiers. Enduire d'huile et poser sur le bord du gril pour les dorer légèrement. Dégraisser la viande et la poser sur le barbecue avec les légumes. Faire cuire 4 minutes de chaque côté, en les retournant une fois. Servir.

Côtes de porc aux légumes chinois et aux champignons

3 champignons chinois séchés • 1 bouquet de pak-choï • 1 cuil. à soupe de graines de sésame • 4 côtes de porc dans le filet • 1 cuil. à soupe d'huile • 1 gousse d'ail, écrasée • 1 cuil. à café de gingembre frais râpé • huile de sésame
Pour 4 personnes

COUPER les champignons en fines lamelles. Les mettre dans un bol, recouvrir d'eau chaude et laisser gonfler pendant 15 minutes. Couper les feuilles de pak-choï grossièrement. Faire dorer les graines de sésame dans une poêle sèche, et laisser refroidir.
DÉGRAISSER et dénerver la viande. Faire chauffer l'huile dans une grande poêle, et cuire les côtes de porc 5 minutes de chaque côté. Poser sur une assiette et garder au chaud. Mettre l'ail et le gingembre dans la poêle et faire cuire en remuant, à feu moyen, pendant 30 secondes.
ÉGOUTTER puis essorer les champignons. Faire frire rapidement le pak-choï dans la poêle pour ramollir les feuilles. Ajouter les champignons, arroser d'huile de sésame et remuer jusqu'à ce qu'ils soient cuits. Servir les côtes de porc recouvertes de légumes. Saupoudrer de graines de sésame. On peut accompagner ce plat de nouilles fines.

Côtes d'agneau sur toasts

8 côtes d'agneau dans le filet • 1 baguette de pain • huile d'olive • 1 cuil. à café rase de moutarde à l'ancienne • ½ cuil. à café de romarin frais finement haché • 1 cuil. à café de menthe fraîche finement hachée • 1 cuil. à café de thym frais finement haché • ½ cuil. à café de zeste de citron finement râpé • 1 gousse d'ail, écrasée • sel et poivre
Pour 4 personnes

PRÉCHAUFFER le four à 180 °C. Dégraisser et dénerver la viande et laisser à température ambiante. Couper le pain en huit grosses tranches. Les imbiber d'huile d'olive et saler légèrement. Puis les disposer sur une plaque allant au four.
MÉLANGER la moutarde et les herbes. Ajouter un zeste de citron ou de l'ail, ou les deux selon votre goût. Toutes ces saveurs ont tendance à disparaître à la cuisson, ne pas hésiter sur la quantité. Étaler le mélange de moutarde et d'herbes aromatiques sur le pain. Poser une côte sur chaque tranche en laissant dépasser la croûte du pain.
FAIRE CUIRE au four 10 minutes; retourner les côtes sur le pain et laisser cuire encore 10 minutes. Laisser hors du four pendant 5 minutes, le temps que la viande prenne une teinte rosée. Si vous préférez les côtes un peu plus cuites, les laisser au four 2 ou 3 minutes de plus, en les retournant. Assaisonner selon votre goût. Servir avec des haricots recouverts mange-tout.

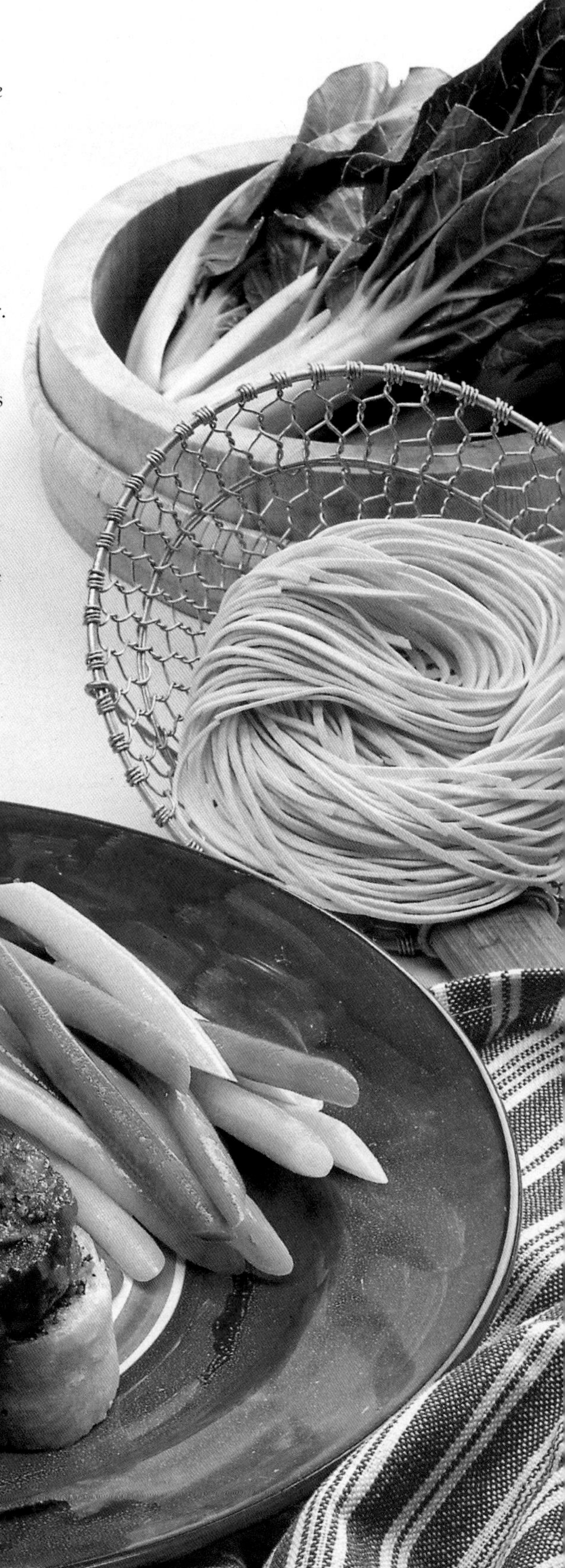

Côtes de bœuf braisées, au chutney

1,5 kg de travers de bœuf, coupées en petits morceaux • 1 boîte de 250 g de chutney • 250 ml de vin rouge
Pour 4 à 6 personnes

PRÉCHAUFFER le four à 150 °C. Dégraisser et dénerver la viande.
MÉLANGER la viande, le chutney et le vin rouge dans un grand plat. Faire cuire au four, à couvert, pendant 2 heures ou jusqu'à ce que la viande soit tendre et prenne une belle couleur brune.
NOTE : un chutney de tomates ou de fruit convient très bien à ce plat. On peut le servir avec de la purée de pommes de terre. Demandes à votre boucher de couper le travers.

Travers de porc et haricots rouges à la texane

500 g de travers de porc • 2 boîtes de 440 g de haricots rouges, égouttés et rincés • 125 ml de sauce tomate • 125 ml de bouillon de poulet • 2 cuil. à soupe rases de sauce de piment mexicaine • 1 poivron vert • riz au poivron rouge et crème fraîche, pour accompagner

Pour 4 personnes

PRÉCHAUFFER le four à 150 °C. Découper les travers en quartiers suivant les os. Mélanger les haricots, la sauce, le bouillon, la sauce de piment et le poivron dans un plat allant au four. AJOUTER les travers et couvrir du mélange. Fermer le plat avec un couvercle ou du papier d'aluminium. FAIRE CUIRE pendant 1 heure 30 ou jusqu'à ce que la viande soit cuite. Servir avec le riz au poivron, et garni d'une cuillerée de crème fraîche.

Plat de côtes à la chinoise, avec une sauce aux fruits

1,5 kg de plat de côtes de porc • 60 ml de xérès, de mirin ou de vin de riz chinois • 2 cuil. à soupe de sauce de soja • 2 gousses d'ail, hachées • 5 cm de gingembre frais, épluché et haché • 2 larges lamelles d'écorce de mandarine

Pour 4 à 6 personnes

DÉGRAISSER et dénerver la viande. Avec un couteau aiguisé, entailler la peau et la viande de chaque côte à 4 cm d'intervalles. Verser de l'eau bouillante sur la viande, retourner plusieurs fois et laisser reposer pendant la préparation de la marinade.

MÉLANGER l'alcool et la sauce de soja puis ajouter l'ail et le gingembre. Gratter l'intérieur de l'écorce de mandarine, couper en tranches et hacher finement le zeste. L'ajouter au mélange de sauce de soja et d'alcool.

JETER l'eau qui a réchauffé la viande et verser la marinade immédiatement. Mélanger et laisser couvert pendant au moins 1 heure à température ambiante, ou 4 heures au réfrigérateur.

PRÉCHAUFFER le four à 230 °C. Disposer la viande, la peau sur le dessus, dans un plat allant au four. Faire cuire 10 minutes et continuer la cuisson à 170 °C pendant 1 heure 30, jusqu'à ce que la viande soit dorée et tendre. Le temps de cuisson dépend de l'épaisseur de la viande. Servir froid ou chaud, avec un peu de sauce de piment, ou avec une salade de tomates et des quartiers d'orange.

Plat de côtes à la sauce barbecue au moka

1,5 kg de plat de côtes de porc • 1 cuil. à soupe d'huile d'olive • 1 petit oignon, finement haché • 2 grosses gousses d'ail, écrasées • 140 g de concentré de tomates • 2 cuil. à soupe de miel • 60 ml de café très fort • 60 ml de xérès • 2 cuil. à soupe de vinaigre balsamique • 2 cm de gingembre frais, épluché et râpé • 1 cuil. à soupe de sauce Worcestershire • 1 cuil. à café de coriandre en poudre • ½ cuil. à café de poivre de Cayenne • sel

Pour 4 personnes

DÉGRAISSER et dénerver la viande. Faire chauffer l'huile dans une casserole. Ajouter l'oignon et cuire en remuant constamment, 1 à 2 minutes, jusqu'à ce qu'il soit transparent. Ajouter l'ail et cuire une minute de plus.

VERSER dans un petit bol. Ajouter concentré de tomates, miel, café, xérès, vinaigre, gingembre, sauce, coriandre, poivre et sel et remuer pour bien mélanger.

DISPOSER la viande dans un plat. Ajouter la marinade. Bien imbiber la viande. Couvrir et laisser toute une nuit au réfrigérateur, en retournant la viande plusieurs fois.

PRÉCHAUFFER le four à 180 °C. Disposer la viande sur une grille au-dessus d'un plat et enfourner 50 minutes. Les retourner à la moitié du temps de cuisson, arroser avec la marinade. Servir avec des pois gourmands et des croquettes de pommes de terre.

Côtelettes d'agneau au chutney de poires et à la purée de pommes de terre au piment

12 côtes d'agneau dans le filet (d'environ 2,5 cm d'épaisseur) • 4 gousses d'ail, finement hachées • 2 cuil. à soupe de romarin frais, haché • 60 ml d'huile d'olive • 125 ml de jus de cassis • poivre noir fraîchement moulu • feuilles de menthe, pour garnir • **Chutney de poires :** *5 poires bien fermes, épluchées et coupées en cubes • 1 gros oignon, finement haché • 1 tasse de raisins secs • 60 ml de sirop d'érable • ½ cuil. à café de cannelle en poudre • ½ cuil. à café de noix de muscade fraîche • 2 gousses d'ail, écrasées • 1 cuil. à soupe de menthe fraîche hachée • 250 ml de vinaigre de cidre • 1 pincée de poivre de Cayenne* • **Purée de pommes de terre au piment :** *5 pommes de terre moyennes, épluchées et coupées en quatre • ½ tasse de crème fraîche • 60 g de beurre, ramolli • quelques gouttes de tabasco • ¼ de tasse d'oignons nouveaux frais finement hachés • ¼ de tasse de piment vert frais finement haché • poivre noir*
Pour 4 personnes

DÉGRAISSER et dénerver la viande. Mélanger ail, romarin, huile, jus de cassis et poivre dans un bol. Disposer les côtes dans un plat. Verser le mélange sur la viande, en la retournant pour bien l'enrober. Laisser reposer, à couvert, 2 à 3 heures au frais.
POUR PRÉPARER LE CHUTNEY, mettre poires, oignon, raisins secs, sirop, cannelle, noix de muscade, ail, menthe, vinaigre et poivre dans une grande poêle et faire bouillir. Laisser mijoter 20 à 25 minutes, à feu moyen, sans couvrir, en remuant de temps en temps, jusqu'à ce que les poires soient tendres. Servir à température ambiante.
POUR PRÉPARER LA PURÉE de pommes de terre, faire bouillir les pommes de terre, ou les cuire à la vapeur, les égoutter et les écraser en purée. Ajouter crème fraîche, beurre et tabasco, oignons nouveaux, piment vert et poivre. Écraser jusqu'à obtention d'une consistance onctueuse. Couvrir et garder au chaud.
RETIRER les côtes de la marinade, les poser sur une grille huilée et faire griller 4 minutes de chaque côté, pour une cuisson à point. Servir garni de menthe fraîche.

Porc aux cinq épices accompagné de nouilles aux œufs sautées

6 côtes de porc dans le filet • 2 cuil. à soupe d'huile d'arachide • 1 cuil. à soupe de cassonade • 60 ml de sauce de soja • ½ cuil. à café de cinq épices • ¼ de cuil. à café de flocons de piment séché • 3 gousses d'ail, écrasées • 60 ml de xérès sec • 1 cuil. à café de gingembre frais râpé • 1 brin de coriandre, pour garnir • ***Nouilles aux œufs sautées :*** *300 g de nouilles aux œufs chinoises • 1 cuil. à soupe d'huile de sésame • 1 cuil. à soupe d'huile d'arachide • 1 cuil. à café d'huile de piment • 250 ml de bouillon de poulet • ⅓ de tasse de beurre de cacahuètes non salé • 2 cuil. à soupe de vinaigre de riz • 1 cuil. à soupe de sauce de soja • 2 cuil. à soupe de graines de sésame grillées • 1 petit concombre, épluché et épépiné • 2 oignons nouveaux, coupés en lamelles fines • ⅓ de tasse de cacahuètes non salées, grillées et hachées • 1 petit piment rouge, finement haché*

Pour 6 personnes

DÉGRAISSER et dénerver la viande. Mélanger l'huile, le sucre, la sauce de soja, la poudre d'épices, les flocons de piment, l'ail, le xérès et le gingembre dans un bol. Mettre la viande dans un plat creux et recouvrir du mélange à la sauce de soja dessus. Couvrir et laisser mariner 1 à 2 heures au réfrigérateur.

FAIRE CHAUFFER la plaque du gril légèrement huilée. Enlever la viande de la marinade et la poser sur la plaque. La saisir 2 minutes, à feu vif, de chaque côté et retourner une fois. Continuer la cuisson à feu moyen et arroser de marinade en retournant la viande fréquemment, 10 à 15 minutes, jusqu'à ce qu'elle soit cuite. Servir avec les nouilles aux œufs, garni de coriandre.

POUR PRÉPARER LES NOUILLES, faire bouillir de l'eau dans une casserole et y verser les nouilles. Égoutter. Faire chauffer l'huile de sésame, d'arachide et de piment dans un poêlon. Ajouter les nouilles et remuer pour bien les imbiber. Fouetter dans un bol, le bouillon, le beurre de cacahuète, le vinaigre et la sauce de soja. Verser ce mélange sur les nouilles et chauffer à feu doux, sans faire bouillir. Mélanger les graines de sésame, le concombre, l'oignons, les cacahuètes et le piment et en saupoudrer les nouilles.

Porc épicé à la salsa d'agrumes

6 côtes de porc dans le filet • 2 cuil. à café de gingembre frais grossièrement haché • 1 petit oignon, finement haché • 1 cuil. à soupe de pâte de tamarin, sans les graines • 2 cuil. à soupe d'huile d'olive • 1 tasse de yaourt nature • 2 cuil. à café de cumin en poudre • 1 cuil. à soupe de garam masala • 1 cuil. ½ à café de safran moulu • 1 cuil. ½ à soupe de paprika • ½ cuil. à café de poivre de Cayenne • ½ cuil. à café de sel • **Salsa d'agrumes :** *2 oranges moyennes, coupées en quartiers • 1 petit oignon rouge • 1 gousse d'ail, écrasée • 1 à 2 piments verts frais, rôtis, épépinés, épluchés et hachés grossièrement • 1 cuil. à soupe d'huile d'olive • 2 cuil. à soupe de coriandre fraîche hachée • poivre noir fraîchement moulu*

Pour 6 personnes

DÉGRAISSER et dénerver la viande. Mélanger le gingembre, l'oignon, l'ail et la pâte de tamarin dans un mixeur pour obtenir une pâte onctueuse. Ajouter l'huile d'olive, le yaourt, le cumin, le garam masala, le safran, le paprika, le poivre et le sel et continuer à mixer. Étaler la pâte sur les deux côtés des côtes de porc, et les disposer dans un plat creux. Couvrir et laisser mariner pendant 2 heures au réfrigérateur.

POUR FAIRE LA SALSA, couper chaque quartier d'orange en trois morceaux et les mettre dans un bol. Ajouter le reste des ingrédients dans le mixeur et lorsque le mélange est bien haché, verser sur les morceaux d'orange. Couvrir avec un film alimentaire et laisser reposer à température ambiante pendant 1 heure.

PRÉCHAUFFER le four à 180 °C. Sortir la viande du réfrigérateur et la disposer sur une grille huilée au-dessus d'un plat allant au four. Faire cuire 50 minutes, en arrosant et retournant fréquemment les côtes, jusqu'à ce qu'elles soient bien cuites. Servir avec la salsa d'agrumes et accompagner de mini choux-fleurs et d'une salade verte.

Plat de côtes glacé à l'orange et au gingembre

1 kg de plat de côtes de porc • ***Glaçage à l'orange et au gingembre :*** *½ tasse de mélasse • 125 ml de sauce tomate • 1 oignon moyen, finement haché • 2 gousses d'ail, écrasées • 2 cuil. à café de gingembre râpé • zeste d'une orange, coupée en fines lamelles • jus d'une orange • 1 cuil. à soupe de vinaigre de vin blanc • 1 cuil. à soupe d'huile de tournesol • 1 cuil. à soupe de moutarde à l'ancienne • sel • poivre fraîchement moulu • 1 cuil. à soupe de sauce Worcestershire • 1 cuil. à soupe de sauce de piment*
Pour 4 personnes

PRÉCHAUFFER le four à 180 °C. Dégraisser et dénerver la viande. Disposer la viande dans un plat allant au four. Couvrir avec du papier d'aluminium et mettre au four pendant 20 minutes.
POUR PRÉPARER LE GLAÇAGE, mélanger la mélasse, la sauce tomate, l'oignon, l'ail, le gingembre, la peau d'orange, le jus d'orange, le vinaigre, l'huile, la moutarde, le sel, le poivre, la sauce Worcestershire et la sauce de piment dans une casserole moyenne. Faire bouillir et laisser cuire en remuant, pendant 3 à 4 minutes.
RETIRER la graisse fondue du plat et napper la viande du glaçage. Remettre au four à 200 °C pendant 35 minutes, en arrosant de temps en temps. La viande doit être dorée et couverte de glaçage lorsqu'elle est prête. Servir avec du riz au jasmin cuit à la vapeur ou avec un mélange de riz sauvage.

Côtes d'agneau rôties et tomates au romarin

8 côtes d'agneau dans l'épaule • 500 g de tomates olivettes • 2 cuil. à soupe d'huile d'olive • poivre noir fraîchement concassé • quelques brins de romarin frais • 1 cuil. ½ à soupe d'huile d'olive, en plus • 2 cuil. à café de poivre concassé • ½ cuil. à café de paprika • 3 gousses d'ail, écrasées • 1 cuil. à soupe de gros sel pilé
Pour 4 personnes

PRÉCHAUFFER le four à 150 °C. Dégraisser et dénerver les côtes. Couper les tomates en deux dans le sens de la longueur et les arroser d'huile. Les disposer sur une plaque allant au four légèrement huilée, côté coupé vers le haut. Assaisonner de poivre.
SAUPOUDRER le romarin sur les tomates. Faire cuire pendant 1 heure ou jusqu'à ce que la peau soit fripée. Ôter du four et garder au chaud.
DISPOSER les côtelettes d'agneau sur une grille légèrement huilée, placée au-dessus d'un plat. Mixer l'huile, le poivre, le paprika, l'ail et le gros sel, et en badigeonner la viande des deux côtés.
FAIRE CUIRE la viande au four à 200 °C pendant 12 à 15 minutes, jusqu'à ce qu'elle soit rose. Ôter du four et disposer sur un plat avec les tomates. On peut accompagner ce plat d'asperges à la vapeur.

Plat de côtes au poivre chinois et à la pâte de piment et de citron vert

1,5 kg de plat de côtes de porc, dégraissé • 1 à 2 gros piments verts frais, épépinés et hachés grossièrement • 4 gousses d'ail, écrasées • 1 cuil. à soupe de feuilles de marjolaine fraîche • 2 cuil. à soupe d'huile végétale • 250 ml de jus de citron vert frais • 2 cuil. à soupe d'huile végétale • 3 cuil. à café de sel • 1 cuil. à soupe de poivre chinois moulu

Pour 4 personnes

DISPOSER la viande dans un plat creux, assez large. Mixer les piments, l'ail, la marjolaine et l'huile pour en faire une pâte. Ajouter le jus de citron vert et bien mélanger. Verser ce mélange sur la viande. Couvrir et réfrigérer toute une nuit, en retournant la viande une fois ou deux.

DISPOSER la viande marinée sur une grille légèrement huilée. Faire cuire à feu moyen pendant 15 minutes de chaque côté, en arrosant fréquemment de marinade. Lorsque la viande est dorée et croustillante, saler et poivrer. Servir en petits morceaux ou entière, avec des nouilles fines et des quartiers de citron.

NOTE : le poivre chinois, ou Sichuan, est une épice à base de baies séchées provenant du frêne chinois. On peut en trouver dans les épiceries asiatiques.

Côtelettes de veau aux champignons

8 côtelettes de veau • 125 ml de bouillon de poulet • 1 citron vert, coupé en quartiers • 250 g de petits champignons de Paris, coupés en tranches fines • 200 ml de crème fraîche
Pour 4 personnes

DÉGRAISSER et dénerver la viande. Préchauffer le four à 150 °C. Disposer les côtelettes et les quartiers de citron vert dans un plat allant au four avec le bouillon. Couvrir et faire cuire au four pendant 1 heure ¼, jusqu'à ce que la viande soit tendre.
ENLEVER le citron vert et mettre les champignons coupés en tranches. Remettre au four, sans couvercle, pendant 5 minutes, jusqu'à ce que les champignons soient ramollis, en veillant à ne pas trop prolonger le temps de cuisson.
PLACER les côtelettes et les champignons sur un plat et garder au chaud. Faire bouillir les jus de cuisson à feu vif et continuer à feu moyen pendant 4 à 5 minutes jusqu'à ce que le liquide ait réduit de moitié. Incorporer la crème en fouettant et verser sur le veau et les champignons. Servir aussitôt accompagné de pâtes ou de riz.
NOTE : pour épaissir la sauce, ajouter deux fois la quantité de crème fraîche.

Côtelettes d'agneau aux noisettes, garnies de petites betteraves

2 carrés d'agneau de 6 côtelettes chacun • 1 tasse ½ de chapelure • 2 cuil. à soupe de romarin frais haché • ¼ de tasse de noisettes rôties, finement hachées • 2 cuil. à café de bouillon de poulet • 1 cuil. à soupe de moutarde à la provençale • 2 jaunes d'œufs • 45 g de beurre, fondu • 1 dizaine de petites betteraves • 1 cuil. à soupe de graines de carvi • 85 ml de vinaigre de vin rouge • poivre noir fraîchement moulu • 150 g de fromage de chèvre frais, émietté

Pour 4 personnes

PRÉCHAUFFER le four à 180 °C. Enlever la peau du carré d'agneau et la graisse avec un couteau. Gratter les os et couvrir de papier d'aluminium pour qu'ils ne brûlent pas.
MÉLANGER la chapelure, le romarin, les noisettes, le bouillon et la moutarde dans un large bol. Ajouter les jaunes d'œufs et le beurre fondu et bien mélanger. Étaler ce mélange sur la surface du carré d'agneau en appuyant fermement.
DISPOSER la viande, les os reposant sur une grille huilée, au-dessus d'un plat. Faire rôtir 35 minutes pour obtenir une viande saignante, ou de 40 à 45 minutes pour une viande bien cuite. Retirer du four et laisser refroidir quelques minutes avant de découper. Servir avec les petites betteraves, le fromage de chèvre et une salade verte.
FAIRE CUIRE les betteraves à la vapeur ou au micro-ondes. Lorsqu'elles sont tendres, les éplucher et les couper en quartiers. Dans un bol, mélanger les graines de carvi, le sel, le vinaigre et le poivre et ajouter les betteraves. Servir frais, avec le fromage de chèvre émietté.

Veau braisé au fenouil et aux artichauts

3 artichauts moyens (ou 250 g de moitiés d'artichauts à l'huile) • 1 cuil. à soupe d'huile d'olive • 4 côtelettes de veau, dégraissées • sel et poivre • 250 g de fenouil, coupé en tranches • 250 ml de jus d'orange filtré • 310 ml de bouillon de poulet • 1 cuil. à café de graines de fenouil • 1 cuil. à café de zeste d'orange râpé • 1 cuil. à soupe de miel • 2 cuil. à soupe de vinaigre balsamique • 2 cuil. à café de Maïzena

Pour 4 personnes

ÔTER la queue des artichauts et couper la tête à environ 1 cm. Enlever les grosses feuilles jusqu'à la partie tendre et jaune du cœur. Les couper en quatre et nettoyer l'intérieur. Les faire cuire dans de l'eau bouillante pendant 7 minutes, jusqu'à ce qu'ils soient tendres. Égoutter. Si on utilise des artichauts en conserve, les couper en deux.

FAIRE CHAUFFER l'huile. Assaisonner les côtelettes et les cuire 3 à 4 minutes de chaque côté à feu vif. Ajouter le fenouil dans la poêle et faire frire 1 minute. Continuer à feu doux et ajouter le jus d'orange, le bouillon, les graines de fenouil, la peau d'orange et le miel. Laisser mijoter pendant 5 à 6 minutes, jusqu'à ce que la viande soit tendre.

MÉLANGER le vinaigre et la Maïzena pour obtenir une pâte onctueuse et ajouter à la sauce. Faire cuire à feu moyen en remuant constamment jusqu'à ce que le mélange épaississe. Réduire le feu et ajouter les artichauts. Garnir de fines lamelles de zeste d'orange.

Veau à la pancetta, aux tomates séchées et aux olives

1 cuil. à soupe d'huile d'olive • 6 côtes de veau dans le filet, dégraissées • 125 g de pancetta, coupée en lamelles de 2 cm de large • 1 oignon rouge, coupé en tranches • 1 poivron rouge moyen, épépiné, coupé en petites lamelles • ½ tasse de tomates séchées, coupées en tranches • 1 boîte de 425 g de tomates en morceaux • 60 ml de vin blanc sec • poivre noir fraîchement moulu • 350 g de pâtes linguine • ¼ de tasse d'olives noires dénoyautées • 1 à 2 cuil. à soupe de petites feuilles de basilic frais • parmesan, pour servir

Pour 6 personnes

FAIRE CHAUFFER l'huile dans une grande poêle, ajouter les côtes de veau et cuire à feu moyen jusqu'à ce qu'elles soient brunes de chaque côté. Ôter de la poêle et égoutter.

FAIRE FRIRE le saucisson, l'oignon et le poivron pendant 1 à 2 minutes. Ajouter les tomates séchées, les tomates en boîte et le vin.

REMETTRE la viande dans la poêle et laisser mijoter, sans couvercle, pendant 12 à 15 minutes, jusqu'à ce que les côtes soient tendres. Pendant ce temps, faire bouillir une grande casserole d'eau et y plonger les linguine. Ajouter les olives et le basilic dans la poêle juste avant de servir. Servir avec les pâtes chaudes et des lamelles de parmesan.

NOTE : la pancetta est une sorte de bacon non fumé qui contient des épices, du sel et du poivre. Elle a généralement la forme d'un saucisson, coupé en tranches fines que l'on vend dans les charcuteries italiennes.

Plat de côtes à la malaise

1 kg de plat de côtes de bœuf, coupé en morceaux de 5 cm de long • 1 oignon moyen, finement râpé • 1 cuil. à café de gingembre finement râpé • 2 cuil. à café de sucre • 1 cuil. à café de sambal oelek • 1 cuil. à café de coriandre moulue • 125 ml de crème de coco • 2 cuil. à soupe de sauce de soja légère • 1 cuil. à soupe d'huile végétale • ***Sauce aux cacahuètes :*** *1 tasse de cacahuètes grillées, non salées • 1 cuil. à soupe d'huile d'arachide • 1 cuil. à café de sambal oelek • 1 cuil. à soupe de sucre • 1 cuil. à soupe de sauce de soja • 250 ml de lait de coco • 1 cuil. à soupe de citronnelle finement hachée • 2 cuil. à café de jus de citron*
Pour 4 personnes

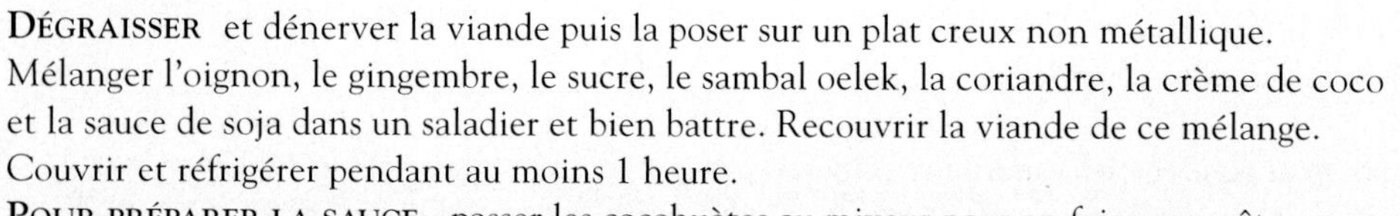

DÉGRAISSER et dénerver la viande puis la poser sur un plat creux non métallique. Mélanger l'oignon, le gingembre, le sucre, le sambal oelek, la coriandre, la crème de coco et la sauce de soja dans un saladier et bien battre. Recouvrir la viande de ce mélange. Couvrir et réfrigérer pendant au moins 1 heure.

POUR PRÉPARER LA SAUCE, passer les cacahuètes au mixeur pour en faire une pâte. Mettre dans une petite casserole et mélanger avec de l'huile d'arachide, le sambal oelek, le sucre, la sauce de soja, le lait de coco, la citronnelle et le jus de citron. Porter à ébullition puis laisser mijoter à feu doux 3 minutes. Ne pas trop cuire cette sauce car les ingrédients risqueraient de se séparer.

FAIRE CHAUFFER de l'huile dans un wok ou dans une grande poêle. Ajouter la viande et la cuire 8 minutes de chaque côté ou jusqu'à ce qu'elle brunisse. Servir avec la sauce aux cacahuètes et accompagner de nouilles.

Plat de côtes à la coréenne

2 kg de plat de côtes de bœuf, coupé en morceaux • 125 ml de sauce de soja légère • 1 cuil. à soupe d'huile de sésame • 60 ml de xérès sec • 3 gousses d'ail, coupées en tranches fines • 1 cuil. à café de gingembre frais finement râpé • 1 cuil. à soupe de cassonade • 1 cuil. à café de poivre noir finement pilé • 2 oignons nouveaux, coupés en tranches fines • 2 cuil. à soupe de graines de sésame grillées

Pour 6 personnes

DÉGRAISSER et dénerver la viande. La disposer dans un plat creux allant au four. Mélanger la sauce de soja, l'huile, le xérès, l'ail, le gingembre, le sucre, le poivre noir, les oignons nouveaux et les graines de sésame dans un bol et bien battre ce mélange. Verser sur la viande et recouvrir. Réfrigérer toute une nuit.

PRÉPARER le barbecue à l'avance pour que le charbon de bois soit ardent. Disposer la viande sur le gril avec les os près du feu et faites cuire jusqu'à ce qu'elle soit brune. Retourner et cuire l'autre côté. Servir avec des pommes de terre rôties et une salade verte.

Porc au poivre et au bocconcini

6 côtes de porc dans le filet, dégraissées • 1 cuil. à soupe de poivre vert, en saumure égoutté • 1 cuil. à soupe de poivre rose en saumure, égoutté • 2 cuil. à soupe d'huile de carthame • 2 gousses d'ail, finement hachées • 400 g de bocconcini (ou mozzarella), coupés en tranches fines • 1 poireau, coupé en tranches fines • quelques gouttes de tabasco • 1 cuil. à soupe de sauce Worcestershire • 500 ml de bouillon de poulet • 2 cuil. à soupe de xérès sec • 2 cuil. à café de Maïzena • 2 cuil. à soupe d'eau • 1 cuil. à soupe de persil plat haché

Pour 6 personnes

ATTACHER le bout de chaque côte avec un bâtonnet. Écraser les grains de poivre verts et roses avec un pilon. Saupoudrer un côté de côtelette et appuyer fermement sur la viande. Couvrir et laisser reposer au réfrigérateur pendant 15 minutes.
FAIRE CHAUFFER l'huile dans une grande poêle à feu moyen et ajouter l'ail et les côtelettes, côté poivré dans le fond. Cuire 4 à 5 minutes de chaque côté afin qu'elles soient un peu grillées. Les enlever de la poêle et les disposer sur un plat creux allant au four, le côté poivré sur le dessus. Enlever les bâtonnets.
DISPOSER en couches les tranches de bocconcini sur la viande et faire cuire sous le gril jusqu'à ce que le fromage fonde. Pendant ce temps, faire frire le poireau 1 à 2 minutes. Ajouter le tabasco, la sauce Worcestershire, le bouillon et le xérès. Laisser mijoter la sauce pendant 3 minutes jusqu'à ce qu'elle ait légèrement réduit.
MÉLANGER la Maïzena et l'eau et verser dans la sauce. Porter à ébullition puis mijoter à feu moyen, pour qu'elle épaississe. Ajouter le persil et verser la sauce sur les côtelettes. Servir avec des gombos coupés en fines tranches.

Veau rôti enrobé d'une croûte au poivre rose

2 carrés de veau, de 4 côtelettes chacun • 1 cuil. à soupe d'huile d'olive • sel • poivre noir, fraîchement moulu • **Croûte au poivre rose :** *50 g de grains de poivre rose en saumure, égouttés • 1 cuil. à soupe de persil haché • 1 cuil. à soupe de sauge fraîche hachée • 1 cuil. à soupe de moutarde de Dijon • 2 blancs d'œufs • 2 tasses de chapelure • 45 g de beurre fondu*
Pour 4 personnes

PRÉCHAUFFER le four à 180 °C. Dégraisser et dénerver la viande et poser sur la grille huilée d'un plat allant au four. Frotter d'huile et assaisonner. Faire rôtir au centre du four 45 minutes. Sortir du four et laisser tiédir.
POUR PRÉPARER LA CROÛTE, écraser les grains de poivre dans un mortier puis mélanger avec les herbes et la moutarde dans un bol. Battre les blancs d'œufs en neige. Lorsqu'ils sont fermes, incorporer doucement dans le bol. Mélanger la chapelure au beurre fondu et ajouter à la préparation de poivre et de blancs d'œufs.
ÉTALER ce mélange sur la viande en appuyant fermement. Cuire au four pendant 20 à 25 minutes. Sortir du four, laisser refroidir et découper la viande en côtelettes. Servir avec une salade verte, des pommes de terre nouvelles et des petits maïs.

Porc au gingembre

1 kg de plat de côtes de porc • 1 cuil. à soupe d'huile de sésame • 3 grosses gousses d'ail, écrasées • 1 morceau de gingembre frais de 2 cm, épluché et râpé • 85 ml de sauce de soja • 60 ml de vinaigre de vin de riz • 4 clous de girofle • 1 bâton de cannelle • ½ tasse de marmelade d'orange • poivre noir, fraîchement moulu • 100 g d'oranges confites, coupées en tranches fines

Pour 4 personnes

DÉGRAISSER et dénerver la viande. Faire chauffer l'huile dans une petite poêle, ajouter l'ail et le gingembre et faire frire 1 minute. Ajouter la sauce de soja, le vinaigre, les clous de girofle, la cannelle, la marmelade et le poivre et faire bouillir en remuant constamment. Laisser mijoter à feu doux de 3 à 5 minutes.

ENLEVER du feu et laisser refroidir à température ambiante. Assaisonner. Avant de passer la viande au gril, la couvrir généreusement de sauce.

Disposer la viande sur une grille légèrement huilée. Cuire 15 minutes de chaque côté à feu moyen. Servir avec le glaçage et avec des pâtes.

Côtes de porc au curry

2 cuil. à soupe de graines de fenugrec • 1 cuil. à soupe de gingembre frais râpé • 1 cuil. à soupe de curcuma • 2 gousses d'ail, écrasées • 1 tasse ½ de feuilles de coriandre fraîche • 1 tasse de feuilles de menthe fraîche • 1 cuil. ½ à café de cardamome moulue • 125 ml de vinaigre brun • 1 cuil. à soupe d'huile végétale • 125 ml de crème de coco • 180 ml de bouillon de poulet • 1 boîte de 400 g de lait de coco • 2 cuil. à soupe de jus de citron vert • 6 feuilles de citronnier fraîches ou séchées • 1 cuil. à soupe de sucre • 4 côtes de porc dans l'échine, coupées en moitié dans la longueur et dégraissées • 3 petits piments rouges, épépinés et hachés • 2 petits piments verts, épépinés et hachés • 2 cuil. à soupe de feuilles de menthe ou de basilic • 1 tasse ½ de riz au jasmin cuit
Pour 4 personnes

METTRE les graines de fenugrec dans un petit bol et couvrir d'eau chaude. Laisser reposer 10 minutes puis égoutter. Mélanger les graines, le gingembre, le curcuma, l'ail, la coriandre, la menthe, la cardamome et le vinaigre.
FAIRE CHAUFFER l'huile dans une poêle de taille moyenne. Verser le mélange et la crème de coco. Faire bouillir puis laisser mijoter à feu doux en remuant, pendant 1 minute.
AJOUTER le bouillon, le lait de coco, le jus de citron vert, les feuilles de citronnier et le sucre. Faire bouillir, ajouter la viande et laisser mijoter, sans couvrir, pendant 15 minutes.
AJOUTER les piments et la menthe ou le basilic. Laisser mijoter 5 minutes de plus ou jusqu'à ce que la sauce épaississe et que le porc soit tendre. Garnir de piments hachés et servir avec le riz.

Veau rôti au cidre et au riz parfumé aux noix

6 côtelettes de veau maigres • sel • poivre noir fraîchement moulu • 1 cuil. ½ à soupe de noix de muscade en poudre • 2 cuil. à soupe de thym séché • 500 ml de cidre • 125 ml de brandy • 1 cuil. à soupe de beurre • 375 ml de bouillon de bœuf • 2 cuil. à soupe de gelée de groseilles • 1 cuil. à soupe de Maïzena • 2 cuil. à soupe d'eau • 45 g de beurre, en plus • 2 pommes vertes, coupées en quartiers et épépinées • ***Riz parfumé aux noix :*** *30 g de beurre • 1 cuil. à soupe d'huile d'olive • 1 oignon, finement haché • 2 tasses de riz rond • 125 ml de vin blanc sec • 375 ml de bouillon de poulet • ¼ de tasse de parmesan frais râpé • poivre noir fraîchement moulu • ¾ de tasse de noix hachées*

Pour 6 personnes

ASSAISONNER la viande et la frotter des deux côtés avec la noix de muscade et le thym. Préchauffer le four à 180 °C. Poser les côtelettes sur une grille huilée au-dessus d'un plat. Verser la moitié du cidre et la moitié du brandy sur la viande. Ajouter quelques noix de beurre et faites rôtir pendant 25 à 30 minutes jusqu'à ce que la viande soit bien cuite.

MÉLANGER le reste du cidre et du brandy dans une casserole avec le bouillon et la gelée de groseilles. Faire bouillir en remuant. Laisser mijoter à feu doux 4 à 5 minutes ou jusqu'à ce que le mélange ait réduit et que la gelée ait fondu. Ajouter la Maïzena qui aura préalablement trempé dans de l'eau, et faire bouillir pour épaissir la sauce. Garder au chaud.

POUR PRÉPARER LE RIZ faire chauffer le beurre et l'huile d'olive dans une grande casserole. Ajouter l'oignon et faire frire pendant 1 à 2 minutes, en remuant constamment. Ajouter le riz et continuer à remuer une minute de plus. Ajouter le vin et le bouillon et porter à ébullition. Laisser mijoter à feu doux, à couvert, pendant 25 à 30 minutes, jusqu'à ce que le liquide soit bien absorbé et que le riz soit tendre. Incorporer le fromage, le poivre et les noix et servir.

FAIRE CHAUFFER le beurre dans une petite casserole juste avant de servir. Lorsqu'il blanchit, ajouter les quartiers de pommes et les faire dorer. Servir immédiatement avec les côtelettes, la sauce et le riz aux noix. On peut accompagner ce plat de rubans de courgettes.

Côtelettes d'agneau à la compote d'oignons rouges et de figues

2 carrés d'agneau de 6 côtelettes chacun • 2 cuil. à soupe d'huile d'olive • 1 cuil. à soupe de poivre • ***Compote d'oignons rouges et de figues :*** *3 petits oignons rouges, épluchés et coupés en quatre • 2 grosses pommes vertes, coupées en quartiers • 60 g de beurre • ¼ de tasse de sucre demerara • 375 g de figues séchées, hachées grossièrement •* ***Couscous :*** *375 ml d'eau bouillante • 2 tasses de couscous précuit • 30 g de beurre • 2 cuil. à soupe de coriandre fraîche hachée • sel et poivre noir fraîchement moulu*
Pour 4 à 6 personnes

Dégraisser, dénerver la viande, nettoyer les os et les envelopper dans du papier d'aluminium pour les empêcher de griller. Préchauffer le four à 180 °C. Frotter les carrés d'agneau d'huile d'olive et poivrer. Poser la viande sur la grille huilée au-dessus d'un plat, en la reposant sur les os, et rôtir de 35 à 40 minutes.
L'ôter du four et laisser refroidir quelques minutes. Découper et servir 2 ou 3 côtelettes par personne, avec la compote et le couscous.
Pour préparer la compote, faire frire les oignons et les pommes dans du beurre et du sucre pour les caraméliser. Ajouter les figues et cuire à feu doux pour les ramollir. Réchauffer au moment de servir.
Pour préparer le couscous, verser l'eau bouillante sur le couscous dans une petite casserole. Laisser gonfler pendant 5 minutes sans remuer, ou jusqu'à ce que l'eau soit bien absorbée. Ajouter le beurre et faire chauffer à feu très doux. À l'aide d'une fourchette, introduire la coriandre dans la semoule, assaisonner et servir.

Veau aux kumquats épicés et au riz sauvage aux pignons

2 carrés de veau de 4 côtelettes chacun, dégraissés • 1 cuil. à soupe d'huile d'olive • 1 cuil. à soupe de garam masala • 30 g de beurre • 2 à 3 poires bien fermes, épluchées et coupées en quartiers • 2 tasses de kumquats en conserve • ***Riz sauvage aux pignons :*** *1 tasse de mélange de riz sauvage • 3 oignons nouveaux, hachés finement • 30 g de beurre • ¼ de tasse de pignons grillés • ¼ de tasse de noix finement hachées • poivre noir fraîchement moulu*

Pour 4 personnes

ENVELOPPER le bout des os de papier d'aluminium. Frotter la viande d'huile d'olive et saupoudrer de garam masala. Poser les côtelettes sur l'os, sur une grille huilée au-dessus d'un plat, et faire rôtir à 180 °C pendant 1 heure, jusqu'à ce que la viande soit bien cuite. Retirer du four, recouvrer de papier d'aluminium et laisser reposer 5 minutes. Enlever le papier et couper le carré en côtelettes.

POUR PRÉPARER LE RIZ, mettre le riz sauvage dans une grande casserole remplie d'eau bouillante. Faire bouillir de 30 à 35 minutes et égoutter. Faire frire les oignons nouveaux dans du beurre à feu moyen et ajouter le riz, les pignons et les noix. Assaisonner de poivre.

FAIRE CHAUFFER le beurre dans une petite poêle juste avant de servir. Ajouter les quartiers de poire et faire frire pendant 1 à 2 minutes. Ajouter les kumquats et leur jus, remuer et laisser mijoter à feu doux pendant 4 à 5 minutes. Servir avec les côtelettes et le riz.

NOTE : les conserves de kumquats sont disponibles dans les épiceries fines.

Côtes de porc au barbecue à la salsa d'avocat

6 côtes de porc dans le filet • 125 ml de vin blanc • 2 cuil. à soupe d'huile • 2 cuil. à soupe de miel chaud • 2 gousses d'ail, écrasées • ***Salsa d'avocat :*** *1 cuil. à soupe de vinaigre de vin blanc • 60 ml d'huile d'olive légère • 1 cuil. à soupe de miel chaud • 2 cuil. à soupe de gingembre râpé • 2 cuil. à soupe de sauce de soja • 2 avocats moyens • 2 oignons nouveaux, hachés finement • 1 cuil. à soupe de graines de sésame grillées • 1 petit piment rouge, épépiné et coupé en tranches*
Pour 6 personnes

DÉGRAISSER la viande et la poser sur un plat non métallique. Mélanger le vin, l'huile, le miel et l'ail dans un bol et verser le mélange sur la viande. Couvrir avec un film alimentaire et réfrigérer plusieurs heures, en retournant la viande de temps en temps.
POUR PRÉPARER LA SALSA, mettre le vinaigre, l'huile, le miel, le gingembre et la sauce de soja dans un petit bol et battre le mélange brièvement. Enlever les noyaux des avocats, les éplucher et les couper en cubes. Dans un grand bol mélanger les avocats et les oignons nouveaux et couvrez avec le mélange d'huile et de condiments. Saupoudrer de graines de sésame et de piment, remuer pour bien mélanger. Servir rapidement avant que l'avocat ne noircisse.
DISPOSER les côtes de porc sur une grille de barbecue bien chaude et cuire pendant 4 à 5 minutes de chaque côté. Servir avec la salsa d'avocat et des pâtes.

PLATS DE LÉGUMES

Rehaussez votre menu en y ajoutant ces plats de légumes novateurs ou classiques. Vous y trouverez des recettes allant du repas entier de légumes aux idées d'accompagnements.

CUISINER LES LÉGUMES

Quoi de plus essentiel et savoureux que les légumes ? Riches en fibres, minéraux, vitamines et eau, ils sont indispensables à une alimentation quotidienne équilibrée. Crus ou cuits, les légumes sont faciles à préparer, sains, peu coûteux, et avec un peu d'imagination, on les transforme en mets délicieux. Selon les variétés, différentes parties se consomment : des légumes-racines aux pousses les plus tendres telles que les asperges, fruits des courgettes, aubergines et tomates, feuilles d'épinards, de laitue et de chou, graines des pois, haricots et autres légumineuses, racines des carottes, navets et panais, bulbes de la betterave, du fenouil et des oignons… Les légumes nous offrent mille et une saveurs naturelles. Et aujourd'hui, on découvre le plaisir de déguster les fleurs de la courgette et du souci, les gousses de certaines variétés de pois, les feuilles du chou-rave et de la betterave, ce qui, autrefois, aurait été impensable… Les goûts changent, et pour le meilleur !

LA CONGÉLATION

Mieux vaut ne pas congeler les légumes crus. Leur fibre s'abîmerait, bloquant l'humidité naturelle du légume, qui, une fois décongelé, perdrait de son croquant. Mais, blanchis, ils se congèlent très bien : on les détaille en morceaux, puis on les précuit brièvement à l'eau bouillante, et on les plonge ensuite dans de l'eau froide pour stopper la cuisson. De cette manière, les légumes conservent parfaitement leurs qualités nutritives. Après les avoir soigneusement séchés, placez-les dans un sac de congélation hermétiquement fermé, daté et étiqueté. Ainsi préparés, ils peuvent se garder jusqu'à 3 mois. Une astuce : utilisez les légumes encore congelés pour des potées ou ragoûts, en les incorporant en fin de cuisson.

CONSEILS DE PRÉPARATION

Avant tout, il faut laver soigneusement les légumes à l'eau froide, pour éliminer toute trace de pesticide, la terre, la poussière, les insectes qui, parfois, se nichent entre les feuilles… C'est une règle d'hygiène incontournable ! Et voici quelques techniques de préparation faciles à maîtriser, qui vous permettront de réussir vos recettes.

FAIRE GRILLER LES POIVRONS

Coupez les poivrons en deux, verticalement, puis ôtez le pédoncule, les membranes blanches et les graines. Disposez les moitiés de poivron, côté peau en haut, sur une plaque de four (à revêtement antiadhésif, ou couverte de papier sulfurisé), et passez-les au gril chaud jusqu'à ce que la peau noircisse et cloque. Enveloppez-les ensuite dans un sac en plastique ou un papier, ou encore dans un torchon, et laissez refroidir 10 minutes. Après, il ne vous reste plus qu'à les peler et à cuisiner la pulpe.

Couper les poivrons en deux, dans le sens de la hauteur, puis ôter le pédoncule, les membranes et les graines.

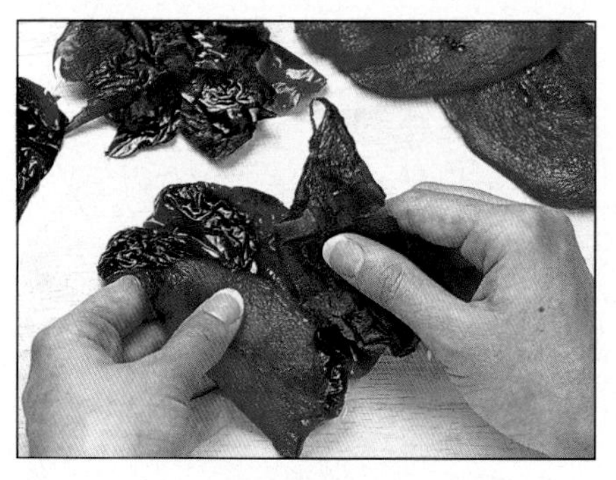

Sur un plan de travail, peler les poivrons préalablement passés au gril.

PELER ET ÉPÉPINER LES TOMATES

À l'aide d'un couteau d'office, incisez la base de chaque tomate en formant une croix peu profonde, puis ébouillantez-les environ 30 secondes. Égouttez-les puis plongez-les dans de l'eau froide. Lorsqu'elles ont bien refroidi, pelez-les en partant de l'incision. Retirez la partie centrale, détaillez-les en deux, horizontalement, et avec une cuillère à café, ôtez les graines.

Lorsque les tomates sont bien refroidies, les peler délicatement en partant de la croix incisée.

Partager les tomates en deux, horizontalement, et à l'aide d'une petite cuillère, ôter les graines.

PRÉPARER LES CHAMPIGNONS

Conservez toujours les champignons dans du papier ou un sac en tissu. Nous

Pour nettoyer les champignons, il vaut mieux utiliser du papier absorbant, ou un tissu doux, humide.

déconseillons de les laver, ou de les laisser tremper, ou encore de les peler avant de les cuisiner : les champignons perdraient en saveur, et deviendraient spongieux. Maintenez le champignon dans la paume de votre main, et tordez délicatement le pied pour le couper (c'est la technique idéale, mais vous pouvez aussi utiliser un bon couteau d'office). Les pieds de champignons sont délicieux hachés, pour parfumer bouillons et soupes. Ensuite, nettoyez le chapeau avec un papier absorbant (ou un tissu doux) humide.

TECHNIQUES DE CUISSON

AU MICRO-ONDES

On distingue deux types de cuisson au micro-ondes. Dans un premier cas – le plus courant – on place les légumes dans un récipient adapté à la cuisson au micro-ondes, on ajoute une petite quantité d'eau, et on les fait cuire à couvert. Il convient d'attendre environ 2 minutes avant de les servir. On peut également les cuire dans un sac de congélation, sans eau, hermétiquement fermé, et troué de part et d'autre pour que la vapeur puisse s'en échapper. En principe, le temps de cuisson est un peu plus court avec cette méthode. Pour les pommes de terre et patates douces, il suffit simplement de piquer la peau sur toute la surface avec une fourchette, et de les cuire sur du papier absorbant, à température élevée (selon la taille, compter entre 4 et 6 minutes).

Plonger immédiatement les légumes dans de l'eau très froide et ce, pour interrompre le processus de cuisson

BLANCHIR LES LÉGUMES

Dans de nombreuses recettes, notamment les salades ou les pâtes, on ajoute des légumes blanchis : on les précuit dans de l'eau bouillante pendant très peu de temps, pour qu'ils conservent leur couleur naturelle et leur fraîcheur.
Ensuite, on les plonge quelques secondes dans de l'eau très froide pour interrompre le processus de cuisson.

On peut utiliser un panier-vapeur métallique, posé au-dessus de l'eau dans une casserole. Le liquide ne doit pas toucher les légumes.

Dotés d'un couvercle, les paniers-vapeur en bambou superposables sont très pratiques.

LA CUISSON À LA VAPEUR

Ce mode de cuisson, rapide et simple, permet de garder les qualités nutritives et la saveur des légumes, lesquelles sont parfois atténuées avec une cuisson à l'eau. Détaillez les légumes en morceaux de taille égale, et placez-les dans un panier-vapeur, en métal ou en bambou, au-dessus d'une casserole d'eau ou de bouillon en ébullition, puis couvrez hermétiquement. La cocotte-minute est bien sûr idéale, de même que l'autocuiseur. Dans tous les cas, toutefois, le liquide ne doit pas toucher les légumes. Les légumes-racines nécessitant une cuisson plus longue que les légumes verts, il convient de doser la répartition des légumes pour une bonne cuisson. Pour cuire plusieurs variétés en même temps, les paniers-vapeur superposables, comme ceux qui sont employés dans la cuisine chinoise (on en trouve dans les magasins asiatiques), sont très pratiques. Disposez les légumes selon la durée de cuisson qu'ils nécessitent. Un dernier conseil : attention à ne pas vous brûler lorsque vous ôtez le couvercle !

LÉGUMES SAUTÉS OU POÊLÉS

C'est une manière simple, rapide et délicieuse de préparer les légumes.

Remuer les légumes à l'aide d'une cuillère en bois, pour qu'ils n'attachent pas au wok.

Un wok est idéal, car le pourtour incliné permet de faire revenir les légumes sans qu'ils attachent. À défaut, utilisez une poêle profonde à fond épais, antiadhésive, ou une sauteuse. Faites bien chauffer le wok ou la poêle avant d'ajouter l'huile, les épices et légumes. Détaillez les légumes en fines lamelles, et de taille égale afin d'assurer une cuisson régulière. Pour les légumes qui nécessitent une cuisson plus longue, coupez-les encore plus finement, ou blanchissez-les avant de les poêler. Il faut cuire les légumes à feu vif, en les faisant sauter et en les remuant délicatement à l'aide d'une cuillère en bois ou d'une grande spatule métallique pour qu'ils n'attachent pas. Prêts, ils doivent avoir une couleur vive, et une consistance « al dente », légèrement croquante et tendre en même temps.

QUELQUES LÉGUMES À APPRÉCIER

Peut-être ne connaîtrez-vous pas certains des légumes présentés ci-après, mais tous méritent d'être goûtés et cuisinés car ils sont vraiment délicieux !

LES ASPERGES

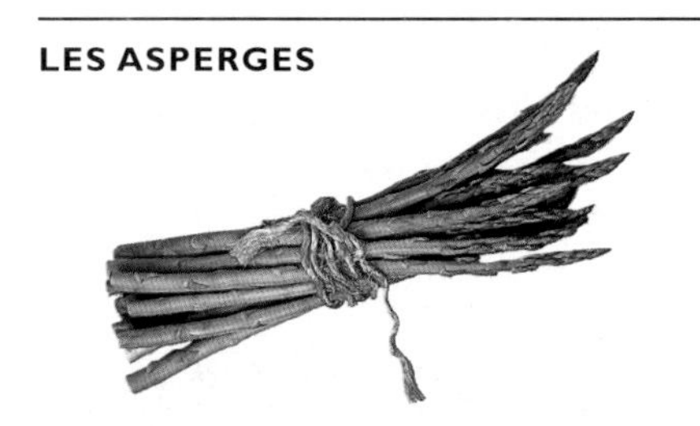

L'asperge est une jeune pousse d'une plante originaire d'Europe. On en distingue deux variétés principales : les blanches – moins courantes – et les vertes. Mieux vaut les acheter vers la fin du printemps et en été : les jeunes pousses sont encore tendres, et succulentes. Choisissez-les bien fermes, compactes, avec des turions vert vif. Des asperges épaisses ne sont pas forcément tendres. Pour les préparer, ôtez toutes les parties brunes et dures et pelez-les en partant de la base jusqu'au début des pointes (les extrémités inférieures des asperges blanches doivent toujours êtres soigneusement parées). Pour les cuire, liez les asperges avec du fil de cuisine, sans trop serrer, et en les gardant à la verticale, plongez-les dans une casserole d'eau bouillante, pendant environ 2 minutes. Retournez-les et plongez les pointes pendant 30 secondes. Trop cuites, les asperges perdent de leur délicate saveur.

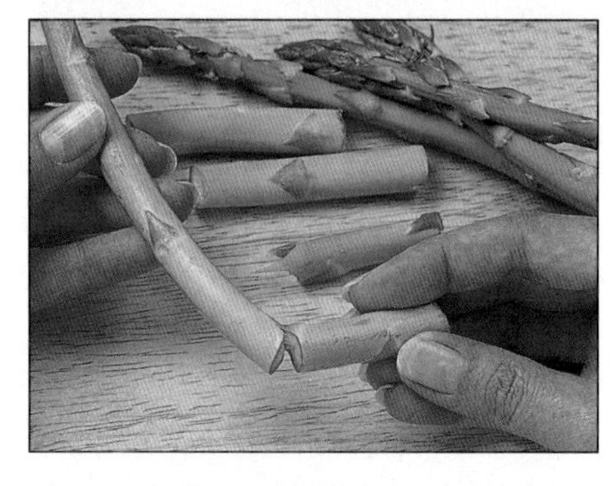

Couper l'extrémité dure des asperges en la pliant délicatement.

Faire cuire les asperges dans une casserole d'eau bouillante, en les maintenant à la verticale, puis ébouillanter les pointes pendant 30 secondes.

LES ARTICHAUTS

L'artichaut est une sorte de chardon originaire d'Afrique du Nord, mais aujourd'hui cultivé en Europe, en Australie et en Amérique. Choisissez-les compacts, avec un globe bien rond et des feuilles bien resserrées. Trop bruns, les artichauts risquent d'être trop mûrs, ou abîmés. Un artichaut de qualité a une couleur allant du vert vif au pourpre. On peut les cuire à la vapeur, à l'eau bouillante avec du jus de citron, ou au micro-ondes. Les parties charnues des feuilles et le cœur sont comestibles, à savourer accompagnés d'une vinaigrette aromatisée, d'une mayonnaise, d'une sauce hollandaise, de beurre fondu ou de jus de citron frais. Pour les préparer dans les règles de l'art, coupez la tige avec un couteau en acier inoxydable. Retirez les feuilles extérieures trop dures, et taillez le sommet (on peut également affiner ces feuilles avec des ciseaux). Pour prévenir toute décoloration, badigeonnez les parties coupées avec du jus de citron. En écartant doucement la partie centrale, ôtez les feuilles mauves un peu dures, puis retirez le foin à l'aide d'une cuillère à café. Cette dernière étape est toutefois plus facile lorsque les artichauts sont cuits.

Pour préparer joliment un artichaut, couper environ 2 cm du sommet des feuilles avec un couteau bien tranchant.

Retirer les feuilles extérieures, plus dures, puis couper les extrémités des feuilles.

LE TOPINAMBOUR

C'est une racine comestible d'une certaine variété de tournesol originaire d'Amérique du Nord. Le topinambour (parfois appelé artichaut de Jérusalem) ressemble un peu au gingembre, et n'est pas du tout apparenté à l'artichaut classique. Sa saveur et sa consistance rappellent un peu celles de la châtaigne d'eau. Choisissez des topinambours de taille moyenne, fermes, à l'aspect frais, sans parties abîmées ou dépôts moisis. Nettoyez-les soigneusement pour ôter le reste de terre, puis pelez-les et cuisinez-les comme des pommes de terre, par exemple en ragoût, en soupe, ou en purée. On peut également les consommer crus, en salade.

LA BETTERAVE

C'est un légume-racine de couleur pourpre foncé ou clair, rond, qui ajoute couleur et saveur à moult préparations. Il fut un temps où l'on ne consommait que les feuilles, car les racines étaient bien plus petites que celles que nous faisons pousser aujourd'hui ! Choisissez des betteraves fermes et lisses, avec, si possible, de petites feuilles craquantes. Coupez les feuilles à environ 5 cm de la chair, sans l'inciser car le jus qui s'en écoulerait est riche en vitamines. Brossez les betteraves avec leur peau, délicatement, et cuisez-les entières, à l'eau

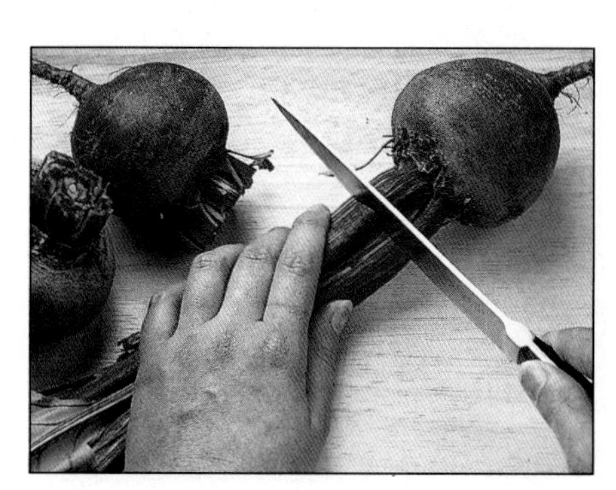

Découper les feuilles de la betterave entière, sans inciser la chair.

Lorsque la betterave cuite est suffisamment froide, la peler délicatement.

bouillante, ou au micro-ondes, en perçant légèrement la peau à un ou deux endroits. On peut également les rôtir au four. Lorsque vous préparez des betteraves, n'hésitez pas à porter des gants car ce légume déteint ! Consommez les betteraves en tant que légume principal, ou en salade, ou encore assorties à d'autres légumes. On peut également manger les feuilles, après les avoir soigneusement lavées : elles se cuisinent comme les épinards, ou se servent crues, en salade.

PAK-CHOÏ

Également appelé bok choy ou buck choy, ce légume délicieux est originaire de Chine, où il est cultivé depuis plus de 3000 ans. Toutefois, il n'a été introduit dans la culture occidentale qu'au XIXe siècle, à l'époque de « la ruée vers l'or » en Amérique, et plus tard, en Australie. Choisissez un chou aux tiges compactes, sans partie abîmée, et des feuilles vert foncé. Pour le préparer, séparez les feuilles à partir de la base, et lavez-le soigneusement à l'eau froide. Après l'avoir égoutté, séchez-le avec un torchon, puis émincez les tiges et détaillez les feuilles très finement. Le pak-choï est souvent apprécié sauté à la poêle, ou marié à d'autres légumes en soupe. Jeune, cuit à la vapeur, il est délicieux assaisonné d'un filet de vinaigre balsamique.

Couper la tige du pak-choï. Le légume jeune est délicieux cuit à la vapeur, et n'a pas besoin d'être paré de la même manière.

LES FÈVES

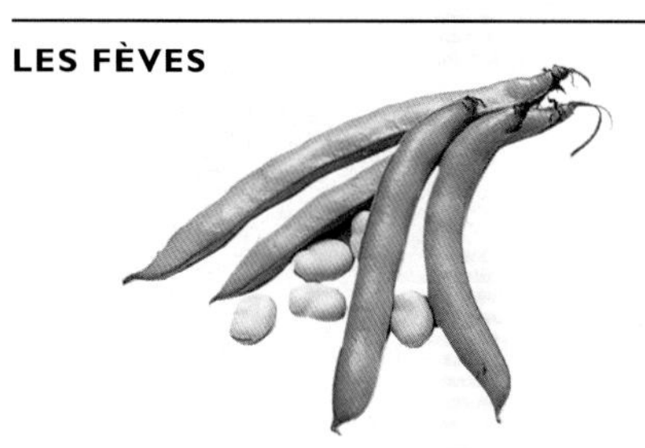

Graines d'une plante légumineuse, les fèves font partie des premières cultures de légumes en Occident. On peut les consommer fraîches ou séchées. Lorsque les fèves sont récoltées suffisamment tôt, leurs gousses sont comestibles. Choisissez des fèves aux gousses tendres, vert vif, sans partie

Une fois les fèves cuites, les écosser pour mieux apprécier la chair tendre de la graine.

abîmée. Un peu jaunes, ou amollies, elles sont de moindre qualité.
Dans le cas de fèves jeunes, coupez les extrémités et détaillez les gousses en trois morceaux. Cuisez-les à l'eau bouillante, à la vapeur ou au micro-ondes, et servez-les comme des haricots verts. Sinon, écossez-les, puis cuisez-les de la même manière, et rincez-les immédiatement à l'eau froide. Dans un deuxième temps, épluchez la fine peau verte autour des graines (c'est ce que signifie « écosser doublement » les fèves). Cette étape n'est pas nécessaire pour un légume jeune, mais dans le cas contraire, la graine dure ne serait pas très agréable au palais !

LE CÉLERI-RAVE

Légume-racine hybride cultivé pour sa racine et pour ses feuilles (céleri en branches), il est volumineux et rond, avec une peau brune légèrement ridée, et une chair blanche. Sa saveur douce rappelle celle du céleri en branches. Choisissez-le de taille moyenne, bien dense, avec une peau pas trop fripée car il serait difficile à peler. Pour le préparer, lavez-le soigneusement à l'eau froide, puis séchez-le avec du papier absorbant. Coupez la base et l'extrémité supérieure, et pelez-le. Placez-le dans un bol d'eau avec un peu de jus de citron pour éviter qu'il ne brunisse. Finement émincé ou râpé, le céleri-rave se mange cru, seul ou en salade. Il est délicieux cuit, ou préparé en purée et servi chaud, comme des pommes de terre.

L'AUBERGINE

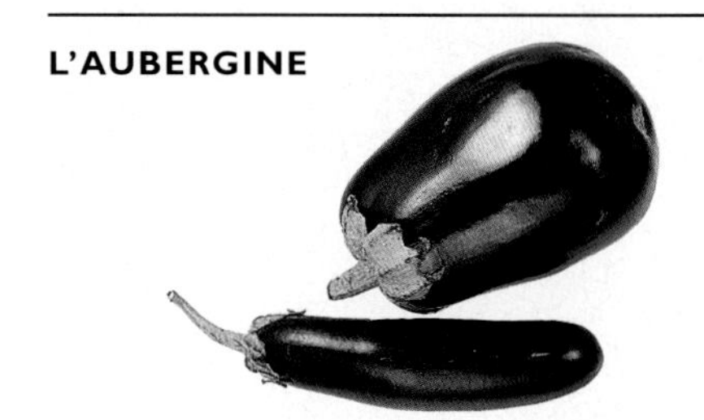

Sa couleur varie du pourpre clair au pourpre foncé, et sa taille va de celle d'un gros pois à celle d'une courgette. On trouve également de très grosses aubergines, de forme ovale. L'aubergine serait originaire d'Inde, et c'est un légume de base dans les cuisines méditerranéennes et du Moyen-Orient. Choisissez des aubergines bien fermes, d'une couleur uniforme, et compactes. La peau doit être satinée, sans tâches brunes ou marques. Plus le pourtour piquant de la tige est ferme, plus l'aubergine est fraîche. Bien souvent, il faut les faire dégorger avec du sel avant de les cuisiner : le légume devient moins amer, et moins spongieux, ce qui permet d'utiliser moins d'huile durant la cuisson. Détaillez-les en lamelles ou en dés, placez-les dans une passoire et salez-les généreusement, en remuant délicatement pour bien les enrober. Laissez-les s'égoutter pendant au moins 30 minutes, puis rincez-les soigneusement sous l'eau froide, égouttez-les de nouveau pendant quelques minutes, puis séchez-les avec du papier absorbant. On utilise cette méthode notamment pour les cuissons poêlées. Pour les cuissons au four, il n'est pas nécessaire de les faire dégorger.

Placer les aubergines détaillées dans une passoire, et les saupoudrer généreusement de sel. Les laisser dégorger pendant 30 minutes.

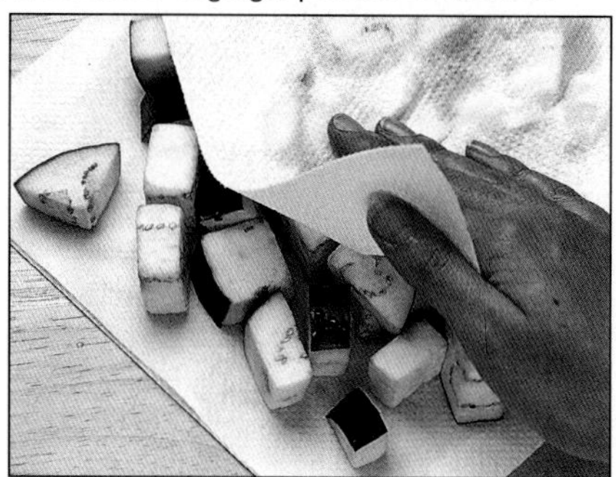

Rincer soigneusement les aubergines, puis les sécher délicatement.

LE FENOUIL

Le fenouil est une plante herbacée originaire de la région méditerranéenne, où il pousse à l'état sauvage sur des falaises en bord de mer, et le long des routes. D'une apparence proche du cœur de céleri, le fenouil a aussi des feuilles vertes duveteuses qui rappellent celles de l'aneth. On en consomme le bulbe et les graines comme condiment, sa saveur est anisée, et il parfume à merveille les soupes et ragoûts d'hiver. Choisissez-le bien ferme, avec un bulbe blanc à l'aspect croquant, des tiges rigides, et des feuilles

Couper les tiges et la base du bulbe de fenouil, puis l'émincer en anneaux ou en lamelles.

vert vif. Coupez les tiges et la base pour garder un bulbe bien resserré et presque tout blanc. Retirez et jetez les feuilles extérieures légèrement brunies. Lavez-le à l'eau froide, puis séchez-le. Pour le consommer cru, en salade ou en hors d'œuvre, émincez-le en fines lamelles dans le sens de la longueur, ou en anneaux. Vous pouvez aussi le faire mariner, cru, dans un mélange d'huile d'olive, de jus de citron, et de poivre noir fraîchement moulu. Braisé, le fenouil accompagne délicieusement les recettes de viande élaborées.

PETITS POTIRONS

On cuisine souvent des citrouilles ou des potirons classiques, mais on trouve dans les épiceries fines, ou certains marchands de primeurs, de petits potirons ronds, avec une chair et une peau orange. C'est une variété qui provient de petits plants (les potirons poussent autour des tiges). Choisissez-les durs, compacts, avec une peau épaisse et sans parties abîmées.

Avant de les cuisiner, creuser la partie centrale des potirons, ôter la partie fibreuse et les graines.

Les potirons comportant des parties molles, marron, ou des dépôts de moisissure sont de qualité moindre. Pour les préparer, coupez l'extrémité supérieure, et gardez-la. À l'aide d'une cuillère, ôtez la partie centrale fibreuse et les graines, et cuisez les potirons évidés à la vapeur, au four ou au micro-ondes. Servez-les remplis d'une soupe maison, ou garnis de ragoût de viande ou de volaille, ou encore d'un mélange de riz et légumes, et recouvrez-les avec l'extrémité supérieure réservée.

CHOU-RAVE

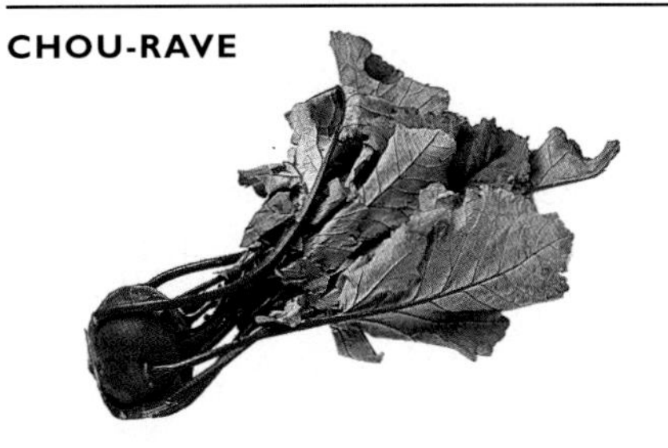

De goût similaire à celui du chou, dont il est issu, le chou-rave est originaire d'Europe du Nord.

C'est un légume rond, avec un bulbe pourpre ou vert pâle dont la forme évoque celle du navet (en fait, c'est une tige gonflée), plusieurs tiges assez longues et des feuilles vertes.

Un bon chou-rave est ferme, avec un bulbe craquant, et des feuilles fraîches. Les bulbes abîmés ou écorchés sont à éviter.

Plus le bulbe est petit, plus sa saveur est douce, et sa consistance délicate et tendre. Pour le préparer, couper et jeter l'extrémité inférieure, la tige et les feuilles.

Pelé et mangé cru en salade, il donne un craquant délicieux.

Couper les tiges du chou-rave, et le consommer cru, ou cuit.

On peut le cuire à l'eau bouillante, à la vapeur ou au micro-ondes, pour le cuisiner dans des soupes, ragoûts et potées, ou en purée, garni d'une noix de beurre.

Le chou-rave peut également se rôtir au four, avec la peau : le laisser refroidir un peu avant de le peler, puis le consommer comme une pomme de terre.

L'ENDIVE

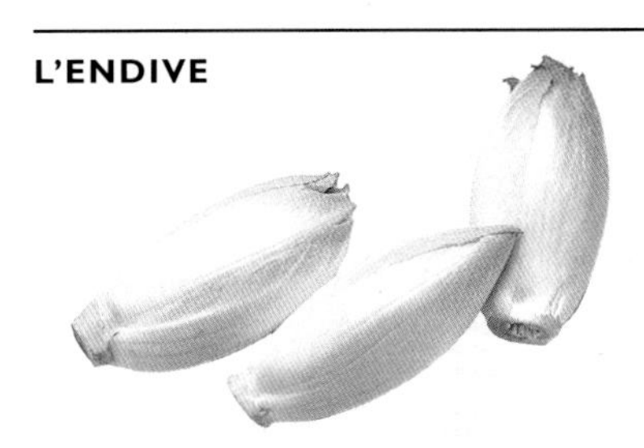

De la famille des chicorées, l'endive est en réalité originaire de Chine. C'est une pousse dotée de longues feuilles blanches et lisses bordées de jaune pâle. D'une saveur légèrement amère, l'endive est sur les étals toute l'année. Choisissez-les craquantes, avec des feuilles d'un blanc clair, et des petites têtes serrées, sans taches brunes aux extrémités. Pour les préparer, coupez la base, et lavez-les soigneusement à l'eau froide. Séparez les feuilles, et mangez-les crues en salade, ou entières, cuites à l'eau bouillante ou en micro-ondes, garnies de beurre, ou encore en gratinées avec du jambon et une béchamel.

Les endives sont délicieuses crues, en salade. Couper la base, les laver soigneusement, et séparer les feuilles.

LES RECETTES DE BASE

Petites pommes de terre aux herbes

15 petites pommes de terre nouvelles • 60 g de beurre, fondu • 1 cuil. à soupe de feuilles de thym-citron • 1 cuil. à soupe de ciboulette ciselée • sel gemme finement pilé
Pour 4 à 6 personnes

CUIRE les pommes de terre dans une grande casserole d'eau bouillante jusqu'à ce qu'elles soient tendres. Vérifier la cuisson en insérant la pointe d'un couteau dans l'une des pommes de terre : si la chair reste collée sur la pointe, la pomme de terre est probablement un peu crue à cœur.
ÉGOUTTER soigneusement les pommes de terre, puis les remettre dans la casserole. Ajouter le beurre, les herbes, et le sel. Bien mélanger.
NOTE : pour rehausser la saveur, mélanger les pommes de terre cuites et le beurre dans la casserole, à feu doux, pendant 2 à 3 minutes environ, jusqu'à ce que le beurre brunisse légèrement (veiller à ne pas le laisser brûler). Les pommes de terre auront un petit goût de noisette. Incorporer ensuite les ingrédients restants. On peut aussi remplacer le beurre par un peu d'huile d'olive vierge : arroser les pommes de terre d'un filet d'huile, puis mélanger avec les herbes et le sel. Choisir les herbes selon votre goût.

Petites carottes vapeur glacées au miel

1 kg de carottes nouvelles • 30 g de beurre • 3 à 4 cuil. à café de miel ou de sirop d'érable • ½ cuil. à café de cumin en poudre (facultatif)
Pour 4 à 6 personnes

COUPER la tige des carottes en gardant une petite partie verte, puis laver soigneusement les carottes. Les cuire à la vapeur, soit à la cocotte-minute, soit dans un panier à vapeur (l'eau ne doit pas toucher les légumes), soit dans une casserole avec 60 ml d'eau.
CUIRE à couvert, à feu moyen, jusqu'à ce que les carottes soient juste tendres. Si nécessaire, ajouter de l'eau sous le panier-vapeur ou dans la casserole. Égoutter les carottes, puis les faire revenir dans une sauteuse avec le beurre, le miel ou le sirop d'érable, et le cumin, à feu doux. Mélanger jusqu'à ce que le beurre ait fondu, et que les carottes soient brillantes. Dans le cas d'une cuisson à la cocotte, vider l'eau, puis mélanger les carottes avec les autres ingrédients dans la cocotte chaude. Servir aussitôt.

En partant de la gauche : Petites pommes de terre aux herbes; Petites carottes vapeur glacées au miel; Haricots variés à la vapeur.

Haricots variés à la vapeur

20 haricots mange-tout verts frais • 20 haricots beurre frais • 4 à 8 longues lamelles vertes d'oignons nouveaux, ou de longs brins de ciboulettes

Pour 4 à 8 personnes

ÉQUEUTER les haricots. Les partager en petits lots, et les lier avec des lamelles d'oignons nouveaux ou de ciboulette. Les cuire à la vapeur, dans un panier au-dessus d'une casserole d'eau frémissante (la remplir à moitié), ou dans une casserole de taille moyenne avec environ 3 cuillerées à soupe d'eau.

CUIRE à couvert, à feu moyen, jusqu'à ce que les haricots soient juste tendres. Avec le dernier mode de cuisson indiqué, veiller à ce que les haricots n'attachent pas au fond de la casserole, et ajouter un peu d'eau si nécessaire. Saler les haricots cuits, parsemer de poivre noir fraîchement moulu, de poivre citronné, ou d'herbes et d'épices à votre goût.

LÉGUMES AU FOUR

Avant une cuisson au four, vous pouvez parfumer l'huile et le beurre des légumes avec un peu d'ail écrasé, des épices moulues ou des herbes sèches, un peu de sel et de poivre. En accompagnement d'une viande ou d'une volaille rôties, les légumes peuvent être ajoutés dans le plat durant la dernière heure de cuisson.
Le jus de la viande rôtie les rendra encore plus savoureux.

Potiron et patates douces au four

Pommes de terre dorées au four

PELER les pommes de terre, et les couper en deux si elles sont grosses. Les placer dans un plat à four, et les badigeonner d'un mélange de beurre fondu et d'huile. Les cuire dans un four préchauffé à 210 °C (thermostat 6 - 7), durant 20 minutes. Les badigeonner de nouveau d'huile et de beurre, et poursuivre la cuisson 30 minutes environ, jusqu'à ce que les pommes de terre soient croustillantes et dorées. Continuer à les enduire de beurre et d'huile, et poursuivre la cuisson pour un résultat encore plus croquant. Pour des pommes de terre encore plus savoureuses, les blanchir quelques minutes à l'eau bouillante. Les sécher avec du papier absorbant, puis denteler la surface avec une fourchette. Les enrober d'huile et de beurre, puis les cuire au four, comme décrit ci-dessus.

Pommes de terre dorées au four

Potiron et patates douces au four

PELER le potiron et les patates douces, puis les détailler en gros morceaux. Les placer dans un plat à four, et les badigeonner d'huile d'olive. Préchauffer le four à 180 °C (thermostat 4), et enfourner les légumes pendant 40 minutes environ, jusqu'à ce que l'extérieur prenne une belle couleur dorée, et que la chair soit tendre. On peut aussi cuire le potiron avec la peau, selon la variété choisie (la peau de certains potirons s'adoucit beaucoup à la cuisson, et peut donc être consommée), de même pour les patates douces. On peut également manger la chair des légumes dans leur peau en la « grattant » au fur et à mesure.

Courgettes rôties

COUPER les extrémités des courgettes, puis les partager en deux, dans le sens de la longueur. Les placer dans un plat à four, éventuellement avec d'autres légumes, et les badigeonner d'huile. Préchauffer le four à 180 °C (thermostat 4), et les enfourner 30 à 40 minutes, jusqu'à ce qu'elles soient dorées et tendres (vérifier la cuisson en piquant une fourchette dans la chair).

Courgettes rôties

Carottes au four

CHOISIR des petites carottes nouvelles entières, ou de taille régulière. Les peler, ou les rincer à l'eau après avoir gratté la surface. Les sécher avec du papier absorbant. Couper la tige des carottes, en gardant une petite partie verte. Les détailler en deux, dans le sens de la longueur, ou en quartiers si elles sont épaisses.
LES PLACER dans un plat, éventuellement avec d'autres légumes, et les badigeonner d'huile. Préchauffer le four à 180 °C (thermostat 4), et enfourner les carottes pendant 30 à 40 minutes, jusqu'à ce qu'elles soient légèrement dorées, et tendres à cœur.

Carottes au four

Oignons rôtis

Oignons rôtis

PELER 10 petits oignons blancs, en gardant la base intacte. Les placer dans un plat à four, et les badigeonner de beurre fondu et d'huile. Préchauffer le four à 180 °C (thermostat 4), et enfourner les oignons pendant 30 à 40 minutes, jusqu'à ce qu'ils soient légèrement dorés et tendres. Pour les rendre plus savoureux, parfumer le mélange d'huile et de beurre avec des herbes moulues à votre goût, et en badigeonner les oignons avant de les cuire.

La cuisson au micro-ondes

LES LÉGUMES se cuisent facilement au micro-ondes. Avant tout, il faut les laver, et si nécessaire, les peler, puis les détailler en morceaux de taille égale. Les placer dans un plat à micro-ondes en céramique, ou tout autre plat adapté, les napper avec un peu d'eau, puis couvrir de film alimentaire (ou utiliser un couvercle en plastique spécifique). Cuire pendant 3 à 6 minutes, jusqu'à ce que les légumes soient tendres. Attention à ne pas se brûler en ôtant le plat du four. Porter des gants, ou prendre un torchon.
LAISSER reposer au moins 30 secondes avant de retirer le film alimentaire ou le couvercle, en se protégeant le visage et les mains (une vapeur brûlante s'en échappera).
NOTE : selon la quantité et la variété de légumes, et en fonction du type de four à micro-ondes, les temps de cuisson varient légèrement. Dans tous les cas, c'est en cuisinant que l'on connaît exactement la durée requise selon la recette !

Légumes variés cuits au micro-ondes

Légumes chinois parfumés à la sauce d'huîtres

1 petit pak-choï • 1 bouquet de brocolis chinois • 2 à 3 cuil. à soupe de sauce d'huîtres • 2 cuil. à café d'huile de sésame
Pour 2 à 4 personnes

LAVER soigneusement le chou et les brocolis, et secouer pour ôter l'excédent d'eau. Couper les extrémités, et détailler les légumes en gros morceaux. Détailler les tiges du pak-choï en deux, dans le sens de la longueur si le légume est trop gros.
PLACER les brocolis dans un panier-vapeur, de préférence en bambou, au-dessus d'une casserole d'eau frémissante. Laisser cuire à couvert pendant 5 à 6 minutes. Ajouter le chou, couvrir, et poursuivre la cuisson pendant 2 minutes.
NAPPER les légumes de sauce d'huîtres et remuer délicatement. Si un peu de sauce s'écoule dans l'eau, ce n'est pas grave ! Servir nappé d'un filet d'huile de sésame.
NOTE : on peut également cuisiner ces légumes en les faisant sauter dans un wok ou dans une poêle à fond épais et antiadhésif. Chauffer un peu d'huile de sésame, et en badigeonner le pourtour du wok ou de la poêle. Ajouter les brocolis détaillés en morceaux, et les faire revenir 3 à 4 minutes. Ajouter le pak-choï, et le faire revenir pendant 1 à 2 minutes. Si nécessaire, humidifier les légumes avec un peu d'eau, puis poursuivre la cuisson à couvert, pendant 2 minutes, pour favoriser une cuisson-vapeur, et pour que les légumes soient à la fois tendres et craquants. Napper de sauce d'huîtres, mélanger et servir.

Pommes de terre en robe des champs à la crème fraîche et à la ciboulette

4 belles pommes de terre • crème fraîche épaisse • ciboulette ciselée
Pour 2 à 4 personnes

GARDER les pommes de terre entières, avec leur peau. Bien les laver et les rincer. Les sécher, puis les piquer de part et d'autre avec une fourchette. Préchauffer le four à 210 °C (thermostat 6-7). Placer les pommes de terre sur la plaque du four, et les cuire pendant 1 heure environ, jusqu'à ce qu'elles soient tendres à cœur (vérifier en piquant la chair avec une fourchette ou une brochette). Les ouvrir en deux, et écraser légèrement le centre avec une fourchette.
GARNIR les parties centrales des pommes de terre avec une bonne cuillerée de crème fraîche. Parsemer de ciboulette, de sel et de poivre, à votre goût, ou aromatiser avec du beurre à l'ail et des herbes fraîches ciselées. On peut également farcir les pommes de terre : ôter un peu de chair au centre, et garnir de sauce bolognaise, de poulet finement détaillé, ou de crudités en mayonnaise.
NOTE : choisir des pommes de terre de consommation courante, comme la Bintje, ou la Monalisa. Pour les cuire plus rapidement, insérer une brochette métallique au milieu, ce qui favorisera une bonne répartition de la chaleur.

Poivrons grillés aromatisés à l'huile d'olive aillée

2 beaux poivrons rouges • 1 beau poivron jaune ou orange • 1 beau poivron vert • 125 ml d'huile d'olive de qualité • 2 à 3 gousses d'ail, écrasées • 2 cuil. à soupe de vinaigre balsamique • 2 cuil. à café de cassonade douce • jus d'un citron vert
Pour 4 à 6 personnes

COUPER tous les poivrons en deux, ôter les graines et les membranes. Les placer sur la plaque du gril, côté peau en haut, et les badigeonner avec un peu d'huile. Les faire griller à température élevée, pendant 4 à 5 minutes, jusqu'à ce que la peau noircisse et cloque.
LES RETIRER, et les envelopper dans un torchon ou dans un sac en papier ou en plastique, hermétiquement fermé. Lorsque les poivrons ont suffisamment refroidi, les peler et les détailler en lamelles.
MÉLANGER au fouet, dans un grand saladier, l'huile, l'ail, le vinaigre, la cassonade, et le jus de citron vert. Saler et poivrer. Ajouter éventuellement des herbes fraîches hachées, par exemple du basilic, de la coriandre ou de la menthe. Incorporer les poivrons, et bien mélanger. Les poivrons préparés de cette manière sont délicieux servis sur des tranches de polenta ou de focaccia grillée. Ils accompagnent merveilleusement un steak grillé, et composent également un hors-d'œuvre savoureux.
NOTE : les poivrons se conservent dans un récipient hermétiquement fermé, au réfrigérateur, pendant 2 semaines. Les laisser à température ambiante avant de servir. Sur les étals, on trouve de nombreuses variétés de poivrons, de différentes couleurs, que l'on peut cuisiner selon cette recette.

En partant de la gauche : Légumes chinois parfumés à la sauce d'huîtres; Pommes de terre en robe des champs à la crème fraîche et à la ciboulette; Poivrons grillés aromatisés à l'huile d'olive aillée.

Chou-fleur au fromage

500 g de chou-fleur • 30 g de beurre • 3 cuil. à café de farine • 125 ml de lait • 60 ml de crème liquide • 4 cuil. à soupe de fromage râpé • paprika et ciboulette ciselée en garniture (facultatif)
Pour 4 à 6 personnes

DÉTAILLER le chou-fleur en bouquets. Le faire cuire à la vapeur ou au micro-ondes jusqu'à ce qu'il soit juste tendre. Pendant la cuisson, préparer la sauce. Mélanger le lait et la crème, puis faire fondre le beurre dans une casserole de taille moyenne. Incorporer la farine, et laisser cuire 1 minute environ, jusqu'à ce que le mélange frémisse et prenne une légère couleur dorée. Retirer du feu et ajouter petit à petit le lait et la crème mélangés. Cuire à feu moyen, en remuant sans arrêt, jusqu'à la sauce commence à bouillir, et épaississe.
RETIRER du feu, et incorporer le fromage. Saler et poivrer à votre goût. Napper le chou-fleur de sauce juste avant de servir, et garnir éventuellement de paprika et ciboulette.
NOTE : pour obtenir une sauce plus relevée et plus riche, la préparer avec du fromage persillé, finement détaillé, ou n'importe quel autre fromage à votre goût, selon les quantités préférées.

Sauté de brocolis aux amandes

2 à 3 cuil. à café d'huile d'arachide ou de sésame • 1 à 2 gousses d'ail, écrasées • 4 cuil. à soupe d'amandes blanchies • 400 g de brocolis, détaillés en bouquet • 2 cuil. à café de sauce de soja • 1 cuil. à soupe de xérès ou de vin de riz chinois • 1 cuil. à café de gingembre frais, râpé • 2 à 3 cuil. à café de miel • 1 cuil. à soupe de sauce d'huîtres
Pour 4 à 6 personnes

CHAUFFER un peu d'huile dans une grande poêle ou un wok, et en napper le pourtour. Ajouter la moitié de l'ail et toutes les amandes. Faire revenir à feu moyen jusqu'à ce que les amandes soient dorées. Retirer du feu et réserver.
MÉLANGER dans un bol la sauce de soja, le xérès ou l'alcool de riz, le miel et la sauce d'huîtres. Ajouter un peu d'huile si nécessaire dans la poêle. Incorporer l'ail restant et les brocolis. Faire sauter à feu moyen jusqu'à ce que les légumes soient presque tendres. Ajouter la sauce préparée, et bien mélanger. Poursuivre la cuisson à feu moyen jusqu'à ce que les brocolis soient tendres mais toujours verts et légèrement craquants. Incorporer rapidement les amandes et servir.

En partant de la gauche : Chou-fleur au fromage; Sauté de brocolis aux amandes; Émincé d'aubergines, sauce pimentée au citron vert.

Émincé d'aubergines, sauce pimentée au citron vert

2 belles aubergines • 4 petites aubergines • farine (pour le plan de travail) • huile d'olive légère, pour la friture • ***Sauce pimentée au citron vert :*** *1 cuil. à café de zeste de citron vert finement râpé • 2 cuil. à soupe de jus de citron • 1 cuil. à café de cassonade • 1 cuil. à soupe de persil frais, haché • 1 cuil. à soupe de feuilles de coriandre fraîche, hachées • 2 à 3 piments jalapeños, épépinés et très finement détaillés*
Pour 4 à 6 personnes

DÉTAILLER les grosses aubergines en lamelles de 1 cm. Les placer sur le plan de travail, et les saupoudrer de sel sur les deux faces. Les laisser dégorger 30 minutes, puis les rincer soigneusement à l'eau courante, et les presser délicatement pour ôter l'excès d'eau. Les sécher avec du papier absorbant. Détailler les petites aubergines en fines lamelles dans le sens de la longueur.
ASSAISONNER un peu de farine avec du sel et du poivre. Ajouter des herbes fraîches ou séchées, finement hachées, ou des épices à votre goût, et bien mélanger pour les incorporer à la farine. Verser environ 1 cm d'huile dans une poêle, et chauffer à feu moyen. Pour que les aubergines ne deviennent pas spongieuses, et imbibées d'huile, il faut les cuire e dans une huile déjà chaude.
PASSER toutes les lamelles d'aubergines dans la farine assaisonnée, et les cuire dans l'huile pendant 2 à 3 minutes sur chaque face, jusqu'à ce qu'elles soient bien dorées. Les égoutter sur du papier absorbant. Répéter l'opération avec les lamelles restantes, en les farinant avant de les cuire. Servir chaud accompagné de sauce pimentée au citron vert.
POUR PRÉPARER la sauce, bien mélanger au fouet le zeste de citron vert et le jus de citron vert avec la cassonade, le persil, la coriandre, et les piments jalapeños.

Artichauts aux deux sauces

4 à 6 artichauts moyens • ***Sauce au fromage :*** *60 ml de crème liquide • 150 g de mascarpone • 4 cuil. à soupe de fromage râpé* • **Assaisonnement au basilic :** *4 cuil. à soupe d'huile d'olive légère • 2 à 3 cuil. à soupe de jus de citron • 1 à 2 gousses d'ail, écrasées • 2 cuil. à café de sucre • 1 à 2 cuil. à soupe de basilic frais, finement ciselé*

Pour 4 à 6 personnes

PRÉPARER les artichauts à l'aide d'un couteau chef : ôter les extrémités inférieures, et couper la pointe des feuilles supérieures pour les affiner. Pour éviter qu'elles ne jaunissent, les badigeonner avec un peu de jus de citron.

CUIRE les artichauts à la vapeur, à la cocotte-minute ou dans un panier-vapeur au-dessus d'une eau frémissante, pendant 20 à 30 minutes environ, jusqu'à ce qu'ils soient tendres. Si nécessaire, ajouter de l'eau bouillante. Les artichauts sont cuits lorsqu'on peut en retirer facilement l'une des feuilles intérieures.

POUR PRÉPARER la sauce, mélanger la crème et le mascarpone dans une casserole de taille moyenne, et faire chauffer à feu doux en remuant jusqu'à obtention d'une préparation lisse. Ajouter le fromage râpé, et bien mélanger. Assaisonner de sel et poivre, à votre goût, et servir chaud en accompagnement.

POUR PRÉPARER l'assaisonnement, mélanger au fouet tous les ingrédients dans une jatte, et servir à température ambiante.

NOTE : déguster les artichauts en trempant la partie charnue des feuilles dans la sauce. Les feuilles extérieures sont plus dures que celles qui se trouvent proches du cœur, et moins charnues. On peut proposer les sauces dans des petits ramequins individuels.

Crudités et aïoli aux pommes de terre

2 belles pommes de terre de consommation courante (Bintje, par exemple), pelées et détaillées en cubes • 4 à 5 gousses d'ail, écrasées • 1 cuil. à soupe de vinaigre de vin blanc • poivre blanc fraîchement moulu • jus de citron • 80 ml d'huile d'olive • bâtonnets de légumes variés
Pour 4 à 6 personnes

CUIRE les pommes de terre à l'eau bouillante jusqu'à ce qu'elles soient tendres. Tester la cuisson avec la pointe d'un couteau ou une fourchette : si la pointe en ressort facilement, les pommes de terre sont prêtes. Bien les égoutter puis les placer dans un saladier.

LES RÉDUIRE en purée jusqu'à obtention d'une préparation presque lisse. Ajouter l'ail, le vinaigre, et bien mélanger. Poivrer, puis ajouter un peu de jus de citron et de sel, à votre goût. Incorporer l'huile en un fin filet, petit à petit, en battant bien après chaque ajout. Continuer à verser l'huile et à battre jusqu'à obtention d'une sauce lisse et épaisse (compter environ 5 minutes). Servir l'aïoli chaud accompagné de légumes détaillés en bâtonnets, de pain croustillant ou de galettes grillées.

NOTE : on peut aussi préparer l'aïoli avec des amandes et du pain blanc mouillé à la place des pommes de terre. Compter 4 cuillerées à soupe d'amandes moulues et 90 g de pain blanc sec préalablement trempé dans de l'eau et égoutté. Mélanger au robot ménager, en incorporant l'huile en un fin filet au fur et à mesure, sans cesser de mixer. La sauce doit prendre la consistance d'une mayonnaise épaisse. Si la préparation est trop épaisse, la délayer avec un peu plus d'huile ou de jus de citron.

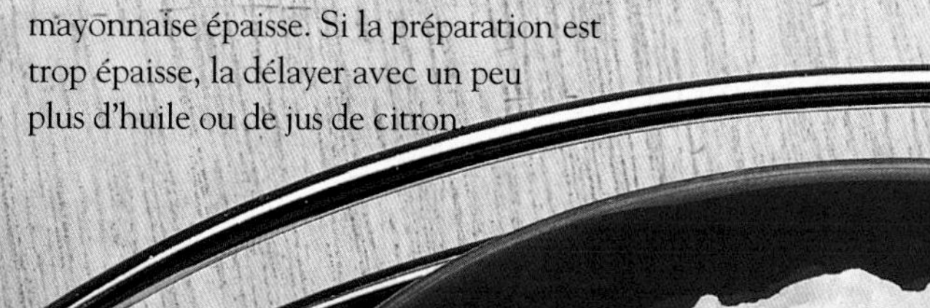

Sauté de légumes et sauce douce

1 à 2 cuil. à café d'huile de sésame • 2 cuil. à café d'huile d'olive • 200 g de brocolis, détaillés en bouquets • 150 g de chou chinois, finement émincé • 90 g de pois mange-tout • sauce de soja ou ketjap manis (sauce de soja sucrée indonésienne), pour l'assaisonnement • miel pour l'assaisonnement

Pour 4 personnes

CHAUFFER l'huile dans une grande poêle ou un wok, en nappant le pourtour. Y faire revenir les brocolis pendant 2 minutes environ. Ajouter le chou et les pois mange-tout. Bien mélanger les légumes et les faire sauter 2 à 3 minutes environ, jusqu'à ce qu'ils soient juste tendres et encore un peu croquants. Parsemer de sauce de soja et de miel, à votre goût. Bien mélanger et servir immédiatement.

Choux de Bruxelles et mini-pâtissons

2 tranches de bacon, sans la couenne • 12 petits choux de Bruxelles • 20 g de beurre • 12 mini-pâtissons • 1 cuil. à soupe de pignons • 1 cuil. à café de poivre noir concassé • 2 cuil. à soupe de ciboulette ciselée

Pour 6 personnes

DÉTAILLER le bacon en fines lamelles. Ôter les feuilles extérieures dures des choux de Bruxelles, et détailler les choux en deux, dans le sens de la longueur.

FAIRE revenir le bacon dans une sauteuse de taille moyenne, jusqu'à ce qu'il soit bien doré. Ajouter le beurre, et lorsqu'il a fondu, incorporer les choux et les mini-pâtissons. Laisser cuire pendant 2 minutes. Couvrir, et poursuivre la cuisson à feu moyen pendant 5 à 10 minutes, jusqu'à ce que les légumes soient juste tendres.

AJOUTER les pignons et le poivre, et bien mélanger les légumes. Laisser cuire encore 30 à 40 secondes, à couvert. Ôter du feu, et parsemer de ciboulette.

Courges et courgettes épicées

3 ou 4 grosses courgettes • 2 courges de taille moyenne, ou 2 chayottes (courges en forme de poire) • 40 g de beurre ramolli, pour servir • ¼ de cuil. à café de cumin en poudre • ½ cuil. à café de paprika doux • ½ cuil. à café de graines de coriandre, finement pilées

Pour 4 à 6 personnes

GRATTER la peau des courgettes et des courges à l'aide d'un économe, sans les peler complètement. Détailler les courgettes en gros morceaux, et couper les courges en deux, dans le sens de la longueur. Épépiner tous les légumes, et ôter les membranes fibreuses des courges.

CUIRE les légumes à la vapeur, ou au micro-ondes, jusqu'à ce qu'ils soient juste tendres (tester avec la pointe d'un couteau ou une fourchette). On peut aussi les rôtir au four, en les badigeonnant avec un peu d'huile d'olive. Servir les légumes chauds, garnis d'une noix de beurre, des 3 épices, et salés et poivrés à votre goût.

NOTE : les courgettes ont une forte teneur en eau et s'adoucissent beaucoup à la cuisson. Il est préférable de les cuire avec une partie de leur peau, pour qu'elles ne s'amollissent pas trop.

En partant de la gauche : Sauté de légumes et sauce douce; Choux de Bruxelles et mini-pâtissons; Courges et courgettes épicées.

Légumes grillés marinés

2 beaux poivrons rouges • 3 courgettes de taille moyenne • 3 petites aubergines • 12 champignons de Paris • 400 g de cœurs d'artichauts en boîte • ***Marinade :*** *3 cuil. à soupe d'huile d'olive • 1 cuil. à soupe de vinaigre balsamique • 1 cuil. à soupe de jus de citron • 2 gousses d'ail, écrasées • 2 cuil. à café de cassonade • 3 cuil. à soupe de feuilles de basilic finement ciselées • poivre noir fraîchement moulu*
Pour 4 à 6 personnes

COUPER les poivrons en deux, ôter les graines et les membranes. Préchauffer le gril. Badigeonner avec un peu d'huile la surface des poivrons, et les passer au gril, côté peau en haut, jusqu'à ce qu'elle cloque et noircisse. Les envelopper dans un torchon, et lorsqu'ils ont suffisamment refroidi, les peler et jeter la peau. Placer la chair des poivrons dans un grand saladier.
DÉTAILLER les courgettes et les aubergines en fines lamelles dans le sens de la longueur. Les faire griller (préchauffer le barbecue, le gril ou sur une plaque de cuisson) 3 à 4 minutes sur chaque face, jusqu'à ce qu'elles soient tendres, en les badigeonnant avec un peu d'huile durant la cuisson. Les ajouter ensuite dans le saladier avec les poivrons. Bien égoutter les cœurs d'artichauts, et les découper en moitiés ou en quartiers. Les faire griller (au barbecue, au gril ou sur une plaque de cuisson) pendant 2 à 3 minutes sur chaque face. Les incorporer aux autres légumes, puis ajouter les champignons.
MÉLANGER tous les ingrédients de la marinade, en napper les légumes et bien remuer. Couvrir et réfrigérer pendant 1 heure environ. Laisser à température ambiante avant de servir.

Feuilles de chou farcies

10 grandes feuilles de chou • 1 cuil. à soupe d'huile d'olive • 1 petit oignon, finement haché • 1 cuil. à café de paprika • 1 cuil. à café de cumin • 90 g de petits champignons de Paris, hachés • 185 g de riz longs grains • 310 ml de bouillon de légumes • ***Sauce :*** *400 g de tomates pelées en boîte • 2 gousses d'ail, écrasées • 1 cuil. à soupe de vinaigre de vin rouge • 2 cuil. à soupe de purée de tomates • 1 à 2 cuil. à café de sucre*
Pour 6 à 8 personnes

PLONGER les feuilles de chou dans une grande casserole d'eau bouillante. Couvrir, éteindre le feu, et laisser tremper pendant environ 5 minutes, jusqu'à ce que les feuilles soient tendres. Les retirer en veillant à ne pas les déchirer, et bien les égoutter.
CHAUFFER l'huile dans une sauteuse de taille moyenne, et ajouter l'oignon. Laisser cuire à feu moyen pendant quelques minutes, jusqu'à ce qu'il soit très tendre. Incorporer les épices, les champignons et le riz, et poursuivre la cuisson, en remuant, pendant encore 1 minute. Ajouter le bouillon, bien mélanger une seule fois, couvrir et porter à ébullition. Baisser le feu et laisser mijoter pendant 15 minutes. Saler et poivrer à votre goût.
TRANSFÉRER la préparation au riz dans un saladier, et laisser refroidir. Étendre une feuille de chou sur le plan de travail, et la garnir au centre de 2 cuillerées bien remplies de farce. Replier les côtés, et les rouler pour envelopper la farce. Placer le rouleau préparé, côté plié en bas, dans un plat à four peu profond. Répéter l'opération avec les autres feuilles de chou. Préchauffer le four à 180 °C (thermostat 4).
POUR PRÉPARER LA SAUCE, mélanger tous les ingrédients (de préférence au robot ménager), assaisonner de sucre, sel et poivre à votre goût, et mixer jusqu'à obtention d'une préparation lisse. En napper les feuilles de chou farcies, couvrir le plat avec de l'aluminium, et enfourner pendant 20 minutes.

Frites

5 à 6 belles pommes de terre à chaire farineuse • huile, pour la friture
Pour 4 à 6 personnes

PELER et laver les pommes de terre. Les sécher avec du papier absorbant. Les détailler dans le sens de la longueur en bâtonnets de 1 cm de large. Verser de l'huile dans une friteuse (la remplir à moitié), et chauffer modérément. Blanchir les pommes de terre par petites quantités à la fois, 4 à 5 minutes environ, jusqu'à ce qu'elles soient légèrement dorées. Les retirer à l'aide d'une écumoire, et les laisser s'égoutter sur du papier absorbant. Chauffer de nouveau l'huile avant de servir, et frire de nouveau les pommes de terre pendant 2 à 3 minutes, jusqu'à ce qu'elles soient bien dorées et croustillantes. Saupoudrer de sel et servir.

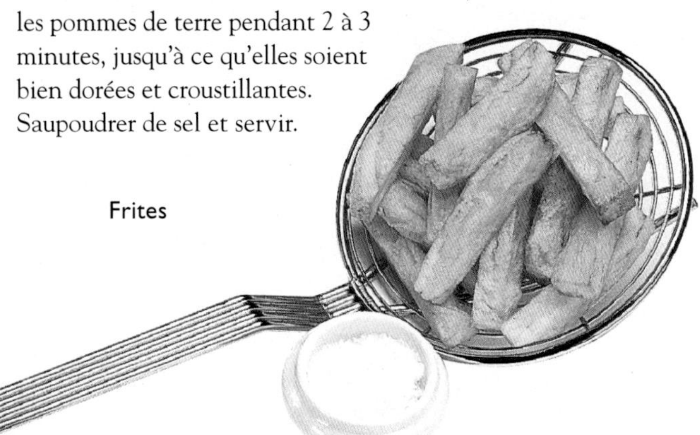

Frites

Pommes frites

4 à 5 belles pommes de terre à chaire farineuse • 125 g de farine • 3 à 4 cuil. à café de sel • 1 cuil. à café de poivre blanc • 1 cuil. à café de paprika doux • 2 cuil. à café d'ail en poudre • huile, pour la friture • crème fraîche et sauce pimentée douce, en accompagnement
Pour 4 personnes

LAVER soigneusement les pommes de terre. Les garder humides pour favoriser une bonne imprégnation des aromates. Les peler ou conserver la peau, à votre goût. Détailler chaque pomme de terre en 10 morceaux environ. Mélanger la farine, le sel, le poivre, le paprika et l'ail en poudre. En enrober les pommes de terre (on peut également placer un peu de farine aromatisée dans un sac en plastique, et y plonger les morceaux, par petites quantités à chaque fois). Blanchir les frites dans un bain de friture modérément chaud, ou les frire dans 2 cm d'huile, par petites quantités, 2 à 3 minutes environ à chaque fois, jusqu'à ce qu'elles soient tout juste dorées.
FARINER de nouveau les pommes frites avec la préparation aromatisée, et les frire de nouveau dans l'huile chaude pendant 3 à 4 minutes environ, jusqu'à ce qu'elles soient bien dorées et croustillantes. Les retirer à l'aide d'une écumoire, et les laisser s'égoutter sur du papier absorbant. Les saupoudrer de sel, et servir chaud, accompagné de crème fraîche et de sauce pimentée douce.
NOTE : pour varier le goût, ajouter 1 cuillerée à soupe de parmesan frais finement râpé à la farine aromatisée.

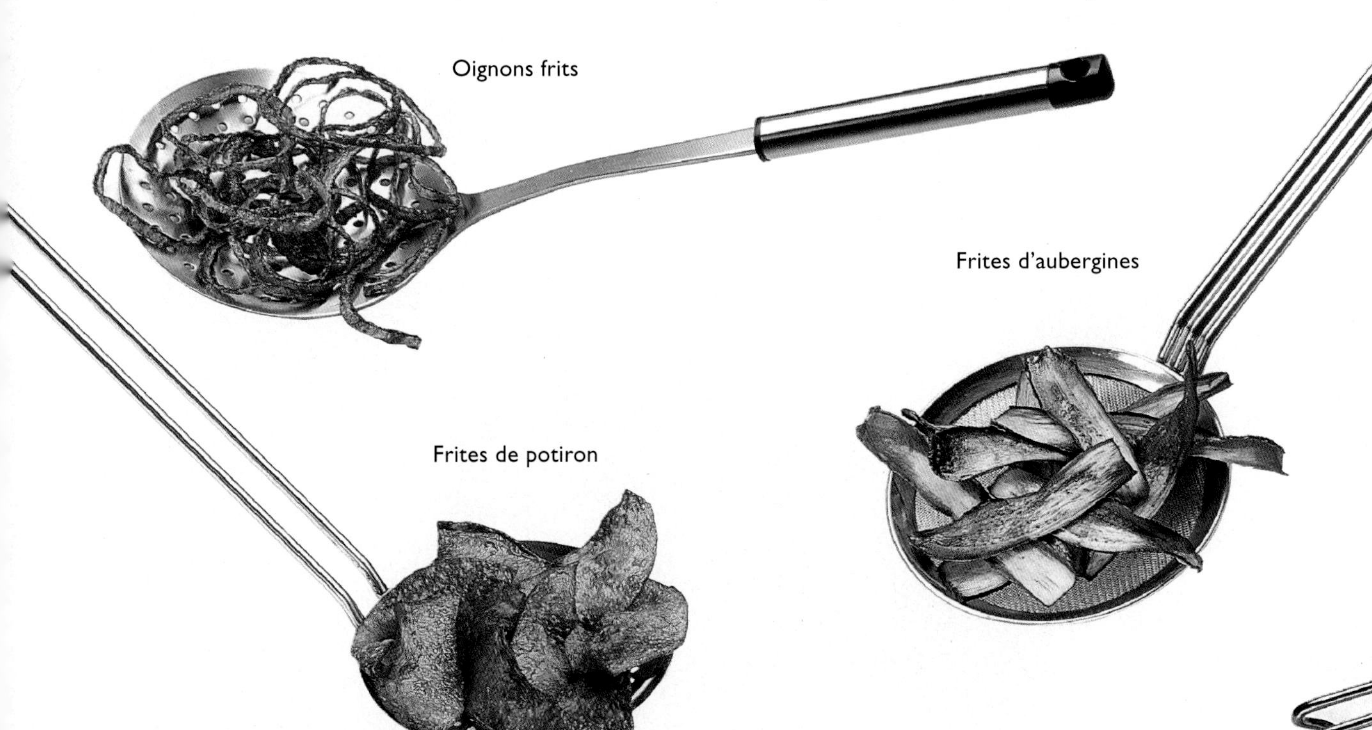

Oignons frits

Frites d'aubergines

Frites de potiron

Frites de légumes

On adore les frites, mais pourquoi toujours les préparer avec des pommes de terre ? Les frites de légumes sont délicieuses, et très faciles à faire. Voici quelques exemples de légumes à frire, avec la recette : à vous de choisir ce que vous aimerez goûter, et bon appétit !

1 patate douce orange, pelée • 4 petites aubergines • 2 à 4 gros panais, pelés et très finement émincés en diagonale • 4 à 6 betteraves, pelées • 400 g de potiron, pelé • 4 belles carottes, pelées • 4 oignons moyens, pelés et finement détaillés en anneaux • 2 à 4 pommes de terre, pelées

POUR les légumes qui sont seulement pelés, les émincer aussi finement que possible en petites lamelles, à l'aide d'un économe ou d'un couteau d'office bien tranchant. Les sécher avec du papier absorbant. Verser de l'huile dans une friteuse (la remplir à moitié), et chauffer modérément. Pour vérifier la bonne température de l'huile, laisser tomber un petit dé de pain : l'huile doit frémir, et le pain doit prendre une belle couleur dorée.

FRIRE les légumes par petites quantités à chaque fois, pour éviter qu'ils ne collent. Les retirer à l'aide d'une écumoire, et les laisser s'égoutter sur du papier absorbant. Saupoudrer les frites avec un peu de sel et de poivre, et les servir accompagnées de crème fraîche épaisse et de sauce pimentée, de salsa (sauce mexicaine), ou de chutney.

Frites de panais

Émincés de carottes frites

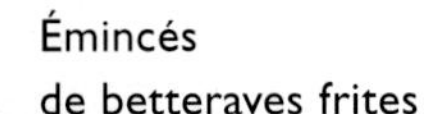

Émincés de betteraves frites

Pommes frites

Frites de patates douces

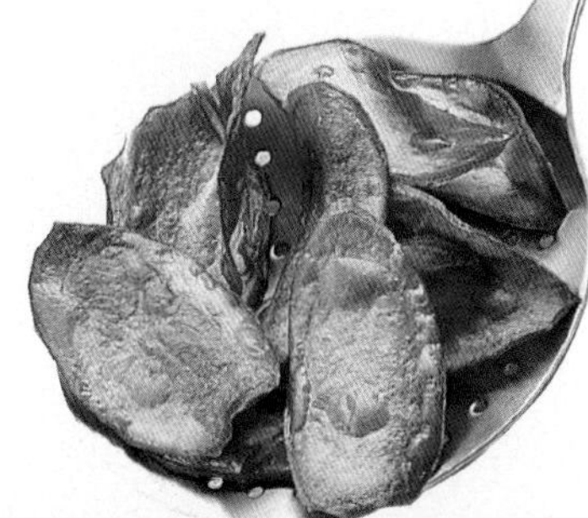

Galettes de pommes de terre au beurre

4 belles pommes de terre, pelées • ½ cuil. à café de sel • ½ cuil. à café de poivre • 2 cuil. à soupe de persil frais finement haché • 60 g de beurre

Pour 4 à 6 personnes

CUIRE les pommes de terre à l'eau bouillante jusqu'à ce qu'elles soient tout juste tendres. Bien les égoutter, les laisser refroidir, puis les râper grossièrement. Assaisonner de sel et de poivre, incorporer le persil et bien mélanger.

CHAUFFER presque tout le beurre dans une grande poêle à fond épais. Y placer 4 emporte-pièce ronds, de 6 à 7 cm de diamètre environ. Y répartir la préparation de pommes de terre, en remplissant les emporte-pièce jusqu'en haut, et en tassant bien le dessus pour former des galettes.

CUIRE à feu moyen pendant 5 à 7 minutes, jusqu'à ce qu'une croûte se forme à la base (veiller à ne pas les laisser brûler!). Secouer délicatement la poêle pour que les galettes n'attachent pas.

RETOURNER doucement les galettes à l'aide d'une spatule. Ôter les emporte-pièce, et poursuivre la cuisson encore 4 à 5 minutes, jusqu'à ce que les galettes soient bien dorées et croustillantes. Ajouter du beurre si nécessaire, et recommencer l'opération avec la préparation restante.

NOTE : on peut aussi préparer une grande galette. Étaler la préparation aux pommes de terre dans la poêle, et bien tasser. Cuire pendant 6 à 8 minutes, jusqu'à ce qu'elle soit bien dorée. Retourner la galette dans une assiette, remettre dans la poêle, et poursuive la cuisson de l'autre face pendant 6 à 8 minutes. Servir la galette découpée en portions.

Scones au potiron (petits beignets cuits au four)

315 g de farine avec levure incorporée • 2 cuil. à café de sucre • 2 cuil. à soupe de ciboulette finement ciselée • 60 g de beurre, détaillé en petits morceaux • 250 g de potiron cuit réduit en purée (environ 375 g de potiron cru) • 1 œuf légèrement battu • 1 à 2 cuil. à soupe de lait ribot, et un peu en supplément pour le glaçage

Pour environ 15 scones

PRÉCHAUFFER le four à 190 °C (thermostat 5). Beurrer ou huiler un plat à four de 28 x 18 cm. Tamiser la farine et le sucre dans un grand saladier. Incorporer la ciboulette et le beurre en morceaux. Malaxer du bout des doigts pendant 2 minutes, jusqu'à formation d'une texture fine et friable.

MÉLANGER le potiron en purée, l'œuf et le lait ribot. Ajouter à la préparation, et mélanger au couteau pour homogénéiser la préparation.

PÉTRIR la pâte sur un plan de travail légèrement fariné, pendant 10 secondes environ, jusqu'à ce qu'elle soit lisse. L'aplatir pour former une galette de 2 cm d'épaisseur environ. À l'aide d'un emporte-pièce fariné de 5 cm de diamètre, découper la pâte en cercles.

LES DISPOSER dans le plat préparé, et badigeonner la surface avec un peu de lait. Enfourner pendant 15 minutes environ, jusqu'à ce que les scones soient légèrement dorés. Les transférer sur une grille et les servir tièdes ou froids, avec du beurre.

En partant de la gauche : Galettes de pommes de terre au beurre; Scones au potiron; Asperges sauce hollandaise.

Asperges sauce hollandaise

185 g de beurre • 4 jaunes d'œufs • 2 cuil. à soupe de jus de citron • 2 bottes d'asperges fraîches

Pour 4 à 6 personnes

FAIRE FONDRE le beurre dans une petite casserole. Mixer les jaunes d'œufs pendant 20 secondes. Sans cesser de mélanger, ajouter le beurre chaud en un fin filet, et continuer à mixer jusqu'à obtention d'une préparation épaisse et crémeuse. Incorporer le jus de citron, puis saler et poivrer à votre goût.

ÔTER les extrémités dures des asperges, et nettoyer les pointes à l'aide d'un économe. Les plonger dans une casserole d'eau bouillante, pendant 2 à 3 minutes environ (le temps de cuisson varie selon l'épaisseur des asperges), jusqu'à ce qu'elles deviennent vert vif et tendres. Les égoutter aussitôt, et les disposer sur les assiettes de service. Napper de sauce et servir.

Pommes de terre sautées au romarin frais

750 g de petites pommes de terre nouvelles • 30 g de beurre • 2 cuil. à soupe d'huile d'olive • 1 cuil. à café de poivre noir concassé • 2 gousses d'ail, écrasées • 1 cuil. à soupe de romarin frais, finement ciselé • 1 cuil. à café de sel gemme ou de sel marin en cristaux

Pour 4 à 6 personnes

LAVER les pommes de terre et les sécher avec du papier absorbant. Les couper en deux, et les faire cuire à l'eau bouillante ou à la vapeur jusqu'à ce qu'elles soient tout juste tendres. Les égoutter et les laisser légèrement refroidir.

CHAUFFER le beurre et l'huile dans une grande sauteuse. Lorsque la matière grasse frémit, ajouter les pommes de terre et les assaisonner avec la moitié du poivre. Les faire revenir à feu moyen pendant 5 à 10 minutes, jusqu'à ce qu'elles soient dorées et croustillantes. Bien mélanger durant la cuisson pour bien dorer toute la surface des pommes de terre.

INCORPORER l'ail, le romarin et le sel. Poursuivre la cuisson pendant 1 minute environ, pour bien enrober les pommes de terre. Ajouter le poivre restant, bien mélanger et servir.

En partant de la gauche : Pommes de terre sautées au romarin frais ; Ratatouille ; Tempura aux légumes.

Ratatouille

250 g d'aubergines • 250 g de courgettes • 2 oignons • 1 poivron vert • 1 poivron rouge • huile d'olive, pour la friture • 2 à 3 gousses d'ail, écrasées • 500 g de tomates bien mûres, concassées • 4 cuil. à soupe de persil frais finement ciselé
Pour 4 personnes

DÉTAILLER les aubergines en gros cubes, et les placer dans une passoire. Les saupoudrer généreusement de sel, et les laisser dégorger 20 minutes. Couper les courgettes en tranches épaisses, et émincer les oignons. Détailler les poivrons en gros cubes, en ôtant les graines et les membranes blanches.
BIEN RINCER les morceaux d'aubergine, et les sécher avec un papier absorbant. Verser environ 60 ml d'huile dans une cocotte. Y faire revenir les aubergines et les courgettes par petites quantités à chaque fois, jusqu'à ce qu'elles soient légèrement dorées. Les égoutter au fur et à mesure sur du papier absorbant. Ajouter un peu plus d'huile, incorporer les oignons et les faire revenir pendant 2 minutes, en remuant. Ajouter les poivrons, et poursuivre la cuisson à feu doux pendant environ 5 minutes, jusqu'à ce qu'ils soient tendres mais pas brunis. Aromatiser la préparation avec l'ail.
AJOUTER les tomates, et laisser mijoter pendant 5 minutes environ, en remuant. Incorporer les aubergines et les courgettes, et poursuivre la cuisson à feu doux pendant environ 10 à 15 minutes, jusqu'à ce que le jus ait réduit et que la ratatouille ait un peu épaissi. Assaisonner à votre goût et garnir de persil. Servir chaud avec du pain croustillant.

Tempura aux légumes

125 g de brocolis • 1 petit oignon • 1 petit poivron rouge • 1 petit poivron vert • 1 carotte de taille moyenne • 60 g de haricots verts • huile végétale légère pour la friture • ***Pâte :*** *250 ml d'eau glacée • 1 jaune d'œuf • 125 g de farine ordinaire, tamisée*
Pour 4 à 6 personnes

DÉTAILLER les brocolis en petits bouquets. Émincer finement l'oignon, et découper les poivrons et la carotte en julienne. Détailler les haricots en morceaux de la même longueur, et les couper en deux dans le sens de la longueur.
POUR PRÉPARER LA PÂTE, mélanger au fouet, dans un saladier, l'eau et le jaune d'œuf. Saupoudrer de farine et l'incorporer délicatement avec une fourchette ou une baguette jusqu'à obtention d'une préparation légèrement grumeleuse.
PASSER les légumes dans la farine, et les secouer pour ôter l'excédent. Les plonger dans la pâte (repousser les grumeaux sur les côtés). Laisser les légumes s'égoutter un peu.
CHAUFFER l'huile dans une poêle. À l'aide d'une pince, rassembler des légumes préparés (environ 2 morceaux de chaque légume), et les plonger délicatement dans l'huile. Les maintenir avec la pince jusqu'à ce que la pâte commence à frire et durcir légèrement. Les lâcher dans l'huile et poursuivre la cuisson jusqu'à ce qu'ils soient dorés et croustillants. Les égoutter sur du papier absorbant. Répéter l'opération avec les légumes restants. Servir aussitôt avec une sauce d'accompagnement.

Tourte à la bette

1 kg de bette • 4 cuil. à soupe d'huile d'olive • 1 gros oignon, haché • 10 oignons nouveaux, hachés • 4 cuil. à soupe de persil frais, finement ciselé • un peu d'aneth frais, finement ciselé • une bonne pincée de noix muscade moulue • 4 cuil. à soupe de parmesan frais râpé • 155 g de feta émiettée • 4 cuil. à soupe de cottage cheese • 4 œufs, battus • 12 feuilles de brick, prêtes à l'emploi • 30 g de beurre, fondu

Pour 4 à 6 personnes

PARER et laver soigneusement la bette. Secouer l'excédent d'eau, et la détailler en petits morceaux. Verser un fond d'eau dans une grande casserole, et y faire cuire la bette à feu doux pendant environ 5 minutes, à couvert, jusqu'à ce qu'elle soit tendre. Veiller à ce que la bette n'attache pas au fond de la casserole. L'égoutter soigneusement.

CHAUFFER environ 3 cuillerées à soupe d'huile dans une poêle. Ajouter l'oignon haché et laisser cuire à feu doux pendant 10 minutes environ, jusqu'à transparence. Incorporer les oignons nouveaux, et poursuivre la cuisson encore 3 minutes. Retirer du feu puis ajouter le persil, l'aneth, la muscade, le parmesan, la feta, le cottage cheese, et les œufs. Incorporer la bette, bien mélanger, puis saler et poivrer à votre goût.

GRAISSER un plat à four de 30 x 18 cm avec le reste d'huile mélangé au beurre fondu. Préchauffer le four à 180 °C (thermostat 4). Étaler 4 feuilles de brick les unes sur les autres en badigeonnant chaque feuille avec le mélange d'huile et de beurre. Les disposer dans le plat à four, dans le sens de la longueur. Garnir avec la moitié de la préparation à base de bette. Ajouter 4 autres feuilles de brick (les graisser également). Étaler le reste de préparation à base de bette, et garnir avec les 4 dernières feuilles de brick badigeonnées d'huile et de beurre, en les repliant à l'intérieur au niveau du pourtour du plat. Badigeonner la dernière couche d'huile et de beurre, et décorer la pâte de carrés ou de croisillons à l'aide de la pointe d'un couteau d'office. Enfourner pendant 40 à 45 minutes environ. Découper en portions et servir chaud.

NOTE : on trouve du cottage cheese dans les rayons de produits laitiers des supermarchés, ou dans les épiceries fines. On peut également le remplacer par de la ricotta fraîche.

Gratin de pommes de terre

600 g de pommes de terre, pelées et finement émincées• 375 ml de lait • poivre noir moulu • 170 g de crème liquide • ½ cuil. à café de noix muscade moulue • 90 g de gruyère râpé • 3 cuil. à soupe de parmesan râpé • 30 g de beurre • poivre noir concassé
Pour 4 personnes

GRAISSER un plat à gratin de 20 cm. Préchauffer le four à 180 °C (thermostat 4). Faire dégorger les pommes de terre dans de l'eau froide pendant 5 minutes, puis les égoutter. Étaler des couches de pommes de terre dans le plat à gratin. Saler et poivrer le lait à votre goût, et en napper les pommes de terre. Enfourner pendant 20 minutes environ, jusqu'à ce que les pommes de terre soient à moitié cuites. Ôter le liquide en excédent.
MÉLANGER la crème et la muscade moulue dans un bol, et en napper les pommes de terre. Parsemer de gruyère et parmesan, et garnir de beurre. Baisser la température du four à 160 °C (thermostat 2-3), et poursuivre la cuisson environ 40 minutes, jusqu'à ce que les pommes de terre soient cuites. Servir immédiatement, saupoudré de poivre concassé.

Pommes de terre Hasselback

30 g de beurre, fondu • 4 pommes de terre moyennes, de même taille, pelées et coupées en moitiés • 2 cuil. à soupe de mie de pain blanc frais, émiettée • 3 cuil. à soupe de parmesan râpé • 3 cuil. à soupe de gruyère râpé • 1 cuil. à soupe de persil frais ciselé
Pour 4 personnes

PRÉCHAUFFER le four à 200 °C. Graisser un plat à four peu profond avec un peu de beurre fondu. Disposer les pommes de terre, côté plat en bas. Les inciser verticalement à intervalles réguliers, aux deux tiers et les mettre dans le plat, côté plat en bas. Les badigeonner généreusement de beurre fondu. Enfourner pendant 30 minutes, en arrosant de temps en temps de beurre fondu.
MÉLANGER la mie de pain, le parmesan et le gruyère, et en saupoudrer les pommes de terre. Parsemer de persil et poursuivre la cuisson pendant 15 minutes, jusqu'à ce que les pommes de terre soient bien dorées.
NOTE : il vaut mieux préparer et cuisiner les pommes de terre Hasselback juste avant de les servir.

En partant de la gauche : Tourte aux épinards ; Gratin de pommes de terre ; Pommes de terre Hasselback.

Tarte aux oignons

155 g de farine • 1 pincée de sel • 1 pincée de sucre • 125 g de beurre froid, finement détaillé • 30 g de saindoux • 3 à 4 cuil. à café d'eau glacée • ***Garniture :*** *45 g de beurre • 1 cuil. à soupe d'huile d'olive • 1 kg d'oignons jaunes, pelés et finement émincés en anneaux • 3 cuil. à café de farine • 3 œufs • 185 g de crème fraîche épaisse • 2 cuil. à soupe de lait • 1 pincée de noix muscade moulue • 60 g de gruyère râpé*
Pour 4 à 6 personnes

MÉLANGER la farine, le sel, le sucre, le beurre et le saindoux au robot ménager. Mixer pendant environ 30 secondes, jusqu'à obtention d'une texture fine et friable. Ajouter un peu d'eau, en dosant délicatement, pour que la pâte prenne (si elle reste trop sèche, continuer à ajouter de l'eau, sans cesser de mélanger). Pétrir doucement la pâte sur un plan de travail fariné.
ÉTALER la pâte entre deux feuilles de papier sulfurisé pour former un cercle de la taille d'un moule à tarte cannelé de 28 cm de diamètre. Foncer le moule et ajuster la pâte sur les bords. Réfrigérer pendant environ 15 minutes. Préchauffer le four à 180 °C (thermostat 4). Couvrir la pâte préparée de papier sulfurisé et y déposer une fine couche de grains de riz ou de haricots secs. Enfourner la pâte pendant 10 minutes.
ÔTER le papier, les poids, et poursuivre la cuisson encore 4 minutes, jusqu'à ce que la pâte soit presque cuite. Laisser refroidir.
CHAUFFER le beurre et l'huile dans une sauteuse. Ajouter les oignons, et les faire blondir à feu doux, pendant 20 à 30 minutes, en remuant de temps en temps, jusqu'à transparence. Parsemer de farine et poursuivre la cuisson en remuant, pendant 2 à 3 minutes. Retirer du feu et laisser légèrement refroidir.
BATTRE les œufs avec la crème, le lait et la muscade dans un grand saladier. Y incorporer petit à petit les oignons et la moitié du fromage. Bien mélanger et en garnir le fond de tarte. Parsemer du fromage restant et enfourner 25 à 30 minutes, jusqu'à ce que la garniture soit bien dorée et cuite. Laisser reposer au moins 10 minutes avant de servir.

Potiron laqué

500 g de potiron • 30 g de beurre • 2 cuil. à soupe de crème liquide • 1 cuil. à soupe de cassonade • ciboulette ciselée, pour la garniture
Pour 4 personnes

PELER le potiron, ôter la membrane et les graines, et le détailler en fines lamelles. Les disposer dans un plat à four, en les faisant se chevaucher. Préchauffer le four à 180 °C (thermostat 4).
CHAUFFER le beurre, la crème et la cassonade dans une petite casserole, à feu doux. Mélanger jusqu'à obtention d'une sauce lisse, et en napper le potiron.
ENFOURNER pendant environ 35 minutes, jusqu'à ce que la chair du potiron soit bien tendre. Servir garni de ciboulette ciselée.

QUELQUES SOUPES DE LÉGUMES FACILES À PRÉPARER

Quoi de plus sain et appétissant qu'une bonne soupe de légumes frais ? On les apprécie en entrée ou en plat principal, et on peut varier le goût au gré des herbes utilisées – celles de votre choix – pour les parfumer tout en les présentant joliment.

Velouté de potiron

CHAUFFER 30 g de beurre et un peu d'huile dans un faitout. Incorporer 1 bel oignon haché, 2 gousses d'ail écrasées, et une pincée de cumin ou de muscade en poudre. Laisser cuire à feu moyen jusqu'à ce que l'oignon soit doré et tendre. Ajouter environ 1 kg de potiron pelé et détailler en gros morceaux, et 500 ml de

Velouté de potiron

bouillon de légumes. Porter à ébullition, baisser le feu et laisser mijoter, à couvert, pendant environ 10 minutes, jusqu'à ce que le potiron soit très tendre. Laisser refroidir légèrement, puis passer au mixeur, par petites quantités, jusqu'à obtention d'une préparation veloutée. Remettre la soupe dans le faitout, et ajouter 4 cuillerées à soupe de crème. Assaisonner et aromatiser éventuellement avec des herbes fraîches. Réchauffer à feu doux, et servir. Pour une soupe plus fluide, ajouter un peu plus de bouillon ou de crème, et garnir de ciboulette ciselée, à votre goût.

Consommé d'épinards et pommes de terre

VERSER 1 litre de bouillon de poulet ou de légumes dans un faitout. Ajouter 700 g de pommes de terre pelées et détaillées en dés. Porter à ébullition, baisser le feu, et laisser mijoter, à couvert, pendant 5 minutes environ, jusqu'à ce que les pommes de terre soient tendres. Incorporer 440 g d'épinards lavés et finement détaillés, et 5 oignons nouveaux hachés. Laisser mijoter, à couvert, pendant 3 minutes environ, jusqu'à ce que les légumes soient

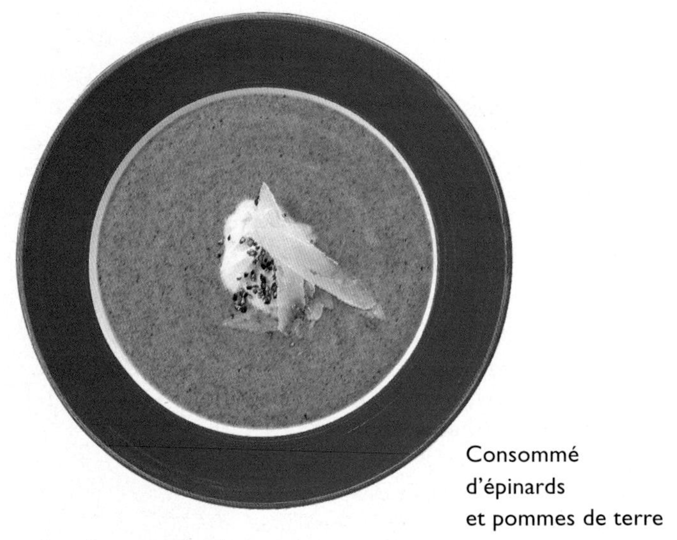

Consommé d'épinards et pommes de terre

tendres. Laisser refroidir légèrement, puis passer au mixeur, par petites quantités, jusqu'à obtention d'une soupe lisse. Remettre dans le faitout, et incorporer 160 g de crème fraîche. Assaisonner, et réchauffer à feu doux. Servir garni d'une noix de crème fraîche, de copeaux de parmesan, et de poivre concassé.

Crème de céleri

FAIRE FONDRE 60 g de beurre dans un faitout. Ajouter 1 oignon haché, et remuer jusqu'à ce qu'il devienne tendre. Retirer du feu. Détailler finement une botte de céleri en branches (en réservant 2 branches), feuilles comprises. Les cuire avec l'oignon préparé, à feu moyen, jusqu'à ce que le céleri soit tendre, mais pas brun. Verser 1 litre de bouillon de poulet ou de légumes. Faire mijoter à couvert pendant 20 minutes. Laisser légèrement refroidir, puis passer au mixeur, par petites quantités. Remettre la soupe dans le faitout, et incorporer 300 ml de crème liquide, et les branches de céleri réservées, finement émincées. Assaisonner, et laisser mijoter environ 15 minutes, jusqu'à ce que le céleri soit tendre. Servir la crème de céleri garnie de poivre concassé, d'herbes et de croûtons.

Crème de céleri

Soupe de poireaux et pommes de terre

CHAUFFER 30 g de beurre et un peu d'huile dans un faitout. Ajouter 2 gousses d'ail écrasées et 1 poireau finement émincé. Mélanger à feu doux pendant environ 10 minutes, jusqu'à ce que le poireau soit tendre et doré. Incorporer 1 litre de bouillon de bœuf ou de légumes, et 3 cuillerées à soupe de porto ou de muscat (facultatif). Porter à ébullition, baisser légèrement le feu, et ajouter petit à petit 2 pommes de terre finement émincées (variétés Bintje ou Estima). Laisser mijoter doucement pour que les pommes de terre se délayent bien. Lorsqu'elles sont tendres, assaisonner de sel et poivre. Servir ainsi, ou réduire plus finement en passant la soupe au mixeur. Garnir d'herbes fraîches, par exemple du romarin, du persil et de la ciboulette, et accompagner de pain croustillant.

Soupe à l'oignon

Soupe de poireaux et pommes de terre

Soupe à l'oignon

CHAUFFER 30 g de beurre et 1 cuillerée à soupe d'huile dans un faitout. Ajouter 500 g d'oignons pelés et finement émincés en anneaux. Bien mélanger pour enrober les oignons. Laisser mijoter à couvert, pendant au moins 10 minutes, jusqu'à transparence (veiller à ne pas laisser brûler). Ôter le couvercle, et ajouter une bonne pincée de sel et de sucre. Poursuivre la cuisson à feu doux, pendant 30 minutes environ, en remuant, jusqu'à ce que les oignons prennent une belle couleur caramel. Saupoudrer d'une cuil. à soupe de farine (ne pas la remplir à ras bords), et laisser cuire encore 2 minutes. Retirer du feu et incorporer petit à petit 2 litres de bouillon de bœuf ou de légumes, ainsi que 170 ml de vin blanc sec de qualité. Laisser mijoter, à feu très doux, pendant 30 à 40 minutes, en écumant la surface si nécessaire. Assaisonner et servir parfumé de cerfeuil frais, avec des tartines de pain croustillant garnies de fromage. Pour une soupe encore plus savoureuse, ajouter un doigt de cognac juste avant de servir.

Consommé de tomates et poivrons

COUPER 3 beaux poivrons en deux, et en ôter les graines et les membranes blanches. Préchauffer le gril, puis disposer les poivrons sur la grille, côté peau en haut. Les badigeonner avec un peu d'huile, et les passer au gril jusqu'à ce que la peau cloque et noircisse. Laisser légèrement refroidir. Peler la peau et la jeter. Détailler la chair en gros morceaux. Chauffer un peu d'huile dans un faitout. Ajouter 1 bel oignon rouge haché, et 1 à 2 gousses d'ail écrasées. Les faire revenir à feu moyen pendant environ 3 minutes, jusqu'à ce qu'ils soient tendres. Incorporer les poivrons, 1 cuillerée à soupe de purée de tomates, et 6 belles tomates mûres, pelées et épépinées. Laisser cuire 2 minutes. Ajouter 900 ml à 1 litre de bouillon de poulet ou de légumes. Laisser mijoter, à découvert, pendant 10 à 15 minutes. Laisser refroidir légèrement, puis lisser la soupe au mixeur, par petites quantités. La remettre dans le faitout, et réchauffer doucement. Assaisonner à votre goût, puis ajouter 3 cuillerées à soupe de basilic finement ciselé juste avant de servir. Garnir éventuellement d'origan et de lamelles de poivron rouge.

Consommé de tomates et poivrons

Gnocchi aux épinards et à la ricotta

4 tranches de pain de mie • 125 ml de lait • 500 g d'épinards surgelés, dégelés • 250 g de ricotta • 5 cuil. à soupe de parmesan fraîchement râpé, et quelques copeaux pour la garniture • 3 œufs • ½ cuil. à café de muscade moulue
Pour 4 à 6 personnes

RETIRER la croûte du pain, et placer la mie dans un plat peu profond. Verser le lait, et laisser tremper 10 minutes. Bien égoutter les épinards (les presser si nécessaire), et les placer dans un mixeur avec la mie de pain préparée, la ricotta, le parmesan, les œufs et la muscade. Saler et poivrer à votre goût.
MIXER pendant 20 secondes environ, jusqu'à obtention d'une texture homogène. Réfrigérer pendant 1 heure. Avec le bout des doigts farinés, former des gnocchi en prenant l'équivalent d'une cuillère à café de préparation à chaque fois (aplatir la pâte en lui donnant une forme ovale).
PORTER une casserole d'eau à ébullition. Cuire 5 gnocchi à la fois, pendant environ 2 minutes, jusqu'à ce qu'ils flottent à la surface. Les retirer à l'aide d'une écumoire, et les disposer dans des assiettes de service tiédies. Servir immédiatement, garni avec un peu de beurre fondu, des copeaux de parmesan et du poivre concassé.

Ragoût de légumes variés et haricots de Lima

300 g de haricots de Lima secs • 3 cuil. à soupe d'huile d'olive • 2 oignons, émincés • 2 gousses d'ail, écrasées • 500 g de petites aubergines, détaillées en belles tranches • 500 g de petites courgettes, détaillées en belles tranches • 800 g de tomates pelées en boîtes, concassées • 125 ml de vin blanc sec ou de jus de pommes • 2 cuil. à soupe de purée de tomates • 2 cuil. à soupe de thym frais, haché • 300 g de feta, détaillée en dés • 12 à 18 olives noires

Pour 6 personnes

FAIRE tremper les haricots pendant une nuit. Les égoutter, et les cuire dans de l'eau fraîche (mouiller à hauteur), à découvert, pendant 20 minutes. Bien les égoutter. Préchauffer le four à 160 °C (thermostat 2 à 3).

CHAUFFER l'huile dans un faitout. Ajouter les oignons, l'ail, et les faire revenir à feu moyen pendant 5 minutes environ, jusqu'à ce qu'ils soient tendres. Incorporer les aubergines et les courgettes, et poursuivre la cuisson pendant 5 minutes, en remuant de temps en temps. Ajouter les tomates, le vin ou le jus de pommes, la purée de tomates, le thym, et porter à ébullition. Baisser le feu, et laisser mijoter pendant 5 minutes, puis assaisonner de sel et poivre, à votre goût.

MÉLANGER les haricots cuits et les légumes préparés, et transférer dans un grand plat à four. Enfourner pendant 1 heure environ, jusqu'à ce que les haricots soient tendres.

INCORPORER la feta détaillée en dés, ainsi que les olives, et servir le ragoût immédiatement.

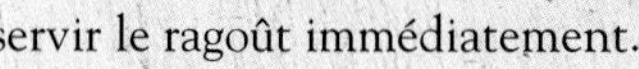

Muffins à la carotte et au fromage

220 g de farine avec levure incorporée • ½ cuil. à café de sel • 230 g de carottes râpées • 2 cuil. à soupe de parmesan fraîchement râpé • 2 cuil. à soupe de basilic frais, finement ciselé • 2 œufs • 4 cuil. à soupe d'huile d'olive légère • 250 ml de lait • gruyère, détaillé en 12 cubes de 2 cm (à défaut, utiliser de la mimolette vieille)
Pour 12 gros muffins

PRÉCHAUFFER le four à 190 °C (thermostat 5). Badigeonner d'huile 12 moules à muffins. Tamiser la farine et le sel dans un grand saladier, puis ajouter les carottes râpées, le parmesan et le basilic.
BATTRE légèrement les œufs dans un petit bol, puis incorporer l'huile et le lait. Bien mélanger. Ajouter cette préparation aux carottes préparées, et remuer pour bien incorporer tous les ingrédients, sans trop les battre.
DISPOSER une cuillerée à soupe de préparation dans chaque moule à muffin, et garnir d'un cube de fromage. Garnir avec le restant de préparation pour recouvrir complètement le fromage.
ENFOURNER pendant 25 minutes environ, jusqu'à ce que les muffins soient gonflés et légèrement dorés. Les laisser refroidir pendant 2 minutes avant de les transférer délicatement sur une grille. Servir chaud, éventuellement avec du beurre et des fruits frais.
NOTE : si nécessaire, les muffins peuvent être réchauffés rapidement au micro-ondes.

Terrine de légumes à la méditerranéenne

3 beaux poivrons rouges • environ 2 cuil. à soupe d'huile d'olive • 750 g d'aubergines • 500 g de courgettes • 500 g de tomates mûres • 5 feuilles de basilic de taille moyenne • 300 g de ricotta, bien égouttée • feuilles de roquette et olives noires, en garniture
Pour 8 personnes

PRÉCHAUFFER le four à 190 °C (thermostat 5). Couvrir le fond d'un moule à cake de film alimentaire, en le laissant largement dépasser au-dessus des bords.
DÉTAILLER chaque poivron en quartier, et ôter les graines et les membranes. Les passer au gril, côté peau en haut, après les avoir badigeonnés d'huile. Les faire griller jusqu'à ce que la peau noircisse et cloque. Les envelopper dans un torchon, puis les laisser refroidir et les peler.
DÉTAILLER les aubergines et les courgettes en belles tranches épaisses d'un cm, dans le sens de la longueur. Les saupoudrer légèrement de sel, et les laisser dégorger pendant 30 minutes. Bien les rincer, et les sécher sur du papier absorbant. Chauffer l'huile dans une sauteuse et faire revenir les tranches d'aubergines et de courgettes, par petites quantités à chaque fois, jusqu'à ce qu'elles soient tendres. Les égoutter sur du papier absorbant au fur et à mesure, et les laisser refroidir. Peler les tomates, les couper en deux horizontalement, les épépiner, et détailler la pulpe en gros morceaux.
DISPOSER dans le moule la moitié des tranches d'aubergines, et recouvrir de couches de tomates, de feuilles de basilic, de ricotta, de poivrons et de courgettes. Saler et poivrer de temps en temps. Garnir avec les tranches d'aubergines restantes.
RECOUVRIR la terrine hermétiquement avec le film alimentaire. Placer une soucoupe ou une assiette au-dessus, pour former un poids, et réfrigérer pendant une nuit.
DÉCOUPER la terrine en belles tranches, et la servir agrémentée de feuilles de roquette et d'olives. La vinaigrette au basilic (voir page 294) se marie délicieusement avec cette terrine.
NOTE : pour poêler les légumes, on peut utiliser un mélange, à proportion égale, d'huile d'olive ordinaire et d'huile d'olive vierge extra fine.

Soufflés aux épinards

45 g de beurre • 3 cuil. à soupe de farine • 250 ml de lait chaud • 3 œufs, blancs et jaunes séparés • 60 g de fromage râpé • 155 g d'épinards cuits et hachés • noix muscade moulue • 4 cuil. à soupe de crème liquide • 4 cuil. à soupe de parmesan fraîchement râpé

Pour 4 personnes

Préchauffer le four à 210 °C (thermostat 6-7). Badigeonner de beurre fondu 4 moules à soufflé d'une capacité de 250 ml, et couvrir le fond de papier aluminium, découpé selon la forme du moule. Badigeonner l'aluminium de beurre fondu.

Chauffer le beurre dans une casserole de taille moyenne. Ajouter la farine et mélanger à feu doux, pendant 2 minutes environ, pour la faire blondir. Ajouter graduellement le lait, en remuant pour obtenir une préparation lisse. Mélanger constamment à feu moyen jusqu'à ébullition et épaississement. Poursuivre l'ébullition encore 1 minute, puis retirer du feu. Ajouter les 3 jaunes d'œufs, le fromage, et bien battre pour lisser la préparation. Incorporer les épinards, parfumer de muscade, puis saler et poivrer à votre goût.

Monter les blancs d'œufs en neige (utiliser de préférence un batteur électrique). À l'aide d'une cuillère métallique, incorporer délicatement les blancs à la préparation aux épinards.

Répartir la préparation dans les moules, puis les placer dans un plat à four peu profond. Verser de l'eau chaude à mi-hauteur des moules. Enfourner pendant 20 minutes environ, jusqu'à ce que les soufflés aient gonflé, et soient dorés. Les retirer aussitôt du plat, et les laisser refroidir complètement (ils retomberont un peu).

Au moment de servir, préchauffer le four à 190 °C (thermostat 5). Démouler les soufflés en passant la lame d'un couteau autour des bords, puis en les renversant dans 4 petits plats à four peu profonds, préalablement graissés. Retirer les feuilles d'aluminium. Garnir chaque soufflé d'une cuillerée à soupe de crème, les saupoudrer d'une cuillerée à soupe de parmesan, puis les enfourner pendant 15 minutes, jusqu'à ce que les soufflés aient gonflé et soient bien dorés. Servir immédiatement.

Note : on peut procéder à la première cuisson des soufflés une journée à l'avance.

Aubergines farcies

2 aubergines moyennes • 4 tomates olivettes • 125 g de fromage râpé • huile d'olive • basilic frais
Pour 2 à 4 personnes

COUPER les aubergines en deux dans le sens de la longueur. Les saupoudrer généreusement de sel, et les laisser dégorger pendant 30 minutes. Bien les rincer, puis les sécher avec du papier absorbant. Les placer sur le plan de travail, côté chair en bas, et les inciser 4 fois dans le sens de la longueur, sans les couper complètement.

BADIGEONNER d'huile un plat à four, et préchauffer le four à 180 °C (thermostat 4). Détailler les tomates en lamelles, et le fromage en morceaux carrés de même taille. En farcir les aubergines, et les disposer dans le plat.

PARSEMER les aubergines d'un filet d'huile d'olive, et les enfourner environ 40 minutes, jusqu'à ce qu'elles soient tendres. Les retirer du four, et les transférer dans les assiettes de service. Garnir de basilic finement ciselé, et servir immédiatement, accompagné de pain grillé.

LES PURÉES DE LÉGUMES

Quoi de plus savoureux qu'une purée de légumes bien onctueuse ? C'est bon, sain – on les adorait lorsque nous étions enfants… – et si simple à préparer ! On les apprécie à tout âge, car même les légumes les plus ordinaires, cuisinés en purées crémeuses et parfumées, deviennent très appétissants.

Purée d'aubergines et de pois chiches

COUPER 2 belles aubergines en deux dans le sens de la longueur, et les badigeonner d'huile d'olive sur toute la surface. Les cuire au four, à 180 °C (thermostat 4), pendant 1 heure environ, jusqu'à ce que la chair soit tendre. Retirer la chair et la réduire en purée au mixeur avec 425 g de pois chiches en boîte, bien égouttés. Ajouter 4 gousses d'ail pelées, un filet de jus de citron, et en continuant de mixer, verser suffisamment d'huile d'olive pour obtenir une préparation lisse. Saler, poivrer, relever éventuellement avec un peu de jus de citron, et servir.

Purée d'aubergines
et de pois chiches

Purée crémeuse de pommes de terre et carottes

PELER et détailler finement 4 pommes de terre et 5 belles carottes. Les cuire séparément jusqu'à ce qu'elles soient tendres (à la vapeur ou au micro-ondes). Les égoutter, et réduire les pommes de terre en purée jusqu'à obtention d'une préparation lisse. Ajouter 30 g de beurre, 1 à 2 gousses d'ail écrasées,

Purée crémeuse
de pommes de terre et carottes

2 à 3 cuillerées à soupe de crème épaisse, du sel et du poivre à votre goût. Bien battre à l'aide d'une cuillère en bois jusqu'à obtention d'une purée crémeuse. Égoutter les carottes et les réduire en purée bien lisse. Ajouter 3 à 4 cuillerées à café de sirop d'érable, 1 cuillerée à café de cumin moulu, du sel et du poivre, et mixer jusqu'à obtention d'une préparation lisse. Incorporer de la ciboulette fraîche finement hachée. Présenter les deux purées dans des assiettes de service, et les mélanger délicatement avec une fourchette, en formant des « rubans » de purée entrecroisés. Garnir de ciboulette ciselée et de copeaux d'oignons nouveaux.

Purée de céleri-rave aux pommes

PELER et évider de 2 belles pommes vertes. Les détailler en 8 morceaux. Les faire tremper dans de l'eau froide, dans un grand saladier, avec du jus de citron pour que la chair ne brunisse pas.

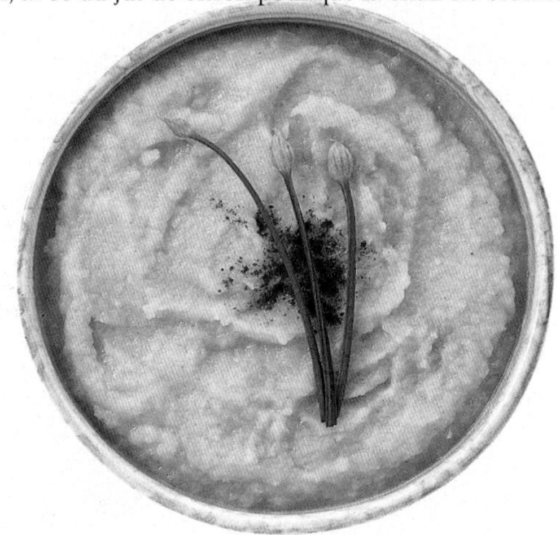

Purée de céleri-rave
aux pommes

Peler et couper les extrémités supérieures et inférieures du céleri-rave (en choisir 2 beaux). Hacher le céleri-rave et l'ajouter aux pommes dans l'eau. Bien égoutter, puis placer pommes et céleri dans un plat à four. Préchauffer le four à 180 °C (thermostat 4). Mélanger 80 ml de bouillon de légumes ou de poulet, 1 cuillerée à soupe de jus de citron, 3 cuillerées à café de cassonade, ¼ de cuillerée à café d'un mélange de muscade, cannelle, clous de girofle et gingembre moulus, et 30 g de beurre fondu. Verser cette préparation sur les légumes, et enfourner, couvert, pendant 1 heure environ, jusqu'à ce que les légumes soient tendres. Durant la cuisson, mélanger plusieurs fois à l'aide d'une cuillère en bois. Égoutter, réserver le jus de cuisson, et placer les légumes dans un mixeur avec 30 g de beurre. Saler, poivrer et mixer jusqu'à obtention d'une préparation lisse. Si la purée devient trop épaisse, ajouter quelques gouttes du jus de cuisson réservé. Parfumer éventuellement de marjolaine ou de persil ciselés, et servir.

Purée de panais au poivron et au prosciutto

COUPER 1 poivron rouge en quartier, et ôter les graines et les membranes blanches. Badigeonner la peau d'huile, et passer au gril les morceaux de poivron, côté peau en haut, pendant 10 minutes, jusqu'à ce que la peau noircisse et cloque. Les envelopper dans un torchon, ou les placer dans un sac en plastique ou en papier, hermétiquement fermé. Les laisser suer pendant 10 minutes, jusqu'à ce qu'ils aient suffisamment refroidi. Les peler délicatement et détailler la chair en lamelles. Passer au gril 4 fines tranches de prosciutto jusqu'à ce qu'elles soient croustillantes. Les émietter. Peler et détailler finement 1 kg de panais nouveaux, et les cuire dans une casserole avec 375 ml de bouillon de légumes. Couvrir, et poursuivre la cuisson pendant 15 minutes environ, jusqu'à ce qu'ils soient tendres. Égoutter et laisser légèrement refroidir, puis passer au mixeur avec 60 g de beurre, jusqu'à obtention d'une préparation lisse. Transférer dans une autre casserole, et incorporer 3 cuillerées à soupe de crème fraîche. Saler et poivrer. Réchauffer à feu doux, en remuant, puis verser dans un plat de service tiédi, et garnir de poivrons et prosciutto. Cette purée est délicieuse en accompagnement d'une viande d'agneau grillée ou de côtelettes de veau.

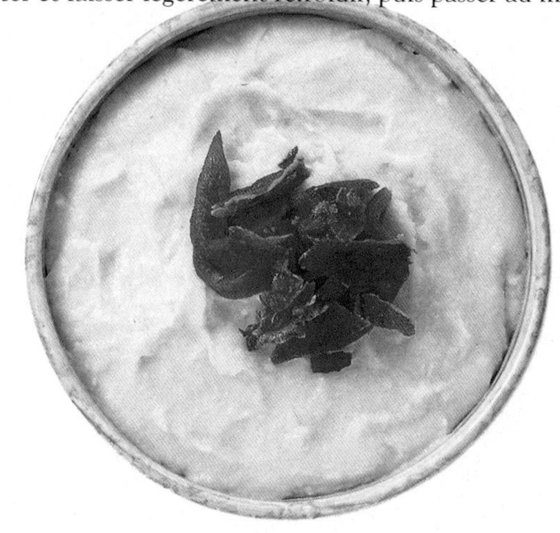

Purée de panais
aux poivrons et au prosciutto

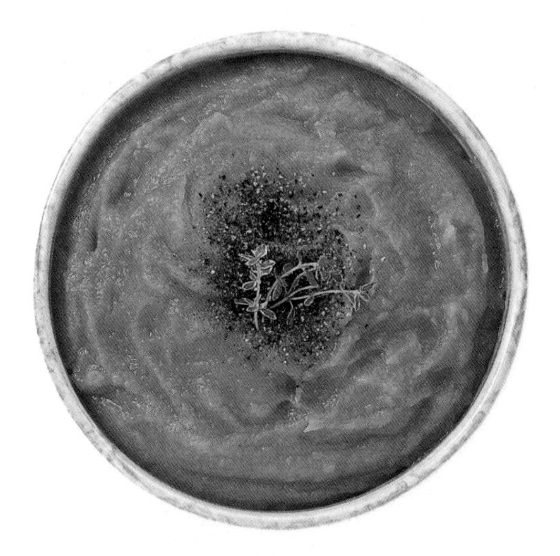

Purée de patates
douces et de coings

Purée de patates douces et de coings

PELER et détailler en grosses tranches 1 kg de patates douces. Les cuire dans une grande casserole d'eau bouillante avec 2 cuillerées à café de jus de citron. Porter à ébullition et poursuivre la cuisson à couvert, à feu moyen puis doux, pendant 10 à 15 minutes, jusqu'à ce que la chair soit tendre. Les égoutter et les laisser légèrement refroidir. Peler, ôter le trognon et hacher 2 coings. Les cuire dans 375 ml de bouillon de légumes, de préférence fait maison, à couvert, pendant 10 minutes environ, jusqu'à ce que la chair soit juste tendre. Égoutter, réserver le bouillon, et laisser légèrement refroidir. Hacher les tranches de patates douces au mixeur, avec 30 g de beurre et 1 cuillerée à soupe du bouillon réservé. Mixer jusqu'à obtention d'une préparation lisse, et transférer dans une casserole. Hacher les coings au mixeur, avec 30 g de beurre, et 1 cuillerée à soupe du bouillon réservé, jusqu'à obtention d'une purée bien lisse. Incorporer les coings aux pommes de terre, et bien mélanger. Ajouter 2 cuillerées à soupe de crème liquide, ½ cuillerée à café de cumin moulu, saler et poivrer à votre goût. Réchauffer à feu doux, en remuant, et servir chaud.

NOTE : on peut remplacer les coings par des poires bien mûres mais fermes.

Soupe aux topinambours

60 g de beurre • 2 oignons moyens, hachés • 500 ml de bouillon de poulet • 375 ml de lait • 1 kg de topinambours • 125 ml de crème liquide • 1 cuil. à soupe de ciboulette fraîche, finement ciselée
Pour 4 personnes

CHAUFFER le beurre dans un faitout. Ajouter les oignons, et les faire revenir à feu vif puis moyen pendant 5 minutes environ, jusqu'à ce qu'ils soient dorés. Incorporer le bouillon de poulet, le lait, puis porter à ébullition. Réserver.
PELER les topinambours et les couper en deux. Les ajouter aussitôt à la préparation aux oignons, porter de nouveau à ébullition, couvrir, puis laisser mijoter pendant 20 minutes environ, jusqu'à ce que les topinambours soient tendres. Laisser refroidir.
PASSER au mixeur, par petites quantités à chaque fois, jusqu'à obtention d'une texture lisse. Verser dans un autre faitout, ajouter la crème, puis saler et poivrer à votre goût. Réchauffer sans faire bouillir, puis parsemer de ciboulette et servir immédiatement.

Soupe de chou-fleur parfumée à la coriandre

30 g de beurre • 1 oignon, haché • 2 cuil. à café de citronnelle finement ciselée • 750 g de chou-fleur, détaillé en petits morceaux • 500 ml de bouillon de légumes • 500 ml de lait • 125 ml de crème de coco épaisse • 1 cuil. à soupe de coriandre fraîche, ciselée • 1 piment rouge, finement émincé
Pour 4 personnes

FAIRE FONDRE le beurre dans un faitout. Ajouter les oignons et la citronnelle, puis mélanger à feu moyen pendant 3 minutes.
AJOUTER le chou-fleur, le bouillon de poulet et le lait. Porter à ébullition, puis baisser le feu, couvrir et laisser mijoter pendant 15 minutes, jusqu'à ce que le chou-fleur soit tendre. Laisser refroidir.
PASSER la préparation au mixeur, par petites quantités à chaque fois, jusqu'à obtention d'une soupe lisse. Remettre dans le faitout préalablement lavé, incorporer la crème de coco et la coriandre. Réchauffer sans faire bouillir, et servir garni de piment.

En partant de la gauche : Soupe aux topinambours; Soupe de chou-fleur parfumée à la coriandre; Consommé de poireaux et pommes aux croûtons parfumés à la noix et au parmesan.

Consommé de poireaux et pommes aux croûtons parfumés à la noix et au parmesan

4 poireaux de taille moyenne • 90 g de beurre • 3 pommes vertes à cuire, pelées, trognons ôtés, et finement détaillées • 1,25 litre de bouillon de légumes • 2 cuil. à café de thym-citron frais, haché • ***Croûtons parfumés à la noix et au parmesan :*** *1 petite baguette • 60 g de beurre, fondu • 4 cuil. à soupe de noix pilées • 5 cuil. à soupe de parmesan râpé*
Pour 4 personnes

ÉMINCER finement les poireaux, en gardant un peu de partie verte. Chauffer le beurre dans un faitout, ajouter les poireaux, et laisser cuire à petit feu pendant 10 minutes environ, en remuant, jusqu'à ce qu'ils soient tendres. Incorporer les pommes et le bouillon de légumes. Porter à ébullition, couvrir et faire mijoter pendant 20 minutes. Laisser refroidir.
PASSER la préparation au mixeur, par petites quantités à chaque fois, jusqu'à obtention d'une soupe lisse. La remettre dans le faitout préalablement lavé, ajouter le thym-citron, puis saler et poivrer à votre goût. Réchauffer à feu doux, et servir garni de croûtons.
POUR PRÉPARER LES CROÛTONS, détailler la baguette en petites tranches épaisses de 5 mm, et badigeonner légèrement les deux faces de beurre fondu. Préchauffer le four à 180 °C (thermostat 4). Placer le pain sur une plaque de four, et garnir les tranches de noix et de parmesan. Enfourner pendant 8 minutes environ, jusqu'à ce que les croûtons soient bien dorés et croustillants.
NOTE : utiliser de préférence du pain un peu rassis.

Feuilletés aux pommes de terre parfumés au cumin

2 belles pommes de terre (400 g), pelées et détaillées en cubes • 60 g de beurre • 2 petits oignons, finement hachés • 3 gousses d'ail, écrasées • 1 cuil. à café de cumin moulu • 2 œufs durs, finement hachés • 5 cuil. à soupe de coriandre fraîche, hachée • 375 g de feuilles de brick • 125 g de beurre, fondu

Pour environ 35 feuilletés

Préchauffer le four à 200 °C (thermostat 6). Cuire les pommes de terre à l'eau bouillante jusqu'à ce qu'elles soient tendres. Les égoutter, puis les réduire en une purée presque lisse.

Chauffer le beurre dans une petite casserole. Ajouter les oignons, et les faire revenir à petit feu pendant 7 à 10 minutes, en remuant de temps en temps, jusqu'à ce qu'ils soient tendres. Incorporer l'ail et le cumin, saler et poivrer. Laisser mijoter encore 3 minutes.

Mélanger dans un grand saladier la purée de pommes de terre, les oignons préparés, les œufs et la coriandre. Goûter et rectifier l'assaisonnement si nécessaire.

Préparer 5 feuilles de brick (durant cette étape, couvrir les feuilles inutilisées avec un torchon humide pour qu'elles ne sèchent pas). Étaler une première feuille sur le plan de travail, et la badigeonner de beurre fondu. La recouvrir avec une autre feuille de pâte, beurrée, et répéter l'opération avec les 3 autres feuilles. Badigeonner la dernière de beurre fondu.

Égaliser les bords au couteau, puis découper les feuilles de pâte superposées en portions carrées d'environ 10 cm. Garnir chaque portion d'une cuillerée à café de farce aux pommes de terre, puis replier les côtés pour former un chausson.

Enfourner pendant 15 à 20 minutes environ, jusqu'à ce que les feuilletés soient joliment dorés. Servir chaud.

Ravioli aux épinards et sauce aux tomates marinées

150 g d'épinards, cuits et finement hachés • 250 g de ricotta, bien égouttée • 2 cuil. à soupe de parmesan fraîchement râpé • 1 cuil. à soupe de ciboulette fraîche, finement ciselée • 1 œuf, légèrement battu • 200 g de feuilles de pâte pour ravioli chinois (wontons) • ***Sauce :*** *4 cuil. à soupe d'huile d'olive vierge extra fine • 3 cuil. à soupe de pignons • 100 g de tomates séchées au soleil, émincées*
Pour 4 personnes

MÉLANGER dans un grand saladier les épinards, la ricotta, le parmesan, la ciboulette, et la moitié des œufs battus. Bien remuer et assaisonner de sel et poivre à votre goût.
ÉTALER 1 cuillerée ½ de préparation au centre de la moitié des feuilles de wonton. Badigeonner légèrement les bords de la pâte avec le reste d'œuf battu, puis couvrir avec les feuilles de wonton restantes. Presser fermement les bords pour bien envelopper la farce des ravioli. À l'aide d'un emporte-pièce simple, rond et d'environ 7 cm de diamètre, découper les ravioli en cercles.
CUIRE les raviolis dans une grande casserole d'eau bouillante salée, pendant 4 minutes. Mieux vaut les cuire par petites quantités à chaque fois, et les réserver au chaud au fur et à mesure. Les égoutter délicatement. Les incorporer à la sauce, et remuer doucement. Servir aussitôt.
POUR PRÉPARER LA SAUCE, mélanger tous les ingrédients dans une grande casserole, et laisser chauffer à feu doux.

Légumes parfumés à la thaïlandaise

1 cuil. à soupe d'huile • 1 à 2 cuil. à café de pâte de curry rouge • 375 ml de lait de coco• 3 cuil. à café de sauce de poisson (nam pla) • 3 cuil. à café de cassonade • ¼ de cuil. à café de curcuma • 2 feuilles séchées de citronnier kaffir (ou de citron vert) • 2 cuil. à soupe de coriandre fraîche, hachée • 2 carottes moyennes, pelées et détaillées en tranches épaisses • 6 petites courges jaunes, partagées en deux • 250 g de chou-fleur, détaillé en petits bouquets • 125 g de haricots verts coupés en morceaux • 425 g d'épis de maïs miniatures en boîte, égouttés • 125 g de pois mange-tout, équeutés • 1 cuil. à soupe de basilic frais, finement ciselé
Pour 4 personnes

FAIRE revenir la pâte de curry dans une sauteuse, avec l'huile, à feu doux, pendant 3 minutes.
AJOUTER le lait de coco, la sauce de poisson, la cassonade, le curcuma, les feuilles de citronnier, et la moitié de la coriandre. Porter à ébullition, puis laisser mijoter à couvert 10 minutes.
CUIRE les carottes à l'eau bouillante, dans un grand faitout, pendant 2 minutes. Ajouter les courges, le chou-fleur et les haricots. Porter de nouveau à ébullition, puis poursuivre la cuisson encore 2 minutes. Bien égoutter.
REMETTRE les légumes dans le faitout, et ajouter la sauce, le maïs, les pois mange-tout, le basilic et le reste de coriandre. Laisser mijoter 3 minutes, et ôter les feuilles de citron.
SERVIR en garniture de riz vapeur ou de riz thaïlandais parfumé.

Tarte aux poireaux et au fromage de chèvre

Pâte : *200 g de farine, tamisée • 125 g de beurre, détaillé en cubes • 2 jaunes d'œufs • 80 à 125 ml d'eau froide •* ***Garniture :*** *4 poireaux (environ 2 kg) • 125 g de beurre • 1 œuf • 125 g de crème liquide • 3 cuil. à soupe de moutarde • 1 cuil. à soupe de thym frais, finement ciselé • 250 g de fromage de chèvre*

Pour 4 à 6 personnes

MÉLANGER la farine et le beurre au mixeur, pendant 30 secondes environ, jusqu'à obtention d'une préparation fine et friable. Ajouter les jaunes d'œufs, et 85 ml d'eau. Continuer à mixer (compter 20 secondes), et humidifier la pâte avec un peu d'eau si nécessaire. La pétrir sur un plan de travail fariné pour former une pâte bien lisse. La rouler en boule, l'envelopper de film alimentaire, et réfrigérer pendant 20 minutes.

POUR PRÉPARER la garniture : laver soigneusement les poireaux après avoir coupé les parties dures et les extrémités, puis les détailler en deux dans le sens de la longueur, et les émincer finement. Chauffer le beurre dans une sauteuse. Y faire revenir le poireau à feu doux, pendant 20 à 30 minutes, en remuant souvent jusqu'à ce qu'ils soient tendres. Assaisonner de sel et poivre à votre goût, et laisser refroidir.

PRÉCHAUFFER le four à 190 °C. Étendre la pâte entre deux feuilles de papier sulfurisé. Lui donner une épaisseur de 5 mm, et la taille du moule (choisir un moule à tarte cannelé, à fond détachable, de 28 cm de diamètre). Foncer le moule, travailler les bords, et recouvrir de papier sulfurisé. Couvrir de haricots secs ou de grains de riz, et enfourner pendant 10 à 15 minutes. Ôter du four et jeter le papier et les haricots. Enfourner encore 10 minutes, jusqu'à ce que la pâte soit croustillante et dorée. La laisser refroidir dans le moule.

MÉLANGER dans un grand saladier l'œuf, la crème, la moutarde et le thym. Bien remuer. Émietter et incorporer ¼ du fromage de chèvre et les poireaux, puis garnir délicatement la pâte de cette préparation. Parsemer du fromage restant, émietté, et enfourner pendant 45 à 55 minutes, jusqu'à ce que la tarte soit cuite et légèrement dorée en surface. Servir chaud ou à température ambiante.

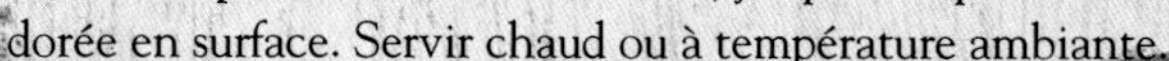

Champignons farcis

6 beaux champignons plats • 2 cuil. à soupe d'huile • 1 petit oignon, finement haché • 2 gousses d'ail, écrasées • 90 g de mie de pain frais, émiettée • 1 cuil. à soupe de persil frais, haché • 2 cuil. à café de thym frais, haché • 2 cuil. à café de romarin frais, haché • 70 g de parmesan, finement râpé
Pour 2 à 4 personnes

PRÉCHAUFFER le four à 180 °C (thermostat 4). Badigeonner un plat à four de beurre fondu ou d'huile. Peler les champignons. Couper les pieds et les hacher finement. Chauffer l'huile dans une poêle, et ajouter l'oignon. Laisser cuire quelques minutes jusqu'à transparence, puis incorporer l'ail et les pieds de champignons hachés. Poursuivre la cuisson encore 1 minute.
TRANSFÉRER la préparation dans un saladier, pour la faire refroidir. Ajouter la mie de pain émiettée, les herbes et le parmesan. Bien mélanger, puis assaisonner de sel et poivre, à votre goût. En farcir les champignons, et les disposer dans le plat à four. Enfourner pendant 20 minutes, jusqu'à ce que les champignons soient tendres, et la garniture dorée. Servir immédiatement.

En partant de la gauche : Champignons farcis ; Pain de maïs épicé ; Soupe d'asperges à la coriandre.

Pain de maïs épicé

3 épis de maïs frais, nettoyés • 2 à 3 piments verts ou rouges forts, épépinés et finement hachés • 3 oignons nouveaux, finement hachés • 240 g de farine de maïs • 250 g de farine avec levure incorporée • 1 cuil. à soupe de sucre • 3 œufs, battus • 125 g d'huile • 315 ml de lait ribot • 2 gousses d'ail, écrasées (facultatif)
Pour 6 à 8 personnes

PRÉCHAUFFER le four à 180 °C (thermostat 4). Badigeonner d'huile ou de beurre fondu un moule à cake carré de 23 cm, ou un moule rectangulaire de 30 x 20 cm. Couvrir le fond de papier sulfurisé. Égrainer les épis de maïs dans un saladier, ajouter les piments et les oignons nouveaux et mélanger. Tamiser les deux farines dans un grand saladier, avec du sucre, puis saler et poivrer à votre goût.
FAIRE un puits au centre. Y ajouter les œufs, l'huile, le lait ribot et l'ail. Bien mélanger à l'aide d'une cuillère en bois, jusqu'à obtention d'une préparation bien humidifiée. Incorporer les grains de maïs préparés, puis verser le tout dans le moule. Enfourner pendant 45 à 55 minutes environ, jusqu'à ce que le pain soit ferme et doré (tester la cuisson en insérant la pointe d'une brochette : si elle en ressort sèche, le pain est cuit).
LAISSER reposer au moins 5 minutes avant de démouler le pain de maïs. Servir chaud avec du beurre.

Soupe d'asperges à la coriandre

2 bottes d'asperges fraîches (environ 450 g) • 1 litre de bouillon de légumes • 4 oignons nouveaux, finement hachés • 30 g de beurre • feuilles de coriandre, finement ciselées (compter l'équivalent d' ½ bouquet frais) • 60 ml de crème liquide

Pour 4 personnes

DÉTAILLER les asperges en petits morceaux après en avoir ôté les extrémités dures.
CHAUFFER le bouillon dans un grand faitout, et le porter au point d'ébullition. Baisser le feu et ajouter les asperges. Poursuivre la cuisson pendant 3 minutes environ, jusqu'à ce que les asperges soient tendres. Laisser refroidir, puis passer la soupe au mixeur, par petites quantités à chaque fois, jusqu'à obtention d'une préparation lisse. Assaisonner de sel et poivre, à votre goût.
REMETTRE la soupe dans le faitout, puis ajouter les oignons nouveaux, le beurre et la coriandre. Porter à ébullition, et retirer du feu. Incorporer la crème et servir.

BEIGNETS DE LÉGUMES

Beignets de pommes de terre, mascarpone, et sauce pimentée au citron vert

PELER et râper 4 belles pommes de terre dans une passoire. Les rincer soigneusement à l'eau froide, et bien les sécher avec du papier absorbant (les presser pour ôter l'excédent d'eau). Les placer dans un saladier avec 3 oignons nouveaux finement hachés, 2 gousses d'ail écrasées, 3 cuillerées à soupe de coriandre fraîche finement ciselée, 2 œufs légèrement battus, et 4 cuillerées à soupe de farine ordinaire. Bien mélanger, puis saler et poivrer à votre goût. Dans une poêle, faire chauffer environ 2 cuillerées à soupe d'huile d'olive et 2 cuillerées à soupe de beurre. Déposer, en plusieurs fois, l'équivalent d'¼ de tasse de préparation (environ 45 g) dans la poêle, et bien aplatir. Frire les beignets par petites quantités, à feu moyen, pendant 3 à 4 minutes sur chaque face, jusqu'à ce qu'ils soient bien dorés. Les égoutter sur du papier absorbant. Dans un petit bol, mélanger un peu de sauce pimentée avec du jus et du zeste râpé de citron vert, et une pincée de cassonade. Garnir les beignets de mascarpone, et les servir accompagnés de sauce.

Beignets de tomates et vinaigrette au basilic

CHOISIR des tomates rouges et vertes, bien fermes, et les détailler en tranches épaisses de 1 cm. Badigeonner chaque face de polenta fine (farine de maïs), et secouer pour ôter l'excédent. Les frire dans une poêle peu profonde, à l'huile d'olive chauffée à température moyenne, 2 à 3 minutes de chaque côté, jusqu'à ce qu'elles soient bien dorées. Les égoutter sur du papier absorbant. **Pour préparer la vinaigrette au basilic**, mélanger au fouet 3 cuillerées à soupe d'huile d'olive et 2 cuillerées à soupe de vinaigre balsamique ou de jus de citron. Ajouter 2 gousses d'ail écrasées, 1 cuillerée à café de sucre, du sel, du poivre, et un peu de basilic frais finement ciselé. Servir les beignets chauds accompagnés de vinaigrette.

Petites crêpes de maïs frites, et sauce pimentée

ÉGRAINER 2 épis de maïs frais dans un saladier. Ajouter 2 oignons nouveaux finement hachés, 2 cuillerées à soupe de tiges de coriandre, finement hachées, 2 gousses d'ail écrasées, 2 cuillerées à café de grains de poivre vert, 2 cuillerées à café de Maïzena, 2 œufs battus, 1 cuillerée à soupe de sauce de poisson (nam pla), et 2 cuillerées à café de cassonade. Bien mélanger à l'aide d'une cuillère en bois. Chauffer un peu d'huile, à température modérée, dans une poêle à fond épais. Y déposer des cuillerées à soupe de préparation, et frire les crêpes par petites quantités jusqu'à ce qu'elles soient dorées sur les deux faces. Les égoutter sur du papier absorbant, et servir aussitôt avec une sauce pimentée.

Beignets de pommes de terre, mascarpone, et sauce pimentée au citron vert

Beignets de tomates et vinaigrette au basilic

Petites crêpes de maïs frites, et sauce pimentée

Beignets de chou-fleur et chutney à la mangue

DÉTAILLER un petit chou-fleur en bouquets. Les laver et les sécher. Dans un saladier, tamiser 90 g de farine de pois cassés (ou de farine ordinaire), 3 cuillerées à soupe de farine avec levure incorporée, 1 cuillerée à café de cumin, et ¼ de cuillerée à café de bicarbonate de soude. Faire un puits au centre. Dans un bol, mélanger 1 œuf battu, 170 ml d'eau et 200 g de yaourt. Verser cette préparation dans le puits formé. Bien mélanger pour obtenir une pâte lisse, puis laisser reposer environ 10 minutes. Chauffer de l'huile dans une friteuse (la remplir à moitié), à température modérée. Tremper les bouquets de chou-fleur dans la pâte, en les maintenant avec une pince, et égoutter l'excédent. Les frire par petites quantités, pendant 3 minutes. Égoutter les beignets, et les servir chauds avec un chutney à la mangue.

Beignets de légumes et purée de tomates

DANS UN SALADIER, peler et râper finement 2 pommes de terre, 1 carotte, 2 courgettes, et la moitié d'une patate douce. Prélever de petites quantités de légumes, les presser pour les sécher, puis les transférer dans un autre saladier. Incorporer 1 oignon nouveau finement émincé. Saupoudrer de 2 cuillerées à soupe de farine ordinaire, et ajouter 3 œufs battus. Bien mélanger les ingrédients. Chauffer un peu d'huile dans une poêle, et y faire frire les beignets par petites quantités à chaque fois : prendre l'équivalent de ¼ de tasse de préparation (environ 45 g), et l'étaler à la fourchette en cercles de 10 cm de diamètre. Frire 2 à 3 minutes sur chaque face, jusqu'à ce que les beignets soient croustillants. Les laisser s'égoutter sur du papier absorbant.
Pour préparer la purée de tomates, faire frire un oignon finement haché dans un peu d'huile et de beurre. Ajouter 2 cuillerées à café de cumin en poudre, 2 cuillerées à café de cassonade, 1 cuillerée à café de graines de coriandre pilées, 2 gousses d'ail, 1 cuillerée à soupe de purée de tomates, 1 belle tomate finement détaillée, 2 cuillerées à soupe de raisins de Smyrne, et 2 cuillerées à café de vinaigre balsamique. Laisser cuire à feu moyen pendant 5 à 10 minutes, jusqu'à ce que le liquide réduise et épaississe. Incorporer un peu de thym-citron frais, finement ciselé, et servir en accompagnement des beignets de légumes.

Beignets de cœurs d'artichauts et aïoli

ÉGOUTTER 425 g de cœur d'artichauts en boîte. Bien les sécher, puis les couper en deux dans le sens de la longueur. Dans un grand saladier, tamiser 60 g de farine avec levure incorporée, et 90 g de farine de riz. Saler et poivrer à votre goût. Faire un puits au centre, et y incorporer 1 œuf et 185 ml de lait. Mélanger jusqu'à obtention d'une pâte lisse. Ajouter un blanc d'œuf monté en neige. Saupoudrer les cœurs d'artichauts de farine, et les tremper dans la pâte. Les secouer pour ôter l'excédent, puis les frire dans une huile d'arachide modérément chaude, pendant 2 à 3 minutes, jusqu'à ce qu'ils soient bien dorés.
Pour préparer l'aïoli, mélanger 5 cuillerées à soupe de mayonnaise (de préférence faite maison) avec 2 gousses d'ail écrasées, 1 cuillerée à soupe de feuilles d'origan fraîches, puis saler et poivrer.

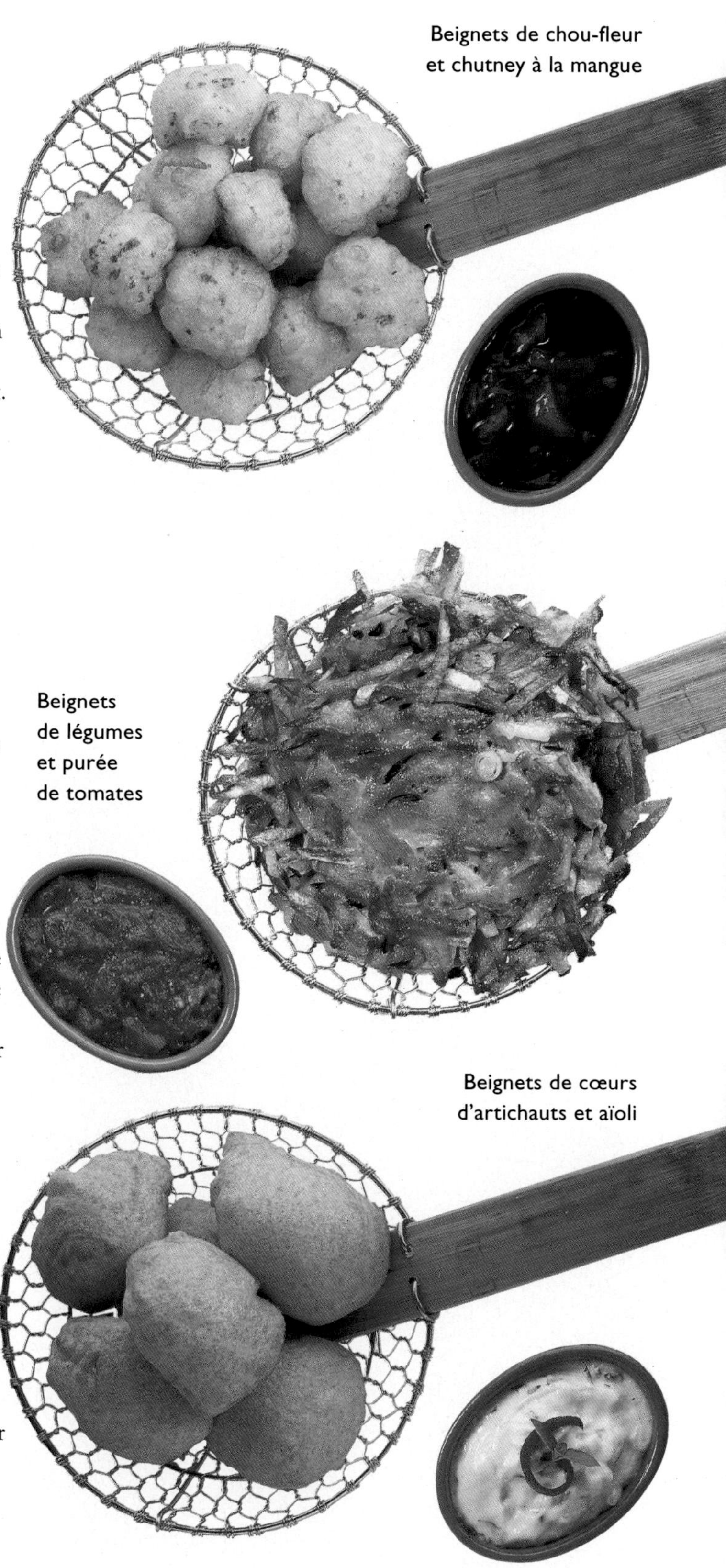

Beignets de chou-fleur et chutney à la mangue

Beignets de légumes et purée de tomates

Beignets de cœurs d'artichauts et aïoli

Poivrons rôtis aux câpres

4 petits poivrons rouges ou jaunes • 4 tomates olivettes • 45 g de filets d'anchois en boîte • 3 cuil. à soupe d'huile d'olive • 2 gousses d'ail, écrasées (facultatif) • 2 à 3 cuil. à soupe de câpres • 2 à 3 cuil. à soupe de persil frais, finement ciselé
Pour 4 à 6 personnes

PRÉCHAUFFER le four à 200 °C (thermostat 6). Couper chaque poivron en deux dans le sens de la longueur, et ôter les graines et les membranes blanches. Les placer dans un plat à four peu profond, la peau en haut. Couper les tomates en deux dans le sens de la longueur, et farcir chaque poivron d'une moitié de tomates.
GARNIR les poivrons de filets d'anchois. Dans un bol, mélanger l'huile et l'ail. En napper les poivrons. Garnir de câpres, parsemer de persil, puis saler et poivrer à votre goût. Enfourner pendant 1 heure environ, jusqu'à ce que les poivrons soient tendres.
ARROSER les poivrons rôtis de jus de cuisson, et les servir chauds ou à température ambiante. Ainsi cuisinés, les poivrons sont délicieux en accompagnement d'un poisson ou d'un steak grillés.

Focaccia aux tomates et aux oignons

1 cuil. ½ à café de levure sèche • 2 cuil. à soupe d'eau chaude et 315 ml en supplément • 125 ml d'huile d'olive • 465 g de farine ordinaire (et de la farine pour pétrir la pâte) • 2 cuil. à soupe de sel marin fin (et un peu en supplément) • 4 oignons, finement émincés • 1 cuil. à café de romarin frais, haché • 12 olives noires, dénoyautées et hachées • 6 tomates séchées, en bocal, détaillée en fines lamelles

Pour 6 à 8 personnes

MÉLANGER la levure et les 2 cuillerées à soupe d'eau chaude dans un grand saladier. Laisser reposer pendant 5 minutes, jusqu'à formation d'une mousse. Incorporer le reste d'eau, et 2 cuillerées à soupe d'huile. Ajouter environ ¼ de la farine, et les 2 cuillerées à soupe de sel. Bien battre au fouet jusqu'à obtention d'une préparation lisse. Ajouter le reste de farine, graduellement, en mélangeant jusqu'à ce que la pâte prenne. La pétrir sur un plan de travail fariné, pendant 8 à 10 minutes.

PLACER la pâte dans un saladier légèrement huilé, couvrir de film alimentaire, et laisser lever dans un endroit chaud, jusqu'à ce qu'elle ait doublé en taille (compter environ 1 heure 30).

CHAUFFER le reste d'huile dans une grande poêle. Ajouter les oignons et les faire revenir à feu très doux pendant 10 minutes environ, jusqu'à ce qu'ils soient bien dorés. Incorporer le romarin, et poursuivre la cuisson encore 5 minutes. Transférer dans un saladier, et mélanger avec les olives et les tomates.

APLATIR et assouplir la pâte (utiliser votre poing) sur un plan de travail bien fariné, puis y incorporer la préparation aux oignons, par petites quantités. Bien pétrir pour que l'huile soit bien absorbée. Graisser un moule de 26 x 34 cm, et y disposer la pâte parfumée aux oignons. Couvrir la surface de film alimentaire et d'un torchon. Laisser lever (la pâte doit doubler), pendant 1 heure à 1 heure 30. Préchauffer le four à 200 °C (thermostat 6), et placer la plaque du four au niveau le plus bas du four.

FORMER des petits creux dans la pâte par endroits, sur 1 cm environ, en utilisant le bout des doigts ou une cuillère en bois. Parsemer d'eau et saupoudrer de sel. Verser 125 ml d'eau dans la plaque du four, y déposer le moule, et cuire pendant 20 à 25 minutes. La transférer aussitôt sur une grille pour la laisser refroidir, et servir.

Petits potirons garnis de soufflés

4 petits potirons de 350 à 400 g chacun • 60 g de beurre • 3 cuil. à soupe de farine • 170 ml de lait • 3 œufs, blancs et jaunes séparés • 45 g de gruyère, râpé
Pour 4 personnes

PRÉCHAUFFER le four à 210 °C (thermostat 6 - 7). Couper le sommet des potirons, et ôter les graines et les parties fibreuses. Placer les potirons dans un plat à four, et couvrir de papier aluminium. Enfourner pendant 1 heure. Retirer les potirons du plat, et les poser à l'envers sur une grille pour laisser le jus s'égoutter.

ENLEVER presque toute la pulpe des potirons à l'aide d'une cuillère métallique, en conservant juste ce qu'il faut pour que la peau se maintienne. Réduire la pulpe en purée dans un saladier, et laisser refroidir.

FAIRE fondre le beurre dans une petite casserole. Ajouter la farine et mélanger pendant 1 minute environ, jusqu'à ce que la préparation frémisse et blondisse. Ajouter le lait petit à petit, en remuant après chaque ajout pour que le mélange reste lisse. Continuer à remuer à feu moyen jusqu'à épaississement. Poursuivre la cuisson encore 1 minute, puis ôter du feu.

INCORPORER les jaunes d'œufs et le fromage dans la préparation au lait, ajouter la chair de potiron, et bien mélanger pour obtenir une préparation lisse et onctueuse. Assaisonner de sel et poivre. Monter les blancs d'œufs en neige (de préférence au batteur électrique), et les incorporer au mélange à l'aide d'une cuillère métallique. Les blancs d'œufs doivent être bien fermes et homogènes, et il faut les ajouter délicatement et rapidement pour qu'ils conservent leur volume.

GARNIR les coquilles de potiron avec cette préparation. Ne pas les remplir à ras bords, car le mélange gonfle durant la cuisson, risquant de déborder. Utiliser séparément tout reste éventuel de préparation (en garnir un ramequin, par exemple, et faire cuire en même temps que les potirons). Placer les potirons garnis dans un plat à four, et enfourner pendant 20 à 25 minutes, jusqu'à ce que les soufflés aient gonflé et soient dorés. Servir immédiatement.

Betteraves rôties aux aromates

12 petites betteraves • 1 cuil. ½ à soupe d'huile d'olive • 20 g de beurre • 1 cuil. ½ à café de cumin en poudre • 1 cuil. à café de graines de coriandre légèrement pilées • ½ cuil. à café d'un mélange de muscade, cannelle, clous de girofle et gingembre moulus • 1 gousse d'ail, écrasée (facultatif) • 3 à 4 cuil. à café de cassonade • 1 cuil. à soupe de vinaigre balsamique
Pour 4 à 6 personnes

PRÉCHAUFFER le four à 180 °C (thermostat 4). Graisser d'huile ou de beurre fondu une plaque de four. Parer les betteraves, et les laver soigneusement. Les disposer sur la plaque préparée, et enfourner pendant environ 1 h 15, jusqu'à ce qu'elles soient très tendres. Les laisser refroidir légèrement.
PELER les betteraves, et à l'aide d'un couteau d'office, couper les parties supérieures et inférieures pour soigner la présentation. Chauffer l'huile et le beurre dans une poêle. Ajouter les épices et l'ail, et les faire revenir 1 minute à feu moyen. Incorporer le sucre et le vinaigre, et mélanger pendant 2 à 3 minutes, jusqu'à dissolution du sucre.
AJOUTER les betteraves dans la poêle. Baisser le feu, et faire mijoter pendant environ 5 minutes, en mélangeant, jusqu'à ce que les betteraves soient bien enrobées d'épices. Servir chaud ou à température ambiante.

Tartelettes au fenouil et au mascarpone

185 g de farine • 100 g de beurre, coupé en dés • 60 ml d'eau glacée • ***Garniture :*** *2 bulbes de fenouil • 1 cuil. à soupe d'huile d'olive • 30 g de beurre • 2 gousses d'ail, écrasées • ½ cuil. à café de zeste d'orange finement râpé • 220 g de mascarpone • 3 œufs • poivre noir concassé*
Pour 6 personnes

TAMISER la farine dans un grand saladier. Ajouter le beurre et, du bout des doigts, l'incorporer dans la farine en pétrissant jusqu'à obtention d'une texture fine et friable. Ajouter presque toute l'eau, et mélanger au couteau pour former une pâte (verser toute l'eau si nécessaire). Rouler la pâte en boule.
LA DIVISER en 6 portions égales, et étendre chaque portion à la taille des moules à tartelettes (12 cm de diamètre environ). Foncer les moules, travailler les bords en les pressant, et réfrigérer pendant 20 minutes. Préchauffer le four à 180 °C (thermostat 4).
COUVRIR chaque moule de papier sulfurisé, et les saupoudrer de grains de riz ou de haricots secs. Enfourner pendant 10 minutes, puis retirer du four et ôter le papier et les poids. Remettre au four, et poursuivre la cuisson pendant 10 minutes environ, jusqu'à ce que la pâte soit légèrement dorée. Retirer les moules du four, et laisser refroidir.
NETTOYER les bulbes de fenouil, en ôtant tiges et feuilles. Les couper en deux, retirer et jeter la partie centrale, puis détailler la chair du fenouil en très fines lamelles. Chauffer l'huile et le beurre dans une grande poêle. Ajouter le fenouil, et le faire cuire à feu doux pendant 45 minutes, en remuant de temps en temps. Parfumer avec l'ail, et poursuivre la cuisson encore 2 minutes. Ôter du feu et laisser refroidir.
MÉLANGER dans un saladier le zeste, le mascarpone et les œufs. Bien battre au fouet. Répartir le fenouil dans les fonds de tartelettes. Garnir de préparation au mascarpone, puis enfourner pendant 25 minutes environ, jusqu'à ce que la garniture soit cuite. Saupoudrer de poivre noir, et servir chaud avec une salade.
NOTE : durant la préparation, nous vous conseillons de disposer les moules à tartelettes sur une grande plaque de four. Ce sera plus pratique.

Polenta grillée et sauce tomate épicée aux feuilles de roquette

350 ml de bouillon de légumes • 250 ml d'eau • 150 g de polenta • 5 cuil. à soupe de parmesan râpé, et copeaux de parmesan en garniture • huile d'olive, pour la friture • ***Sauce tomate épicée aux feuilles de roquette :*** *1 cuil. à soupe d'huile d'olive • 1 petit oignon, haché • 2 gousses d'ail, écrasées • 150 g de petits champignons de Paris, émincés • 3 tomates moyennes, coupées en dés • 1 botte de feuilles de roquette, détaillées en petits morceaux*
Pour 4 personnes

COUVRIR de papier aluminium le fond d'un moule à cake de 20 cm. Mélanger le bouillon et l'eau dans une casserole et porter à ébullition. Ajouter la polenta en un fin filet, en remuant pour bien l'incorporer. Continuer à mélanger jusqu'à ce que la polenta ait absorbé tout le liquide, et épaississe bien (compter 10 à 15 minutes pour que la polenta gonfle et devienne souple. Remuer sans arrêt pour que la préparation n'attache pas et ne brûle pas). Incorporer ensuite le parmesan.
ÉTALER la préparation dans le moule, et lisser la surface. Réfrigérer au moins 2 heures, jusqu'à ce que la polenta ait pris.
POUR PRÉPARER LA SAUCE, chauffer l'huile dans une poêle, et y faire revenir l'oignon, jusqu'à ce qu'il soit tendre et légèrement doré. Ajouter l'ail, et poursuivre la cuisson encore 1 minute. Incorporer les champignons et les tomates, et laisser cuire encore 5 minutes, en remuant.
DÉMOULER la polenta et la découper en 4 portions carrées. Chauffer de l'huile dans une poêle (napper le fond à hauteur de 5 mm), et y faire griller les morceaux de polenta jusqu'à ce qu'ils soient dorés et croustillants. Les égoutter sur du papier absorbant. Ajouter les feuilles de roquette dans la préparation aux tomates et réchauffer à feu doux en remuant (les feuilles doivent se recroqueviller). Disposer une portion de polenta sur chaque assiette de service, et garnir de sauce tomate, de copeaux de parmesan et de brins de romarin frais, à votre goût. Servir aussitôt.

POMMES DE TERRE

Ce chapitre est consacré à ce légume universel qu'est la pomme de terre et met en valeur l'extrême variété de son utilisation en cuisine. Vous y trouverez des recettes classiques telles que la purée de pommes de terre, les pommes de terre sautées et les frites mais également de nouvelles manières d'accommoder ce favori de toujours.

LA POMME DE TERRE, ALIMENT UNIVERSEL

À table, on a souvent tendance à sous-estimer ce légume ordinaire et si populaire… Pourtant, la modeste pomme de terre a un passé fort riche ! On en nourrissait les cochons, elle reçut la consécration de certains rois, et joua un rôle fondamental dans les famines des années 1840, influençant ainsi le cours de l'histoire.
Aujourd'hui, la pomme de terre fait partie de la cuisine nationale de tous les pays qui l'ont adoptée : le rösti suisse, l'omelette espagnole, les frites belges agrémentées de mayonnaise, le curry indien à base de pommes de terre et de pois, les gnocchi italiens… La pomme de terre est vraiment un aliment universel. Facile et délicieuse à préparer, riche en vitamines mais pauvre en graisse et en cholestérol, la pomme de terre est ordinaire et… merveilleusement extraordinaire.

FAIRE SON MARCHÉ

Des centaines de variétés poussent en Amérique centrale et en Amérique du Sud, quasiment à l'état sauvage, mais la plupart des pays produisent seulement une dizaine de variétés commercialisées.
Sur les étals, on distingue facilement les pommes de terre « nouvelles » ou « primeurs », les pommes de terre à peau rouge type roseval, et la ratte, dite aussi « Quenelle de Lyon », au tubercule très allongé. L'essentiel, toutefois, est de savoir qu'il existe des pommes de terre de consommation courante – à peu près 80 variétés – dont la chair est moins fine, plus farineuse, et des pommes de terre à chair ferme. Bien sûr, les variétés changent selon les saisons, mais la pomme de terre se consomme toute l'année.
Les pommes de terre à chair ferme : ce sont les meilleures, avec une chair fine et ferme. Parmi les nombreuses variétés, citons notamment la belle de Fontenay, la BF 15, et la ratte, qui ont une peau jaune. La roseval, bien connue, a une peau rouge et une chair pigmentée de rouge. Il y a également la charlotte, la nicola, la pompadour et la rosine. Toutes ces pommes de terre sont délicieuses cuites à la vapeur, en salades, et rissolées. On les déconseille pour la préparation des pommes au four, des potages, des ragoûts, des frites et des purées.
Les pommes de terre de consommation courante : plus farineuses, riches en amidon, elles gonflent joliment cuites dans leur peau ou préparées en purée. Pour les préparer en frites ou en salade, mieux vaut les dégorger de leur amidon en les trempant préalablement dans de l'eau. Sur les marchés, vous trouverez la bintje, l'estima, la manon, la monalisa. De moins bonne tenue à la cuisson, elles permettent néanmoins toutes les préparations culinaires, même si, pour les salades, on préfère les variétés à chair ferme. Page 306, nous vous présentons un petit tableau récapitulatif des variétés recommandées selon les recettes que vous choisirez.
Quelle que soit la variété, achetez des pommes de terre fermes et bien compactes au toucher, et n'hésitez pas à demander conseil à votre marchand de légumes ! Évidemment, rares sont les pommes de terre sans petits défauts, mais éliminez toutes celles qui ont des parties molles, des germes au niveau des « yeux », ou une décoloration noire ou verte. Les « croûtes », provoquées par un contact avec de la chaux dans la terre, ou les « cicatrices » résultant de la récolte n'affectent pas leur saveur, mais autant éviter d'acheter des pommes de terre qu'il faudrait trop nettoyer ! Il existe aussi des pommes de terre prélavées, qui paraissent attrayantes, mais l'opération de nettoyage, peut les abîmer, et elles se conservent moins bien. Les pommes de terre d'un poids trop léger risquent d'être creuses, et proviennent de récoltes après une longue période de sécheresse.

LA CONSERVATION

Les pommes de terre peuvent se conserver plusieurs mois dans un endroit frais et sec, protégées de la lumière. Il faut éviter de les entasser et ne pas les placer au réfrigérateur car l'humidité transformerait leur amidon en sucre. Enfin, il ne faut pas les entreposer à côté d'oignons, car le contact peut faire moisir les pommes de terre.
Éliminez toujours les pommes de terre dont les peaux ont verdi : elles auront été exposées à la lumière et un alcaloïde toxique se sera développé sur leur chair. Les pommes de terre ramollies ou ayant commencé à germer ne sont pas toxiques mais n'ont plus aucune qualité nutritionnelle.

LA PRÉPARATION

La plupart des variétés à chair ferme n'ont pas besoin d'être pelées avant la cuisson. On peut les manger avec la peau, ou les peler facilement après cuisson. Pour certaines recettes, telles que les pommes de terre en robe des champs, on garde la peau, mais il est conseillé de la peler lors de préparations braisées, par exemple dans du jus de rôti. Bon nombre des minéraux et vitamines se trouvant sous la peau, autant s'assurer de la nécessité de les peler ! Il suffit de bien les nettoyer avant de les cuire…

Grattez la pomme de terre avec une brosse à ongles sous un filet d'eau.

Des pommes de terre entières cuites à l'eau, même les variétés farineuses, peuvent être pelées facilement après cuisson, et cuites avec leur peau, elles seront plus savoureuses ! Utilisez un couteau ou un économe pour les peler finement et ôtez

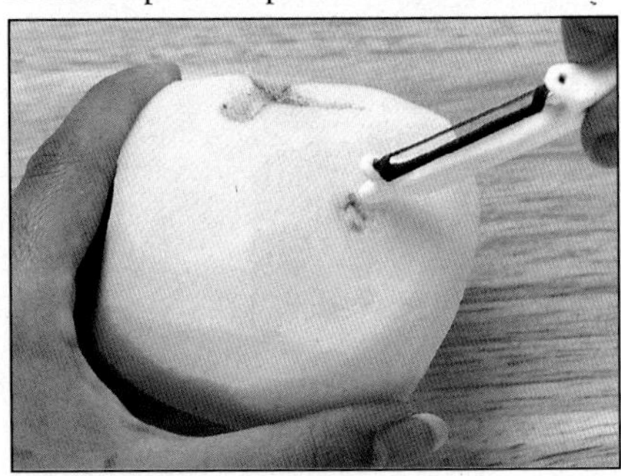

Ôtez les « yeux » à l'aide de la pointe d'un économe ou d'un couteau.

les « yeux ». Une fois pelées, les pommes de terre doivent se cuisiner, car même conservées dans de l'eau, elles perdent en qualité nutritionnelle.

MODES DE CUISSON

À l'eau bouillante : placez les pommes de terre dans une grande casserole d'eau salée, et portez à ébullition. Testez délicatement la cuisson à l'aide d'une fourchette. Lorsqu'elles sont juste tendres, égouttez-les, remettez-les dans la casserole vidée de son eau, couvrez. Laissez reposer quelques minutes afin qu'elles absorbent un peu plus de vapeur. Ajoutez quelques herbes fraîches et un peu de beurre. Vous pouvez également les envelopper dans un torchon propre et les conserver ainsi quelques minutes.

Au micro-ondes : si vous les gardez avec leur peau, piquez-les de part et d'autre à l'aide d'une fourchette et enveloppez-les dans du papier absorbant. Pour une seule pomme de terre, réglez le four à température élevée et comptez 4 à 6 minutes en retournant la pomme de terre à mi-cuisson. Pelées et finement détaillées : faites cuire

Enveloppez les pommes de terre de papier ménager avant de les cuire au micro-ondes, pour absorber l'humidité.

2 pommes de terre moyennes ou 4 petites avec 125 ml d'eau, à couvert, pendant 5 à 6 minutes à température élevée. Laissez reposer 1 minute.

Rissolées ou frites : utilisez des variétés à chair ferme pour les pommes de terre rissolées et de consommation courante pour les frites. Coupez-les en morceaux égaux et laissez-les tremper dans de l'eau froide pendant 30 minutes afin d'ôter un peu de l'amidon en surface. Faites-les frire dans une huile végétale propre jusqu'à ce qu'ils soient dorés. Retirez les pommes de terre, et chauffez l'huile à très haute température. Faites-les frire de nouveau quelques secondes pour les rendre croustillantes.

Au four : utilisez des pommes de terre non pelées. Nettoyez-les et piquez-les de part et d'autre à l'aide d'une fourchette. Enveloppez-les d'aluminium. Préchauffez le four à 210 °C. Pour une cuisson plus rapide, insérez une brochette en métal dans chaque pomme de terre afin que la chaleur s'imprègne bien à cœur. Enfournez-les jusqu'à ce qu'elles soient tendres (testez avec

Piquez les pommes de terre de part et d'autre avant de les cuire au four, pour que la peau n'éclate pas.

une fourchette). Badigeonnez d'huile de temps en temps, et pour un résultat plus croustillant, parsemez de gros sel.

Au gril : pelez et détaillez les pommes de terre en tranches fines. Après les avoir égouttées et séchées, badigeonnez-les d'un peu d'huile ou de beurre fondu. Faites les cuire au gril, préchauffé à température moyenne, jusqu'à ce qu'elles soient dorées. Retournez-les une fois durant la cuisson.

En préparation rôtie : pelez les pommes de terre et coupez-les en morceaux égaux.

Détaillez les pommes de terre en quartiers égaux avant de les passer au gril.

Faites-les cuire à l'eau bouillante 5 à 10 minutes. Après les avoir égouttées, dentelez les pourtours avec une fourchette : l'extérieur sera délicieusement croustillant. Placez-les dans un plat à four avec un peu d'huile chaude, et faites cuire 30 à 40 minutes dans un four préchauffé à 210 °C.

En purée : pelez les pommes de terre et détaillez-les en morceaux égaux (plus ils seront petits, plus ils cuiront vite). Cuisez-les à l'eau bouillante et salée jusqu'à ce qu'ils soient très tendres. Après les avoir bien égouttées, remettez les pommes de terre dans la casserole encore chaude, et à l'aide d'un presse-purée ou d'une fourchette, écrasez-les jusqu'à obtention d'un mélange lisse et léger. Ajoutez du beurre à votre

Pour préparer une purée, utilisez un presse-purée ou une fourchette.

goût, et versez une très petite quantité de lait chaud ou de crème fluide. Si nécessaire, augmentez la dose de liquide : la purée doit devenir crémeuse sans être trop délayée. Évitez l'utilisation d'un mixeur qui rendrait la purée « collante ».

Pour une purée onctueuse, mélangez soigneusement à l'aide d'une fourchette.

CHOISIR LES POMMES DE TERRE

À CHAIR FERME :

Belle de Fontenay, BF 15, charlotte, francine, nicolas, pompadour, ratte, roseval, rosine en salade, en pommes vapeur, rissolées et en garniture, en gratin, sautées, cuites à l'eau, au micro-ondes, au four.

DE CONSOMMATION COURANTE :

Bintje, estima, manon, monalisa, samba, urgenta en purée, cuites à l'eau, en potage, au four, en frites et en ragoût, en galettes, crêpes et préparations sucrées.

POMMES DE TERRE NOUVELLES :

Ostara, resy cuites à la vapeur, sautées, en salade et en galettes.

Bison* (ill.) : bien cuites, bouillies ou cuites au micro-ondes. **Pontiac* (ill.)** : cuites à l'eau, pour d'exquises salades. **Toolangi Delight* (ill.)** : pour des gnocchi, des chips, en purée, cuites à l'eau ou au four.

**Variétés américaines ne se trouvant pas souvent (voire quasiment jamais) sur le marché français/européen.*

resy
roseval
ratte
Pontiac*
charlotte

Purée de pommes de terre

4 belles pommes de terre, pelées et détaillées en quartiers • 60 à 85 ml de lait • 2 cuil. à soupe de beurre • sel et poivre noir moulu
Pour 4 personnes

CUIRE les pommes de terre dans une grande casserole d'eau bouillante et salée jusqu'à ce qu'elles soient tendres. Les égoutter, puis les remettre dans la casserole, et à petit feu, verser le lait et écraser rapidement en purée. Pour la rendre plus onctueuse, ajouter d'avantage de lait si nécessaire. Mélanger le beurre, le sel et le poivre. Servir immédiatement.

Purée parfumée aux herbes

AJOUTER à la purée préparée 2 cuil. à soupe de ciboulette ou de persil finement hachés.

Purée aux oignons

AJOUTER à la purée préparée 1 cuil. à soupe d'oignon rouge finement émincé et 2 cuil. à soupe de persil haché.

Purée à l'ail

AJOUTER à la purée préparée 1 à 2 gousses d'ail écrasées, et 2 cuil. à soupe de menthe finement hachée.

Purée à la crème

AJOUTER 60 ml de crème fraîche (liquide ou non) à la place du lait aux pommes de terre préparées en purée. Parsemer de persil ou de ciboulette (1 à 2 cuil. à soupe) avant de servir.

Purée crémeuse au fromage

AJOUTER 2 cuil. à soupe de crème fraîche épaisse à la place du beurre aux pommes de terre préparées en purée.
Ajouter 2 à 3 cuil. à soupe de fromage finement râpé, et 1 cuil. à café de moutarde de Dijon.

Ci-dessous, dans le sens des aiguilles d'une montre en partant du haut à gauche : Purée de pommes de terre ; Purée aux oignons ; Purée à la crème ; Purée crémeuse au fromage ; Purée à l'ail ; Purée parfumée aux herbes.

Pommes de terre au bacon

CUIRE 2 tranches de bacon, et les détailler finement. Les ajouter aux pommes de terre en purée et parfumer de persil, de ciboulette ou de basilic. Parsemer de paprika avant de servir.

Pommes de terre Duchesse

CUIRE les pommes de terre en suivant les instructions de la recette de base. Les égoutter, les remettre dans la casserole, et à feu très doux, secouer la casserole afin de sécher les pommes de terre. Éteindre le feu, et les écraser en purée. Dans un petit bol, battre 1 œuf, 1 jaune d'œuf, 60 ml de crème liquide, 2 cuil. à soupe de parmesan râpé, ¼ de cuil. à café de muscade râpée, du sel et du poivre noir fraîchement moulu. Verser dans la purée, et mélanger jusqu'à obtention d'une préparation lisse et crémeuse. À l'aide d'une poche à douille munie d'un embout étoilé de 1,5 cm, confectionner des rosettes sur une plaque de four graissée. Éventuellement, dorer avec le reste de jaune d'œuf. Enfourner à 180 °C pendant 15 à 20 minutes, jusqu'à ce que la préparation soit bien dorée. Parsemer de paprika et servir chaud.

Purée de pommes de terre et de légumes

MÉLANGER la moitié d'une préparation de purée traditionnelle avec la même quantité de purée, encore chaude, de carottes ou de navets. Ajouter 2 cuil. à soupe de persil frais finement haché, à votre goût.

Purée de pommes de terre au maïs

CUIRE dans 20 g de beurre 1 oignon finement haché et 1 petit poivron rouge jusqu'à ce que la préparation soit tendre mais pas brunie. Ajouter 130 g de maïs en grains, égouttés, et les mélanger à la purée préparée selon la recette de base.

Ci-dessous, dans le sens des aiguilles d'une montre en partant du haut à gauche : Pommes de terre au bacon ; Purée de pommes de terre et de légumes ; Purée de pommes de terre au maïs ; Pommes de terre Duchesse.

Pommes de terre en robe des champs

4 pommes de terre de taille égale • 50 g de beurre, détaillé en 4 morceaux • sel marin et poivre fraîchement moulus
Pour 4 personnes

LAVER, gratter et sécher les pommes de terre. Les piquer de part et d'autre à l'aide d'une fourchette ou d'une brochette pour obtenir une cuisson régulière. Cuire au four, directement sur la plaque, à 190 °C, pendant 1 heure environ : la chair doit être tendre (tester avec la pointe d'un couteau). On peut également cuire les pommes de terre au micro-ondes, enveloppées de papier absorbant : compter 8 à 10 minutes à puissance maximale (vérifier la cuisson avec la pointe d'un couteau). Laisser reposer environ 2 minutes.
ENTAILLER d'une croix profonde le dessus des pommes de terre, et les ouvrir. Ajouter du beurre, du sel et du poivre. Servir immédiatement.

Garnitures

- Ajouter du beurre et parsemer de persil, de ciboulette, de menthe ou de basilic finement hachés.
- Ajouter du beurre et parsemer d'ail, d'oignon ou de sel de céleri. Parsemer de paprika.
- Ajouter du beurre et parsemer de parmesan fraîchement râpé ou d'un autre fromage râpé.
- Mélanger du beurre avec ½ cuil. à café de zeste de citron râpé, 1 cuil. à café de jus de citron et 1 cuil. à soupe d'aneth finement haché. Laisser refroidir complètement.
- Garnir d'un petit quartier de camembert, de brie ou de bleu crémeux. Enfourner encore 2 à 3 minutes pour que le fromage fonde.
- Remplacer le beurre par de la crème fraîche ou du yaourt nature. Garnir de ciboulette ou de menthe hachée, saler et poivrer.
- Mélanger de la crème fraîche avec de la crème de raifort, à votre goût. Ajouter du sel, du poivre, et du persil frais haché. Parsemer de graines de carvi.
- Mélanger de la crème fraîche épaisse ou du yaourt avec une pâte d'oignons, ou une préparation pour soupe à l'oignon, à votre goût.
- Garnir de crème fraîche parsemée d'œufs de poisson rouges ou noirs, à votre goût.
- Écraser un avocat en purée et mélanger avec 1 cuil. à café de jus de citron et quelques gouttes de Tabasco; ajouter de la ciboulette hachée et du bacon finement détaillé.

NOTE : pour obtenir des peaux croustillantes, les badigeonner d'huile et les assaisonner de sel avant la cuisson.

De gauche à droite, rangée du haut : aux herbes; citron et aneth. Deuxième rangée : avocat et bacon; beurre parfumé; beurre et fromage; camembert. Troisième rangée : œufs de poisson; pomme de terre farcie classique; crème fraîche et ciboulette. Rangée du bas : aux oignons; crème fraîche et crème de raifort.

Pommes de terre cuites au naturel et sauces

750 g – 1 kg de pommes de terre nouvelles • 2 cuil. à soupe de beurre fondu • 1 à 2 gousses d'ail, écrasées • 1 cuil. à soupe de romarin frais • sel marin et poivre noir fraîchement moulus
Pour 4 à 6 personnes

LAVER soigneusement les pommes de terre à l'eau froide. Pour obtenir une cuisson régulière, couper les plus grosses pommes de terre en deux afin que toutes soient d'une taille égale. Les cuire à l'eau bouillante, à la vapeur ou au micro-ondes jusqu'à ce que la chair soit tendre (elles ne doivent pas se fendre). Bien les égoutter.
FAIRE fondre du beurre dans une petite poêle. Ajouter de l'ail, et cuire à feux doux pendant 1 minute. Ajouter du romarin, du sel et du poivre. Verser le tout sur les pommes de terre, et mélanger délicatement pour bien les enrober. Servir immédiatement.
NOTE : varier en utilisant d'autres herbes telles que le persil, la ciboulette, l'estragon, ou un mélange. Les pommes de terre nouvelles (primeurs) sont des pommes de terre tout juste parvenues à maturité, quelle que soit la variété. En général, on les cuit et on les sert avec la peau. Ne pas hésiter à couper les grosses pommes de terre en deux pour que toutes aient la même taille, ce qui permet une cuisson régulière. Les pommes de terre à chair ferme et jaune sont plutôt lisses et crémeuses. Elles sont particulièrement indiquées pour les cuissons à l'eau et les fritures. Les variétés à chair blanche sont plus sèches et plus farineuses, et idéales pour préparer des purées.

LES SAUCES

Sauce hollandaise

VERSER 3 jaunes d'œufs, 2 cuil. à soupe de jus de citron et 1 cuil. à café de zeste de citron dans un bol; battre pendant 30 secondes environ. En continuant à battre, ajouter 125 g de beurre fondu chaud, lentement, en un fin filet, jusqu'à ce que tout le beurre soit incorporé (sauf le dépôt crémeux). Ajouter 2 cuil. à soupe de persil frais finement haché, éventuellement mélangé à de la ciboulette et de la menthe, à votre goût. Napper les pommes de terre et servir.

Mayonnaise

VERSER 1 œuf, 1 cuil. à soupe de vinaigre, du sel, du poivre noir fraîchement moulu, et 1 cuil. à café de moutarde jaune ou à l'ancienne dans un mixeur. Mélanger 30 secondes. En continuant à mixer, ajouter 250 ml d'huile d'olive, lentement, en un fin filet, jusqu'à ce que l'huile soit bien incorporée. Rectifier l'assaisonnement, en ajoutant plus de moutarde ou de jus de citron si nécessaire. Garnir généreusement les pommes de terre de mayonnaise et servir.

Sauce béarnaise

POÊLER 4 oignons nouveaux hachés avec 125 ml de vinaigre à l'estragon, 1 feuille de laurier, 1 cuil. à café de poivre en grains. Porter à ébullition, baisser le feu, et laisser mijoter à découvert jusqu'à obtention de l'équivalent de deux cuillerées à soupe de liquide. Passer au tamis.
MIXER au robot avec 5 jaunes d'œufs, pendant 30 secondes. En continuant à mélanger, ajouter 250 g de beurre fondu, lentement, en un fin filet, jusqu'à ce qu'il soit bien incorporé. Transférer dans un petit bol ou un saucier, et placer au-dessus d'un bol d'eau chaude pour que la sauce ne refroidisse pas. En garnir les pommes de terre juste avant de servir.

Ci-dessus, dans le sens des aiguilles d'une montre en partant du haut à gauche : Pommes de terre cuites à l'eau; Mayonnaise épicée; Mayonnaise crémeuse; Vinaigrette; Sauce béarnaise; Sauce hollandaise.

Mayonnaise crémeuse

MÉLANGER des quantités égales de mayonnaise et de yaourt nature ou de crème fraîche.
Ajouter des herbes fraîches hachées, par exemple de l'estragon ou de la ciboulette.

Mayonnaise relevée

MÉLANGER des quantités égales de mayonnaise et de vinaigrette. Ajouter de la moutarde à l'ancienne ou des herbes.

Vinaigrette

VERSER dans une jatte (ou un bocal doté d'un couvercle hermétique) 85 ml d'huile d'olive ou d'huile végétale, 1 cuil. à soupe de jus de citron ou de vinaigre de vin blanc, 2 cuil. à café de moutarde à l'ancienne et 2 cuil. à café de miel. Bien mélanger. Garnir des pommes de terre chaudes, et garnir d'herbes fraîches à votre goût.

Galette de pommes de terre aux légumes

500 g de purée froide (voir p.308) ou de pommes de terre cuites et finement détaillées • 500 g de légumes mélangés, finement détaillés : 2 à 3 variétés (choux, carottes, haricots, céleri, choux de Bruxelles, navet...) • 150 g de viande rôtie, coupée en dés, ou de saucisse cuite, coupée en dés • 60 g de beurre • 1 cuil. à café de vinaigre blanc • sel et poivre noir moulu

Pour 4 personnes

MÉLANGER les pommes de terre, les légumes et la viande dans un grand saladier. Dans une poêle à fond épais de taille moyenne, chauffer le beurre et ajouter la préparation. Laisser cuire à feu vif puis modéré pendant 5 minutes, en remuant souvent.

APLATIR et lisser la préparation. Laisser cuire encore 5 à 10 minutes, jusqu'à ce que le dessous soit doré et croustillant. Découper en portions, et poursuivre la cuisson 5 à 6 minutes, pour que les morceaux de galette soient bien dorés de part et d'autre. Garnir de feuilles de sauge fraîche et servir aussitôt, éventuellement accompagné de pain grillé.

NOTE : traditionnellement, ce plat est préparé avec des pommes de terre rôties la veille, et des légumes cuits à l'eau. La base est souvent une purée de pommes de terre et de chou. On peut aussi ajouter des restes de potiron ou de patates douces en purée, ou détaillés.

Beignets de pommes de terre

3 à 4 pommes de terre moyennes • 1 tasse de farine avec levure incorporée • ¼ de tasse de Maïzena • sel et poivre noir moulu • 250 ml d'eau • 1 cuil. à café de jus de citron • 1 cuil. à soupe d'huile • farine pour saupoudrer • huile pour friture

Pour 20 beignets

PELER et laver les pommes de terre. Couper en fines tranches et essuyer. Tamiser la farine avec levure incorporée, la Maïzena, et ajouter le sel et le poivre. Faire un puits au centre et y verser lentement 180 ml d'eau. Mélanger jusqu'à obtention d'une pâte lisse. Ajouter le reste d'eau, le jus de citron et l'huile.

SAUPOUDRER les tranches de farine, et secouer pour ôter l'excédent. Tremper chaque tranche dans la pâte pour bien les enrober et égoutter l'excédent.

FRIRE les pommes de terre dans un faitout, par petites quantités, jusqu'à ce qu'elles soient dorées. Les égoutter sur du papier absorbant. Chauffer l'huile à température un peu plus élevée, et les frire de nouveau 1 à 2 minutes pour qu'ils deviennent bien croustillants. Les égoutter sur du papier absorbant et servir.

NOTE : si la pâte à frire est trop épaisse, la délayer avec un peu d'eau.

Salade de pommes de terre à la mayonnaise

1 kg de pommes de terre • 1 petit oignon rouge, finement haché • 4 oignons nouveaux, hachés • 1 branche de céleri, hachée • 2 cuil. à soupe de ciboulette fraîche hachée • ¼ de tasse de crème fraîche ou de yaourt • 100 g de salami, finement détaillé • 60 g d'olives vertes ou noires • 2 œufs durs, en quartiers • ***Mayonnaise :*** *1 jaune d'œuf • 3 cuil. à café de vinaigre de vin blanc ou de jus de citron • ½ tasse de moutarde en poudre • sel et poivre noir, fraîchement moulu • 1 gousse d'ail, écrasée (facultatif) • 60 ml d'huile d'olive*
Pour 4 à 6 personnes

CUIRE les pommes de terre à l'eau, à la vapeur ou au micro-ondes. Les égoutter, les laisser refroidir et les peler. Les détailler en cubes de 2 cm.
POUR PRÉPARER la mayonnaise, verser le jaune d'œuf, le vinaigre ou le jus de citron, la moutarde, le sel, le poivre et l'ail dans un mixeur. Mélanger jusqu'à obtention d'une préparation lisse. Verser l'huile graduellement, en un fin filet, tout en continuant de mixer. Si nécessaire, rectifier l'assaisonnement.
MÉLANGER les pommes de terre, l'oignon, les oignons nouveaux, le céleri et la ciboulette dans un grand saladier. Incorporer délicatement ½ tasse de mayonnaise mélangée avec de la crème fraîche ou du yaourt. Ajouter le salami et les olives. Transférer dans le plat de service, et servir à température ambiante garni d'œufs durs, à votre goût.
NOTE : cette salade peut être confectionnée jusqu'à une journée à l'avance, et se conserve au réfrigérateur, couverte. Laisser à température ambiante avant de servir. On peut également utiliser une mayonnaise prête à l'emploi. Pour varier la recette, supprimer le salami, les olives et les œufs en quartiers, et ajouter 2 fines tranches de bacon, cuites et finement hachées, et 3 œufs durs, détaillés grossièrement. Pour l'assaisonnement, à la place de la crème fraîche ou du yaourt, mélanger ½ tasse de mayonnaise avec 60 ml de vinaigrette et ½ cuil. à café de poudre de curry, à votre goût. Autre variante : ajouter 130 g de grains de maïs, égouttés, 1 petit poivron rouge et 1 petit poivron vert, finement détaillés en cubes, et ½ tasse de noix de pécan, hachées.

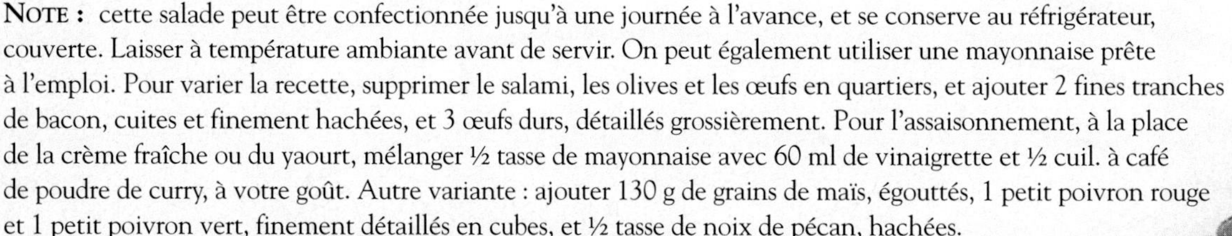

Salade de pommes de terre à la vinaigrette

1 kg de pommes de terre nouvelles, coupées en deux • 2 cuil. à soupe de vinaigre rouge ou blanc • 2 cuil. à soupe de vin rouge ou blanc • 1 cuil. à café de moutarde de Dijon • sel et poivre noir, fraîchement moulu • 125 ml d'huile d'olive • 4 oignons nouveaux, finement hachés • 4 fines tranches de bacon, cuites et finement détaillées • 1 poivron rouge, découpé en petits cubes • 125 g de pois mange-tout, cuits jusqu'à ce qu'ils soient juste tendres, et refroidis • 2 à 3 cuil. à soupe de basilic frais haché • 1 cuil. à soupe de thym frais haché

Pour 4 à 6 personnes

CUIRE les pommes de terre à l'eau, à la vapeur ou au micro-ondes. Les égoutter et les réserver au chaud.
MÉLANGER le vinaigre, le vin, la moutarde, le sel et le poivre dans un petit bol. Verser l'huile lentement, en fouettant, jusqu'à obtention d'une émulsion crémeuse. Verser l'assaisonnement sur les pommes de terre chaudes, et remuer délicatement. Ajouter les oignons et le bacon. Mélanger. Incorporer le poivron, les pois et le basilic. Transférer dans le plat de service et servir à température ambiante, garni de thym.
NOTE : cette salade est meilleure préparée juste avant d'être servie. On peut aussi utiliser des pommes de terre courantes. Les cuire, les peler et les détailler en cubes de 2 cm. Essayez aussi les variantes suivantes : à la place du bacon, du poivron, des pois, du basilic et du thym, ajouter 2 cornichons finement détaillés, 1 cuil. à soupe de câpres, ¼ de tasse de persil frais haché. Juste avant de servir, incorporer 2 betteraves, cuites et coupées en dés de 2 cm. On peut aussi remplacer le bacon par du prosciutto ou du salami. Autre variante : supprimer les oignons nouveaux; ajouter 1 poivron rouge et 1 poivron vert, partagés en deux et épépinés, passés au gril peau. Laisser refroidir, peler et émincer. Couper 1 oignon rouge en fines tranches. Peler et détailler 2 tomates en quartiers. Ajouter à la salade avec 60 g d'olives noires et 60 g de feta en cubes.

Curry aux pommes de terre et aux pois

750 g de pommes de terre, pelées • 2 cuil. à café de graines de moutarde brunes • 2 cuil. à soupe de beurre clarifié ou d'huile • 2 oignons, émincés • 2 gousses d'ail, écrasées • 2 cuil. à café de gingembre frais râpé • 1 cuil. à café de curcuma • sel et poivre • ½ cuil. à café de poudre de chili • 1 cuil. à café de cumin en poudre • 1 cuil. à café de garam marsala • 125 ml d'eau • ⅔ de tasse de pois frais ou surgelés • 2 cuil. à soupe de menthe fraîche hachée

Pour 4 personnes

COUPER les pommes de terre en cube de 2 cm. Chauffer les graines de moutarde dans une grande poêle, à sec, jusqu'à ce qu'elles commencent à crépiter. Ajouter le beurre clarifié, les oignons, l'ail et le gingembre. Laisser cuire, en remuant, jusqu'à ce que la préparation soit tendre. Ajouter le curcuma, le sel, le poivre, le chili, le cumin, le garam marsala et les pommes de terre.

MÉLANGER jusqu'à ce que les pommes de terre soient bien enrobées. Ajouter l'eau. Laisser mijoter à couvert, 15 à 20 minutes, jusqu'à ce que les pommes de terre soient juste tendre. Remuer de temps en temps.

AJOUTER les pois. Remuer, poursuivre la cuisson à petit feu, à couvert, 3 à 5 minutes, jusqu'à ce que les pommes de terre soient cuites, et que le liquide ait été absorbé. Incorporer la menthe. Garnir de persil plat.

Rösti

6 pommes de terre moyennes (750 g)
• sel et poivre noir, fraîchement moulu
• 60 g de beurre
Pour 4 personnes

CUIRE les pommes de terre dans une grande casserole d'eau bouillante, jusqu'à ce qu'elles soient juste tendres. Les égoutter, les laisser refroidir et les peler. Couvrir et réfrigérer une nuit.

RÂPER les pommes de terre, et assaisonner de poivre et sel. Chauffer 40 g de beurre dans une poêle à fond épais. Ajouter les pommes de terre en les aplatissant pour former une couche uniforme. Laisser cuire à feu moyen puis doux 15 à 20 minutes, jusqu'à ce que la galette soit croustillante et bien dorée en dessous. Secouer la poêle pour que la préparation n'attache pas.

PLACER une grande assiette au-dessus de la poêle, puis retourner le tout pour mettre le rösti dans l'assiette. Chauffer le beurre restant dans la poêle, y glisser le rösti et poursuivre la cuisson 15 à 20 minutes jusqu'à ce que le dessous soit croustillant et doré. Servir immédiatement, découpé en portions, éventuellement garni d'une salade de feuilles de chêne et tomates cerise.

Fricassée de poisson et pommes de terre

750 ml de fumet de poisson • 250 g de filets de poisson sans arêtes, sans peau, et détaillés en gros morceaux • 250 g de noix de Saint-Jacques, nettoyées • 1 cuil. à soupe de beurre • 2 fines tranches de bacon, émincées • 1 oignon, émincé • 1 branche de céleri, en petits dés • 2 à 3 pommes de terre moyennes, pelées et coupées en cubes • 2 tomates, pelées, épépinées, et finement détaillées • sel et poivre noir, moulu • 170 g de chair de crabe blanc en conserve, avec le jus • 1 tasse de crème • 1 cuil. à soupe de Maïzena • 3 cuil. à soupe de persil haché

Pour 4 à 6 personnes

CHAUFFER le fumet de poisson dans une grande sauteuse, et ajouter le poisson. Laisser mijoter 4 minutes jusqu'à ce que le poisson soit cuit. Ajouter les noix de Saint-Jacques, et poursuivre la cuisson d'1 minute. Égoutter et réserver le jus. Laisser refroidir puis détailler poisson et noix en dés. Remettre le jus dans la casserole.

CHAUFFER le beurre dans une autre poêle, ajouter le bacon, l'oignon et le céleri. Laisser cuire en remuant, pendant 5 minutes environ, jusqu'à ce que les oignons soient tendres.

AJOUTER les pommes de terre et les tomates au jus de poisson. Porter à ébullition puis baisser le feu, et laisser mijoter 20 minutes, à couvert, jusqu'à ce que les pommes de terre soient cuites. Incorporer le bacon, l'oignon, le céleri, le sel et le poivre, la chair de crabe et son jus. Verser la crème préalablement mélangée à la Maïzena. Porter doucement à ébullition, puis laisser mijoter 5 minutes, jusqu'à ce que la préparation ait un peu épaissi. Garnir de persil et servir.

NOTE : on peut aussi remplacer les noix de Saint-Jacques par des crevettes.

Frittata (omelette aux pommes de terre)

3 cuil. à soupe d'huile d'olive • 3 à 4 gousses d'ail, écrasées • 1 piment rouge, finement haché • 1 oignon rouge, émincé • 4 fines tranches de bacon, coupées en dés • 2 pommes de terre, cuites, pelées et finement émincées • 1 tasse de petits pois, cuits • sel et poivre noir, fraîchement moulu • ½ cuil. à café de muscade • 8 œufs, légèrement battus • ½ tasse de parmesan râpé • ½ tasse de gruyère râpé

Pour 4 à 6 personnes

CHAUFFER l'huile dans une poêle à fond épais de taille moyenne. Ajouter l'ail, le piment, l'oignon et le bacon. Laisser cuire 5 minutes environ, jusqu'à ce que le bacon soit cuit.

AJOUTER les pommes de terre en les disposant en une couche, éparpiller les petits pois, saler, poivrer, et ajouter la muscade. Casser les œufs sur la préparation, et laisser mijoter à feu doux 10 à 15 minutes, jusqu'à ce que les œufs soient cuits.

PARSEMER de fromage. Placer sous un gril préchauffé jusqu'à ce que le fromage fonde et soit doré. Servir immédiatement découpé en portions. Garnir d'un brin d'origan, à votre goût.

NOTE : ne pas trop cuire l'omelette car elle serait sèche. Servir chaud ou froid. Ce plat est idéal pour un pique-nique ou en antipasti.

Gratin dauphinois

4 à 5 pommes de terre (600 g), pelées et finement émincées • 300 ml de lait • sel et poivre noir, fraîchement moulu • 165 ml de crème liquide • ½ cuil. à café de muscade • ¾ de tasse de gruyère râpé • 2 cuil. à soupe de parmesan râpé • 30 g de beurre
Pour 4 personnes

GRAISSER un plat à gratin de 20 cm de diamètre. Préchauffer le four à 180 °C. Tremper les pommes de terre dans de l'eau froide pendant 5 minutes. Les égoutter. Les disposer en couches dans le plat, ajouter le lait, le sel et le poivre. Enfourner 20 minutes environ, jusqu'à ce que les pommes de terre soient à moitié cuites. Les retirer du plat et ôter le jus en excédent.

NETTOYER et graisser de nouveau le plat à gratin. Remettre les pommes de terre. Mélanger la crème liquide et la muscade, et verser sur les pommes de terre. Parsemer de fromage et de beurre. Enfourner à 160 °C pendant 40 minutes environ, jusqu'à ce que les pommes de terre soient bien cuites. Servir immédiatement, garni de citron vert ou de feuilles de curry, à votre goût.

NOTE : la première partie de la recette peut être effectuée plusieurs heures à l'avance. Si le dessus du gratin devient trop brun en fin de cuisson, recouvrir de papier aluminium.

Gnocchi à la sauce tomate

*500 g de pommes de terre (pour préparer l'équivalent de 2 tasses de purée) • 1 jaune d'œuf • ¼ de tasse de parmesan râpé • ¼ de cuil. à café de sel • poivre noir fraîchement moulu, à votre goût • ¾ à 1 tasse de farine • **Sauce tomate :** 425 g de tomates en boîte • 1 petit oignon, haché • 1 branche de céleri, hachée • 1 petite carotte, hachée • 1 cuil. à café de basilic séché • ½ cuil. à café de thym séché • 1 gousse d'ail, écrasée • 1 cuil. à café de sucre en poudre • sel et poivre noir, fraîchement moulu*

Pour 4 personnes

CUIRE les pommes de terre à la vapeur ou au micro-ondes jusqu'à ce qu'elles soient juste tendres. Les laisser refroidir 10 minutes, les peler et les écraser en purée. Mettre l'équivalent de 2 tasses dans un saladier, ajouter le jaune d'œuf, le parmesan, le sel, le poivre et mélanger. Incorporer graduellement la farine jusqu'à obtention d'une pâte légèrement collante. Pétrir 5 minutes, en ajoutant de la farine si nécessaire, jusqu'à obtention d'une pâte lisse.

DIVISER la pâte en 4 portions. Les étendre sur un plan de travail fariné pour former une saucisse épaisse de 2 cm. Les découper en tranches de 2,5 cm, et les façonner pour leur donner une forme ovale. Fariner vos mains, prendre un morceau de pâte dans la paume, et le presser contre une fourchette farinée pour l'aplatir légèrement et denteler l'un des côtés en même temps. Couvrir les gnocchi préparés jusqu'à la cuisson.

CUIRE les gnocchi à l'eau bouillante et salée dans une grande casserole, à découvert, pendant 2 minutes environ, jusqu'à ce qu'ils flottent à la surface. Les égoutter. Servir mélangé à la sauce, garni de parmesan supplémentaire, à votre goût.

POUR PRÉPARER LA SAUCE, mettre les tomates, l'oignon, le céleri, la carotte, le basilic, le thym, l'ail, le sucre, le sel et le poivre dans une casserole. Porter à ébullition, cuire à feu moyen puis doux, et laisser mijoter 30 minutes. Laisser refroidir, puis lisser la sauce au mixeur. Servir chaud, garni d'herbes fraîches finement hachées.

NOTE : les gnocchi peuvent se préparer plusieurs heures à l'avance. Les disposer en une seule couche sur une plaque, les couvrir et les réfrigérer. Pour varier la recette, placer les gnocchi cuits sur un plat de service graissé, garnir de noix de beurre, parsemer d'1 tasse de fontina ou de cheddar râpé, et d'½ tasse de parmesan râpé. Cuire 10 minutes dans un four préchauffé à 240 ° (200 °C pour un four à gaz), jusqu'à ce qu'ils soient dorés.

Hachis parmentier

1 cuil. à soupe d'huile • 2 tranches de bacon, finement détaillées • 1 oignon moyen, haché • 1 gousse d'ail, écrasée • 500 g de bœuf haché • 2 cuil. à soupe de farine • 2 cuil. à café de moutarde en poudre • ¼ de tasse de sauce tomate • 1 cuil. à soupe de sauce Worcestershire • 500 ml de bouillon de bœuf • ½ cuil. à café de fines herbes séchées • ***Purée :*** *8 grosses pommes de terre, pelées et découpées en quartiers • 85 à 125 ml de lait ou de crème liquide • 2 cuil. à soupe de beurre + 2 cuil. à soupe de beurre supplémentaire, fondu • sel et poivre noir, fraîchement moulu*

Pour 6 personnes

CHAUFFER l'huile dans une grande sauteuse. Ajouter le bacon, l'oignon et l'ail. Mélanger à feu moyen pendant 3 minutes. Incorporer la viande hachée, et mélanger à feu vif pendant 3 minutes environ, jusqu'à ce que la viande soit bien dorée.

AJOUTER la farine et la poudre de moutarde. Mélanger 1 minute. Ajouter la sauce tomate et la sauce Worcestershire, le bouillon et les fines herbes. Porter à ébullition. Réduire le feu et laisser mijoter à découvert pendant 5 minutes environ, jusqu'à ce que la préparation ait réduit et épaissi, en remuant de temps en temps. Laisser refroidir. Diviser en portions dans 6 petits plats allant au four.

POUR PRÉPARER LA PURÉE, cuire les pommes de terre à l'eau bouillante, à la vapeur ou au micro-ondes jusqu'à ce qu'elles soient tendres. Les égoutter et les écraser. Ajouter le lait ou la crème, le beurre, le sel et le poivre.

RÉPARTIR régulièrement la purée sur le hachis, lisser puis denteler la surface à l'aide d'une fourchette, ou décorer avec une poche à douille. Badigeonner de beurre. Faire cuire au four préchauffé à 180 °C pendant 20 à 25 minutes, jusqu'à ce que la purée soit bien dorée. Garnir de persil plat.

Colcannon (purée de pommes de terre au chou)

4 pommes de terre moyennes, pelées • 4 tasses de chou finement ciselé • 60 g de beurre + 1 cuil. à soupe de beurre fondu, supplémentaire • 3 oignons nouveaux, finement hachés • 170 ml de lait chaud • sel et poivre noir, fraîchement moulu • 2 cuil. à soupe de persil haché

Pour 4 personnes

CUIRE les pommes de terre à l'eau bouillante, à la vapeur ou au micro-ondes, jusqu'à ce qu'elles soient tendres. Les égoutter et les écraser à la fourchette pour obtenir une purée sèche et farineuse.

CUIRE le chou à l'eau bouillante pendant 10 minutes, puis égoutter. Faire fondre le beurre dans une poêle de taille moyenne, et ajouter les oignons nouveaux. Laisser cuire 1 minute, incorporer le chou, et poursuivre la cuisson une autre minute.

MÉLANGER les pommes de terre et le chou dans un grand saladier. Ajouter suffisamment de lait chaud pour obtenir une consistance crémeuse. Assaisonner de sel et poivre. Dresser dans le plat de service réchauffé, arroser de beurre fondu et parsemer de persil.

NOTE : le Colcannon est meilleur préparé juste avant d'être servi.

Petits choux aux pommes de terre

400 g de pommes de terre • 30 g de beurre, coupé en petits morceaux • 125 ml d'eau • ½ tasse de farine • 2 œufs, légèrement battus • ¼ de tasse de ciboulette hachée • ¼ de tasse de parmesan râpé • paprika

Pour 4 à 6 personnes

Cuire les pommes de terre à l'eau bouillante, à la vapeur ou au micro-ondes, jusqu'à ce qu'elles soient tendres. Les égoutter, les peler et les écraser en purée. Garder 1 tasse ½. Réserver au chaud.

Mélanger le beurre et l'eau dans une sauteuse. Remuer à feu doux jusqu'à ce que le beurre soit fondu, mais ne pas laisser bouillir. Retirer du feu et ajouter la farine tamisée en une seule fois. Bien mélanger à l'aide jusqu'à obtention d'une texture lisse. Remettre sur le feu et mélanger jusqu'à ce que la préparation se détache du pourtour de la sauteuse. Retirer du feu et laisser tiédir. Transférer dans un saladier, incorporer les œufs par petites quantités, en battant bien, jusqu'à obtention d'une préparation brillante et ferme.

Avec une cuillère, incorporer la purée, la ciboulette et le parmesan. Bien mélanger. Verser de l'huile dans un faitout (le remplir à moitié), et la chauffer modérément. Y plonger l'équivalent d'une cuillerée à café de la préparation. Laisser frire 3 minutes environ, jusqu'à ce que les choux soient cuits et bien dorés. Les égoutter sur du papier absorbant et réserver au chaud jusqu'à ce que tous les choux soient prêts. Parsemer de paprika, garnir de rondelles de citron vert et de feuilles de salade, à votre goût.

Note : préparer cette recette juste avant de servir. Pour varier, rouler des cuillerées à café de préparation dans des amandes effilées. Presser légèrement pour que les amandes adhèrent. On peut aussi former les choux à l'aide d'une poche à douille : laisser tomber 5 cm de purée assaisonnée dans l'huile, en coupant au fur et à mesure avec des ciseaux. Cuire 6 à 8 choux à chaque fois.

Shepherd's Pie

750 g d'agneau maigre, cuit • 25 g de beurre • 2 oignons moyens, finement émincés • ¼ de tasse de farine • ½ cuil. à café de poudre de moutarde • 375 ml de bouillon de volaille • 2 cuil. à soupe de menthe fraîche, hachée • 1 cuil. à soupe de persil frais, haché • ½ cuil. à café de poivre noir moulu • sel • 2 cuil. à soupe de sauce Worcestershire • ***Garniture aux pommes de terre :*** *4 grosses pommes de terre à chair farineuse, cuites et réduites en purée • 60 à 85 ml de lait chaud • 30 g de beurre • sel et poivre noir, fraîchement moulu*
Pour 4 à 6 personnes

GRAISSER un grand plat à four (contenance de 2 litres) avec du beurre fondu ou de l'huile. Préchauffer le four à 210 °C. Parer la viande et la détailler en petits dés, ou la hacher. Faire fondre le beurre dans une grande casserole. Ajouter l'oignon et le laisser blondir. Parsemer de farine et de moutarde. Incorporer lentement le bouillon et mélanger pour lisser la préparation. Porter à ébullition, réduire le feu et laisser mijoter 3 minutes.
AJOUTER la viande, la menthe, le persil, le poivre, le sel et la sauce. Mélanger quelques instants, puis retirer du feu et verser dans le plat préparé.
POUR LA GARNITURE, mélanger les pommes de terre, le lait, le beurre, le sel et le poivre jusqu'à obtention d'une texture lisse et crémeuse. Étaler sur la viande, éventuellement à l'aide d'une poche à douille. Enfourner 40 à 45 minutes jusqu'à ce que la purée soit cuite et bien dorée. Garnir de feuilles de menthe ou d'herbes fraîches, à votre goût.

Croquettes de pommes de terre

750 g de pommes de terre, pelées et hachées • 2 cuil. à soupe de beurre ou de crème liquide • 1 œuf entier, légèrement battu + 2 œufs supplémentaires, légèrement battus • ¼ de cuil. à café de muscade • sel et poivre noir, fraîchement moulu • farine • 1 tasse ½ de chapelure • huile pour friture

Pour 12 croquettes

CUIRE les pommes de terre à l'eau bouillante, au micro-ondes ou à la vapeur, jusqu'à ce qu'elles soient tendres. Les égoutter et les écraser en purée. Ajouter le beurre ou la crème, l'œuf, la muscade, le sel et le poivre. Étaler la préparation sur une plaque, couvrir et réfrigérer au moins 30 minutes. Diviser en 12 portions égales. Les rouler en forme de saucisses longues de 7 cm. Les enduire de farine et secouer pour ôter l'excédent. Les tremper dans les œufs battus, puis les rouler dans la chapelure. Retirer l'excédent. Couvrir et réfrigérer au moins 2 heures.

CHAUFFER l'huile à température modérée. Y plonger les croquettes par petites quantités pendant 5 minutes environ, jusqu'à ce qu'elles dorent. Les retirer à l'aide d'une écumoire, les égoutter sur du papier absorbant, et réserver au chaud. Répéter l'opération avec les croquettes restantes. Servir immédiatement.

NOTE : on peut préparer les croquettes jusqu'à une journée à l'avance. Dans ce cas, les couvrir et les réfrigérer. Les frire juste avant de servir. Nous déconseillons l'utilisation du mixeur pour confectionner la purée, qui serait alors trop lisse.

Croquettes aux herbes et au fromage

AJOUTER à la recette de base : 2 cuil. à soupe de ciboulette hachée, 2 cuil. à soupe de persil haché, et 100 g de camembert finement détaillé, ou de tout fromage de votre choix.

Croquettes au saumon et à l'aneth

AJOUTER à la recette de base : 2 cuil. à soupe d'aneth frais haché, 2 cuil. à café de jus de citron, 200 g de saumon rose en boîte, égoutté.

Croquettes aux champignons et aux oignons

CUIRE dans 20 g de beurre : 1 tasse (environ 100 g) de champignons finement hachés, 1 petit oignon haché, 2 cuil. à soupe de persil haché. Ajouter cette préparation à la recette de base avec ⅓ de tasse de parmesan frais râpé.

Croquettes au bacon et au maïs

CUIRE dans 20 g de beurre : 1 petit oignon haché, et 2 tranches de bacon finement haché. Ajouter à la préparation de base avec deux boîtes de 130 g de maïs, égoutté, et une cuil. à soupe de ciboulette hachée.

Croquettes au poulet et au prosciutto

AJOUTER à la recette de base : 1 tasse de poulet cuit très finement détaillé, ½ tasse de fromage râpé, ¼ de tasse de persil haché, et 2 fines tranches de prosciutto hachées.

Croquettes au jambon et aux oignons nouveaux

CUIRE 6 oignons nouveaux hachés dans 20 g de beurre. Ajouter à la recette de base avec 60 g de jambon très finement détaillé, ½ cuil. à café de poudre de moutarde, et ½ cuil. à café de poudre de chili.

Croquettes au thon et aux poivrons

CUIRE dans 20 g de beurre : ½ poivron vert et ½ poivron rouge finement émincés, 1 petit oignon haché, et 1 gousse d'ail. Ajouter à la recette de base avec 180 g de thon en boîte, égoutté.

Ci-dessous, en partant de la gauche, page 328 : Croquettes de pommes de terre; aux herbes et au fromage; au saumon et à l'aneth; aux champignons et aux oignons; au bacon et au maïs; au poulet et au prosciutto; au jambon et aux oignons; au thon et aux poivrons.

Soupe de poulet, pommes de terre et galanga

1 petite noix de galanga, ou 6 tranches de galanga séché (à défaut, utiliser du gingembre) • 2 pommes de terre moyennes • 4 beaux filets de poulet • 500 ml de lait de coco • 2 racines de coriandre, finement hachées • 2 tiges de citronnelle, finement émincées • 1 cuil. à café de chili frais haché (facultatif) • 4 feuilles de citron kaffir • ½ tasse de crème de coco • 2 cuil. à soupe de sauce de poisson • jus d'un citron vert • ½ tasse de feuilles de coriandre fraîche
Pour 4 personnes

PELER le galanga et l'émincer finement. Peler et détailler les pommes de terre en dés. Couper le poulet en morceaux. Dans un faitout, mettre le galanga, les pommes de terre, le lait de coco, l'eau, la coriandre, la citronnelle, le chili et les feuilles de citron. Porter à ébullition, puis laisser mijoter à découvert jusqu'à ce que les pommes de terre et le poulet soient tendres. Incorporer la crème de coco. Porter à ébullition, puis retirer du feu. Parfumer de sauce de poisson et de jus de citron. Parsemer de feuilles de coriandre et servir.
NOTE : on trouve le galanga (gingembre thaïlandais) et les feuilles de citron vert kaffir dans les épiceries asiatiques. Le galanga séché doit être trempé dans de l'eau bouillante pendant 30 minutes. On peut remplacer les feuilles de citron vert kaffir par de petites feuilles fraîches de citron vert ou jaune.

Délices aux pommes et pommes de terre

5 pommes acidulées (booskoop) • 2 cuil. à soupe de jus de citron • 1 cuil. à soupe d'huile d'olive • 2 pommes de terre moyennes, coupées en petits dés • 1 oignon moyen, haché • 4 tranches de bacon, très finement détaillées • 2 gousses d'ail, écrasées • 2 cuil. à soupe de sauge fraîche hachée • 1 cuil. à soupe de vinaigre de cidre • sel et poivre noir, fraîchement moulu • 1 cuil. à soupe d'huile d'olive

Pour 4 personnes

DÉCOUPER le dessus de 4 pommes, et les réserver. À l'aide d'une cuillère à soupe, creuser une cavité dans chaque pomme, en laissant 6 mm de chair tout autour de la peau. Jeter la chair retirée. Imbiber l'intérieur des pommes de jus de citron. Partager en deux la pomme restante, ôter le trognon, et la détailler en petits cubes.

CHAUFFER l'huile dans une poêle à fond épais. Mettre les pommes de terre, l'oignon, le bacon, l'ail, et les dés de pomme. Laisser cuire à feu moyen, en remuant de temps en temps, pendant 10 minutes environ jusqu'à ce que les pommes de terre soient tendres et bien dorées. Incorporer la sauge, le vinaigre, et assaisonner de poivre et sel, à votre goût.

RÉPARTIR la préparation dans les pommes évidées, en tassant bien. Remettre les extrémités des pommes préalablement découpées, et badigeonner les pommes d'huile. Les cuire au four préchauffé à 180 °C pendant 20 minutes environ, jusqu'à ce que les pommes soient juste tendres. Servir accompagné de saucisses au porc, ou de steaks de jambon. Garnir de menthe, à votre goût.

NOTE : le jus de citron empêche la chair de la pomme de noircir.

Gratin aux pommes de terre, navet et potiron

2 pommes de terre moyennes (450 g) • 1 ou 2 navets moyens (240 g) • 200 g de potiron • 1 cuil. à soupe de beurre • 1 cuil. à soupe de farine • 375 ml de lait • ½ cuil. à café de muscade moulue • sel et poivre noir, fraîchement moulu • ***Garniture du gratin :*** *1 tasse de chapelure • 100 g de noix de cajou grillées, concassées • 1 cuil. à soupe de beurre*
Pour 4 personnes

PELER les pommes de terre, le navet et le potiron. Couper le potiron en morceaux de la taille d'une bouchée. Détailler les pommes de terre et le navet en plus petits morceaux. Cuire les légumes dans une grande casserole d'eau bouillante pendant 8 minutes environ, jusqu'à ce qu'ils soient juste tendres. Les égoutter et les placer au fond d'un grand plat à four profond.

FAIRE fondre le beurre dans une poêle, à petit feu. Ajouter la farine et mélanger. Cuire 1 minute. Retirer du feu et incorporer le lait petit à petit. Remettre sur le feu, porter à ébullition en remuant constamment jusqu'à ce que la préparation épaississe. Poursuivre l'ébullition encore 1 minute. Ajouter la muscade, saler, poivrer et verser la sauce sur les légumes.

PRÉCHAUFFER le four à 180 °C. Mélanger la chapelure et les noix de cajou, et en parsemer les légumes. Éparpiller des noix de beurre sur le gratin. Enfourner 30 minutes environ, jusqu'à ce que le gratin soit bien doré. Garnir de cresson, à votre goût.

Pizza aux pommes de terre, oignons et fromage de chèvre

125 ml de lait chaud • 50 g de levure fraîche, ou 2 sachets de 7 g de levure sèche • ½ cuil. à café de sucre • sel • ¾ de tasse de purée (225 g de pommes de terre crues) • 1 tasse de farine + un peu de farine pour saupoudrer le plan de travail et pétrir la pâte • 2 cuil. à soupe de persil frais haché • poivre noir, fraîchement moulu • ***Garniture :*** *2 cuil. à soupe d'huile d'olive • 1 kg d'oignons rouges, finement émincés • 200 g de poivrons rouges, grillés et détaillés en larges lamelles • ½ tasse d'olives noires • 50 g de fromage de chèvre, coupé en petits morceaux • poivre noir, concassé*

Pour 4 personnes

MÉLANGER le lait et la levure avec le sucre et une pincée de sel dans un petit saladier. Le couvrir de film plastique et réserver dans un endroit tiède pendant environ 10 minutes jusqu'à ce qu'une mousse se forme en surface. Mélanger la purée de pommes de terre, la farine, le persil, le sel, le poivre et la levure jusqu'à obtention d'une pâte lisse. La pétrir sur un plan de travail fariné pendant 10 minutes environ : la pâte doit être élastique au toucher. La mettre dans un grand saladier graissé. Couvrir d'un film plastique et laisser lever dans un endroit tiède : la pâte doit doubler de volume ; compter entre 50 minutes et 1 heure 30.

CHAUFFER l'huile dans une poêle à fond épais, à petit feu. Cuire les oignons à couvert, 20 à 30 minutes, jusqu'à ce qu'ils soient couleur caramel et onctueux. Retirer du feu.

PÉTRIR la pâte sur un plan de travail fariné, l'aplatir un peu, et la pétrir encore 2 minutes. Huiler généreusement un moule à pizza ou deux petits. Foncer le moule en ajustant la pâte. Garnir d'oignons, de poivrons, d'olives et de fromage de chèvre. Parsemer de poivre noir concassé. Cuire dans un four préchauffé à 210 °C pendant 20 à 25 minutes, et servir immédiatement.

NOTE : les oignons caramélisés peuvent se préparer jusqu'à une journée à l'avance. Pour qu'ils deviennent parfaitement moelleux et doux, il faut les rissoler à petit feu. Brûlés, ils seront amers.

Ragoût hongrois

4 grosses pommes de terre (1,3 kg) • 1 cuil. à soupe d'huile d'olive • 30 g de beurre • 1 oignon moyen, haché • 1 poivron rouge et 1 poivron vert, hachés • 440 g de tomates en boîte, concassées • 250 ml de bouillon de volaille • 2 cuil. à café de graines de carvi • 1 cuil. à café de paprika • sel et poivre noir, fraîchement moulu • Croûtons : 250 ml d'huile • 4 tranches de pain blanc, sans croûte, coupées en cubes

Pour 4 à 6 personnes

PELER les pommes de terre, et les couper en gros morceaux. Chauffer l'huile et le beurre dans une grande sauteuse. Cuire les pommes de terre à feu moyen, en les remuant souvent, jusqu'à ce qu'elles soient croustillantes sur les pourtours.
AJOUTER l'oignon, les poivrons, et poursuivre la cuisson 5 minutes. Incorporer les tomates avec leur jus, le bouillon de volaille, les graines de carvi et le paprika. Assaisonner. Laisser mijoter à découvert, jusqu'à ce que les pommes de terre soient tendres. Servir garni de croûtons bien croquants.
POUR PRÉPARER les croûtons, chauffer l'huile dans une poêle et y griller les morceaux de pain, en remuant, jusqu'à ce qu'ils deviennent dorés et croustillants.

Pommes cajun au four

4 pommes de terre moyennes (900 g) • 1 à 2 cuil. à soupe d'épices cajuns • huile végétale

Pour 4 personnes

PRÉCHAUFFER le four à 210 °C (190 °C pour un four à gaz). Découper les pommes de terre en morceaux ou en forme de quartiers. Les rouler dans les épices cajuns pour bien les enrober.
VERSER 1 cm d'huile dans un plat à four, et le chauffer au four pendant 5 minutes environ.
INCORPORER les pommes de terre, et les mélanger dans l'huile chaude. Enfourner 25 à 30 minutes, jusqu'à ce que les pommes de terre prennent une belle couleur dorée, en les remuant de temps en temps. Les égoutter sur du papier absorbant. Servir avec une salsa à la tomate, et de la crème fraîche épaisse.
NOTE : servir ce plat sans attendre. On trouve le mélange d'épices cajuns en supermarché.

Pommes à l'américaine

3 pommes de terre moyennes • 250 ml de lait • 50 g de beurre • sel et poivre noir, fraîchement moulu • brins de thym frais

Pour 4 personnes

CUIRE les pommes de terre, lavées et non pelées, dans de l'eau bouillante, jusqu'à ce qu'elles soient tendres, puis égoutter et laisser refroidir. Les peler et les détailler en tranches épaisses d'1 cm.

MÉLANGER les pommes de terre, le lait et la moitié du beurre dans une casserole. Porter à ébullition. Laisser cuire en remuant jusqu'à ce que les pommes de terre aient absorbé le lait. Ajouter le reste de beurre, et remuer. Assaisonner, parsemer de thym et servir. Garnir de feuilles de frisée.

NOTE : ce plat se marie délicieusement avec un gigot à l'ail et des légumes verts.

Ci-dessous, de gauche à droite : Ragoût hongrois ; Pommes cajun au four ; Pommes à l'américaine.

Galettes de pommes de terre sauce aux pommes

4 tasses de pommes de terre finement râpées (660 g) • 1 gros oignon, haché • 2 cuil. à café de graines de céleri ou de fenouil • 3 cuil. à soupe de farine • 2 œufs, battus • sel et poivre noir, moulu • huile pour friture • 250 ml de compote de pommes, prête à l'emploi
Pour 4 personnes

PRESSER l'excédent de liquide des pommes de terre. Dans un grand saladier, mélanger les pommes de terre avec l'oignon, les graines de céleri, la farine, les œufs et l'assaisonnement.

CHAUFFER 2 cm d'huile dans une poêle à fond épais. En prenant l'équivalent de 2 cuil. à soupe de préparation à chaque fois, former des galettes plates, et les frire 3 minutes de chaque côté, jusqu'à ce qu'elles soient bien dorées, croustillantes et cuite à cœur. Garnir de brins de romarin, et servir accompagné de compote.

NOTE : on retire l'excédent de liquide des pommes de terre pour éviter toute éclaboussure d'huile durant la friture.

Pommes de terre tandoori

6 grosses pommes de terre (1,7 kg) • ⅓ de tasse de pâte tandoori, prête à l'emploi • 2 cuil. à soupe d'huile • ***Salade :*** *3 concombres (libanais ou ordinaires) • 2 tomates moyennes mûres • ½ tasse de feuilles de menthe • 2 cuil. à soupe de jus de citron vert*

Pour 6 personnes

PRÉCHAUFFER le four à 180 °C, et huiler un plat à four. Peler les pommes de terre et les découper en quartiers. Mélanger la pâte tandoori avec l'huile. En badigeonner les pommes de terre. Laisser reposer 15 minutes pour que les pommes de terre absorbent toute la saveur.

ENFOURNER les pommes de terre pendant 1 heure, en les retournant de temps en temps, jusqu'à ce qu'elles prennent une couleur rouge doré, et qu'elles soient croustillantes à l'extérieur, et tendre à l'intérieur.

ÉMINCER les concombres et les tomates, et les détailler en petits morceaux. Les mélanger avec des feuilles de menthe ciselées et le jus de citron. Servir les pommes de terre accompagnées de salade, yaourt et pain naan, à votre goût.

NOTE : on peut faire mariner les pommes de terre jusqu'à une journée à l'avance. La pâte tandoori et le pain naan se trouvent dans les épiceries asiatiques et dans les rayons de produits exotiques des supermarchés.

Gratin feuilleté

¼ de chou moyen • 2 feuilles de laurier, effritées • 4 grosses pommes de terre, émincées • 6 tranches de bacon, très finement détaillées • 250 g de viande hachée maigre (bœuf ou porc) • ¾ de tasse de chapelure • 1 cuil. à café de graines de carvi (facultatif) • ½ cuil. à café de paprika • poivre noir, fraîchement moulu • 125 ml de crème liquide • 2 œufs, battus • 1 cuil. à soupe de farine • sel

Pour 4 personnes

RETIRER les feuilles externes et le trognon du chou. Le couper en quatre et cuire à la vapeur avec les feuilles de laurier 5 minutes. Laisser refroidir et couper en fines lamelles.

PRÉCHAUFFER le four à 180 °C. Graisser un faitout d'une contenance de 1,5 litres. Étendre une couche de chou à la base. Recouvrir d'une moitié de pommes de terre et d'une moitié de bacon. Mélanger le bœuf ou le porc avec la chapelure, les graines de carvi, le paprika, le sel et le poivre. Étendre cette préparation sur la couche précédente. Garnir du reste de chou et de bacon et finir avec une couche de pommes de terre. Battre la crème liquide, les œufs, la farine, le sel, le poivre et verser sur le gratin.

COUVRIR et enfourner 50 minutes à 1 heure. Servir garni de feuilles de basilic.

Curry de pommes de terre au sésame

4 grosses pommes de terre (1,3 kg) • 1 cuil. à soupe d'huile • 1 cuil. à café de graines de cumin • 1 cuil. à café de graines de coriandre • 2 cuil. à café de graines de moutarde • 2 cuil. à café de graines de sésame • ½ cuil. à café de curcuma • 1 cuil. à café de piment frais haché • sel et poivre noir, fraîchement moulu • 2 cuil. à café de zeste de citron finement râpé • 2 cuil. à soupe de jus de citron • feuilles de coriandre pour la garniture
Pour 4 personnes

CUIRE les pommes de terre, lavées et non pelées, à l'eau bouillante, à la vapeur ou au micro-ondes jusqu'à ce qu'elles soient tendres. Les laisser refroidir, les peler et les détailler très finement. Chauffer l'huile dans une grande sauteuse, à feu moyen. Poêler les graines de cumin, coriandre et moutarde pendant 1 minute, en remuant constamment. Ajouter les graines de sésame. Poursuivre la cuisson d'1 à 2 minutes, en mélangeant jusqu'à ce que les graines soient bien dorées. Ajouter le curcuma, le piment, le sel, le poivre, les pommes de terre, le zeste et le jus de citron. Mélanger jusqu'à ce que tous les ingrédients soient bien liés et cuits à cœur.
ASSAISONNER de sel et poivre, à votre goût, garnir de feuilles de coriandre et servir accompagné de yaourt épais nature, de brocolis et d'épinards vapeur, et éventuellement de riz blanc.
NOTE : les pommes de terre peuvent être cuites jusqu'à une journée à l'avance, et conservées au réfrigérateur. Moulues ou pilées, les épices sont moins fortes.

Tourte aux olives et poulet

4 grosses pommes de terre (1,3 kg), pelées • 4 cuil. à soupe d'huile d'olive • 2 gousses d'ail, écrasées • 1 gros oignon rouge, haché • 120 g de jambon Kassler ou de jambon fumé, très finement détaillé • 1 beau blanc de poulet, très finement détaillé • 440 g de tomates en boîte, égouttées • ¼ de tasse d'olives noires dénoyautées • 250 ml de lait • sel et poivre noir, fraîchement moulu • 2 œufs, battus • ¼ de cuil. à café de paprika

Pour 4 à 6 personnes

PRÉCHAUFFER le four à 180 °C. Dans une grande casserole, couvrir les pommes de terre d'eau et porter à ébullition. Laisser cuire 15 à 20 minutes, jusqu'à ce qu'elles soient tendres. Les égoutter, les laisser refroidir, et les découper en grosses tranches.

CHAUFFER 2 cuil. à soupe d'huile dans une sauteuse. Mettre le jambon, le poulet, les tomates et les olives, et cuire 20 minutes environ, jusqu'à ce que la sauce ait épaissi. Chauffer le reste d'huile dans une poêle, incorporer les pommes de terre et les faire dorer. Les écraser en purée avec du lait, assaisonner de sel et poivre.

ÉTALER la moitié des pommes de terre dans un moule à tourte de 23 cm de diamètre. Garnir de préparation à la viande et du reste de pommes de terre. Verser les œufs en enrobant toute la galette. Parsemer de paprika. Enfourner 25 minutes et servir immédiatement, garni de feuilles de basilic.

NOTE : la purée peut être préparée une journée à l'avance.

Ci-dessous, de gauche à droite : Tourte aux olives et poulet ; Boulettes au chou-fleur ; Galette poêlée.

Boulettes au chou-fleur

Coulis de tomates : *1 cuil. à soupe d'huile d'olive • 2 cuil. à café de gingembre frais haché • 1 cuil. à café de piment frais haché • ¼ de cuil. à café de cumin moulu • 440 g de tomates en boîte • 2 cuil. à café de vinaigre* • **Boulettes de pommes de terre et chou-fleur :** *4 pommes de terre moyennes (900 g) • 2 tasses de chou-fleur détaillé en très petits bouquets • ½ tasse de farine • 1 cuil. à soupe de jus de citron • 2 cuil. à soupe de poudre de curry • ½ tasse de coriandre fraîche hachée • sel et poivre noir, fraîchement moulu • huile pour friture*
Pour 20 à 25 boulettes

POUR PRÉPARER LE COULIS, chauffer l'huile dans une poêle de taille moyenne, à feu modéré. Y mettre le gingembre, le chili, le cumin et cuire 1 minute, en remuant fréquemment. Ajouter le sel, le poivre, les tomates avec leur jus et le vinaigre. Porter à ébullition, laisser mijoter 10 minutes. Passer au mixeur.
RÂPER les pommes de terre. Les mélanger avec le chou-fleur, la farine, le jus de citron, la poudre de curry, la coriandre, le sel et le poivre jusqu'à obtention d'une préparation homogène.
FORMER des boulettes avec l'équivalent d'une cuillerée à soupe de préparation à chaque fois. Chauffer l'huile dans une grande sauteuse, à feu moyen. Frire 2 à 3 boulettes à chaque fois, pendant 4 minutes environ, jusqu'à ce qu'elles deviennent dorées, en les retournant régulièrement. Les égoutter sur du papier absorbant. Servir immédiatement avec le coulis de tomates et garni de feuilles de salade.

Galette poêlée

4 tasses de pommes de terre grossièrement râpées (660 g) • 2 œufs, battus • ¼ de tasse de farine avec levure incorporée • ¼ de tasse de crème fraîche • 6 cuil. à soupe de moutarde à l'ancienne • 1 cuil. à soupe de ciboulette fraîche hachée • sel et poivre noir, fraîchement moulu • 2 cuil. à soupe d'huile d'olive
Pour 4 à 6 personnes

PRESSER le jus des pommes de terre. Les mélanger avec les œufs, la farine, la crème, la moutarde, la ciboulette, le sel et le poivre. Bien battre.
CHAUFFER l'huile dans une sauteuse. Bien graisser les pourtours et la base de la sauteuse. Étaler la préparation, en la tassant bien. Laisser cuire, jusqu'à ce que les pommes de terre soient dorées, cuites et fermes en dessous. Avec 2 grandes spatules, retourner la galette en la prenant par le dessus et le dessous en même temps. Poursuivre la cuisson jusqu'à ce que la galette soit dorée et cuite sur les deux faces. Assaisonner de sel et poivre.
SERVIR tiède ou froid, en portions, garni par exemple de feuilles de salade.

Tourte aux pommes de terre et à l'agneau

2 cuil. à soupe d'huile • 500 g d'agneau, coupé en dés • ½ cuil. à café de cumin en poudre • 1 cuil. à café de cannelle • 1 cuil. à café de paprika • ¼ de tasse de purée de tomates • 250 ml d'eau • sel et poivre noir, fraîchement moulu • 2 tasses de riz Basmati ou à longs grains • 4 pommes de terre moyennes (900 g) • 2 cuil. à soupe de beurre fondu
Pour 6 à 8 personnes

CHAUFFER l'huile dans une sauteuse, à feu moyen. Y dorer la viande, en deux fois; égoutter sur du papier absorbant. Poêler l'oignon, le cumin, la cannelle et le paprika, avec 2 cuil. à café d'eau. Laisser cuire 5 minutes, en remuant. Mettre la viande, incorporer la purée de tomates et l'eau. Assaisonner, et laisser mijoter 45 minutes.
CUIRE le riz à l'eau bouillante, 8 minutes. L'égoutter et le laisser refroidir. Peler les pommes de terre et les détailler en lamelles de 2 mm; les badigeonner d'huile. Les disposer sur la base et les côtés d'une autre sauteuse d'un diamètre de 20 cm. Étaler la moitié du riz sur les pommes de terre. Ajouter la viande, et terminer par une couche de riz. La napper de beurre fondu. Placer 2 couches de papier absorbant sur le riz. Cuire à couvert, à feu vif, pendant 5 minutes. Baisser le feu et poursuivre la cuisson 35 minutes, en secouant délicatement la sauteuse de temps en temps.
DÉTACHER les bords à l'aide d'un couteau, et retourner la tourte sur un grand plat de service. Laisser reposer 10 minutes, puis découper en portions. Garnir de basilic thaïlandais, à votre goût, et servir.

Samosas aux pommes de terre et noix de cajou

1 cuil. à soupe d'huile d'olive • 2 cuil. à café de gingembre frais haché • 3 pommes de terre moyennes (700 g), pelées et détaillées en petits dés • 100 g de noix de cajou grillées, hachées • ¼ de tasse de noix de coco, en petites lamelles • ¼ de tasse de crème de coco • ¼ de tasse de feuilles de coriandre fraîche, émiettées • sel et poivre noir, fraîchement moulu • 4 feuilles de pâte brisée • huile pour friture

Pour 4 personnes

CHAUFFER l'huile dans une grande poêle à fond épais. Poêler le gingembre et les pommes de terre pendant 8 minutes, à feu moyen, en mélangeant. Ajouter les noix de cajou, les lamelles et la crème de coco, la coriandre, le sel et le poivre. Laisser refroidir.

COUPER chaque feuille de pâte en 4. Placer ¼ de tasse de préparation au centre de chaque portion. Humidifier les bords. Replier et joindre les bords. Réfrigérer 15 minutes.

CHAUFFER l'huile dans un faitout. Frire les samosas 6 minutes environ, jusqu'à ce qu'ils soient bien dorés et croustillants. Les égoutter sur du papier absorbant, et servir immédiatement accompagné d'une sauce au yaourt, au chili et au concombre.

Soupe de pomme de terre

1 cuil. à soupe d'huile • 30 g de beurre • 1 gros oignon, haché • 3 oignons nouveaux, hachés • 4 grosses pommes de terre (1,3 kg) • 1 l de bouillon de volaille de qualité • 2 feuilles de laurier • 250 ml de crème fraîche • sel et poivre noir, fraîchement moulu • 1 cuil. à soupe d'huile • 2 gousses d'ail, écrasées • 2 cuil. à soupe de graines de carvi

Pour 4 personnes

CHAUFFER l'huile et le beurre dans un faitout, à petit feu. Faire blondir les oignons et les oignons nouveaux pendant 10 minutes, en remuant régulièrement.

PELER les pommes de terre et les détailler grossièrement. Les ajouter aux oignons, couvrir et laisser cuire 10 minutes. Incorporer le bouillon et les feuilles de laurier. Laisser mijoter à couvert pendant 10 minutes, puis ajouter la crème fraîche. Laisser refroidir.

PASSER la soupe au mixeur, en deux fois. Mélanger pendant 2 minutes environ, jusqu'à ce que la soupe soit lisse. Assaisonner de sel et poivre à votre goût.

PELER et détailler en dés les pommes de terre restantes. Chauffer l'huile dans une poêle, et y faire revenir l'ail. Ajouter les pommes de terre et cuire à feu vif, en remuant jusqu'à ce qu'elles soient dorées et croustillantes. Réchauffer doucement la soupe, et servir garni de croûtons de pommes de terre et de graines de carvi.

NOTE : on peut préparer la soupe à l'avance. Dans ce cas, la passer au mixeur juste avant de servir. Réchauffer à découvert pendant 5 minutes, à petit feu.

Miche de pommes de terre au fromage

1 tasse ½ de farine • 1 tasse ½ de farine avec levure incorporée • 1 cuil. à café de bicarbonate de soude • 30 g de beurre, fondu • 1 tasse de purée de pommes de terre (300 g de pommes de terre crues) • 1 œuf, battu • 125 à 180 ml de lait • 1 tasse de fromage râpé
Pour 4 personnes

PRÉCHAUFFER le four à 180 °C. Graisser de beurre fondu un moule à manqué de 20 cm de diamètre. Couvrir la base de papier sulfurisé. Tamiser les farines, le sel et le bicarbonate dans un grand saladier.
AJOUTER le beurre, la purée de pommes de terre, l'œuf, le lait et le fromage. Mélanger jusqu'à obtention d'une pâte homogène (elle doit être ferme au toucher).
FONCER le moule. Amorcer la découpe des portions à la surface du gâteau et enfourner 40 à 45 minutes. Le gâteau est prêt lorsqu'il sonne creux quand on tape doucement sur la surface. Démouler et servir chaud sur un plat accompagné de beurre.

INDEX

Les mesures utilisées sont les grammes et les litres. Si vous vous servez d'une tasse comme unité de mesure, elle doit avoir un contenu de 250 ml. Les œufs utilisés dans les recettes pèsent en moyenne 60 g. Le poids du contenu des boîtes de conserves dans les commerces varie, prenez donc la taille s'approchant de celle utilisée dans nos recettes.

Mesures et abréviations

1 tasse = 250 ml
1 tasse de farine = 125 g
1 tasse de riz = 220 g
1 tasse de fromage râpé = 125 g
1 cuil. à soupe = 20 ml
1 cuil. à café = 5 ml

U

V

W

Y

T